SUICIDAS

RAPHAEL MONTES

Suicidas

1ª reimpressão

COMPANHIA DAS LETRAS

Grafia atualizada segundo o Acordo Ortográfico da Língua Portuguesa de 1990, que entrou em vigor no Brasil em 2009.

Capa
Rafael Nobre

Imagens de capa
Tambor de revólver: hdere/ iStock
Chave: Marques/ Shutterstock

Preparação
Lígia Azevedo

Revisão
Valquíria Della Pozza
Jane Pessoa

Os personagens e as situações desta obra são reais apenas no universo da ficção; não se referem a pessoas e fatos concretos, e não emitem opinião sobre eles.

Dados Internacionais de Catalogação na Publicação (CIP)
(Câmara Brasileira do Livro, SP, Brasil)

Montes, Raphael
Suicidas / Raphael Montes. — 1ª ed. — São Paulo : Companhia das Letras, 2021.

ISBN 978-65-5921-277-4

1. Ficção brasileira I. Título.

21-85792 CDD-B869.3

Índice para catálogo sistemático:
1. Ficção : Literatura brasileira B869.3

Cibele Maria Dias — Bibliotecária — CRB-8/9427

EDITORA SCHWARCZ S.A.
Rua Bandeira Paulista, 702, cj. 32
04532-002 — São Paulo — SP
Telefone: (11) 3707-3500
www.companhiadasletras.com.br
www.blogdacompanhia.com.br
facebook.com/companhiadasletras
instagram.com/companhiadasletras
twitter.com/cialetras

Para Cici

Não me pergunte quem eu sou e não me diga para permanecer o mesmo.

Michel Foucault

Prólogo

7 de setembro de 2008, domingo, 17h42

Cyrille. Eu pesquisei antes de vir. É um nome francês. Mas vem do grego Kyrillos, que significa "plena autoridade". No meu entender, algo só pode ter plena autoridade se for humano. Digo isso porque a única Cyrille que tive oportunidade de conhecer nesses vinte anos de vida é uma casa. Cyrille's House, na verdade. Um nome atípico, não só pela tosca combinação francês-inglês, mas também por sua localização abaixo da linha do Equador, em pleno Sudeste brasileiro.

Felizmente, tudo fica mais claro quando se conhece a dona do lugar: Maria Clara, ou Marie Claire, como prefere ser chamada. Só o fato de ela preferir atender por um nome de revista em vez de usar o original já revela que ela não era lá muito normal. Mas, como todos os pirados com mais de sete dígitos na conta, Maria era considerada apenas moderna. A mansão de nome gringo era só mais um reflexo da sua personalidade peculiar.

Não sou capaz de lembrar a primeira vez que entrei em Cyrille's House. Eu tinha oito meses, e meu universo se resumia a papinha, gugu dadá e berço. Minha mãe sempre fora grande amiga da Maria e compartilhava com ela aquele estilo high society *de encarar um país subdesenvolvido: casas com nome de gente, carros blindados e babás devidamente robotizadas e uniformizadas para cuidar dos filhotes.*

Naquela época, a casa não era tão importante para mim. Eu corria pelos corredores perseguido por uma infeliz que ganhava um salário mínimo. Depois, chorava porque queria brincar no parquinho, e então chorava porque tinha brigado com Zak. Acho que minha infância pode ser resumida em choro. Não de tristeza, mas de pirraça. Eu chorava e conseguia o que queria. Era feliz daquele jeito.

Só a partir dos três anos a arquitetura do lugar começou a fazer sentido para mim, como um mapa se formando em minha mente infantil. A grande porteira de ferro já gasta. O caminho de terra até o casarão. O parquinho com balanços e gangorra onde eu me divertia com Zak. O tímido jardim na entrada, fazendo frente à convidativa varanda. E, na parte de dentro, uma infinidade de quartos, banheiros, cozinhas, salões... Daria para vinte famílias morarem ali. Mas não, Cyrille's House era apenas a casa de campo para a família Vasconcellos receber os amigos nas férias de julho.

A história toda parecia até conto de fadas: era uma vez uma Maria Clara, vinda de família pobre, filha de dois nordestinos. Ela conhece o empresário Getúlio Vasconcellos enquanto arruma o quarto dele no hotel. Eles se apaixonam e, dois meses depois, casam. Maria Clara se torna Marie Claire. E logo nasce o herdeiro, Zak. Um nome inquestionavelmente estrangeiro para espantar da mente dos curiosos as origens da genitora. Pronto, hora de serem felizes para sempre.

Cyrille's House. Marie Claire. Zak. Não fosse o fato de viverem se borrando de medo de sequestro, seriam a perfeita família plastificada de Beverly Hills. Não tenho dúvidas de que Maria seria muito mais feliz assim. Remoía-se por viver na terra do Carnaval, do futebol e da caipirinha...

É interessante perceber como o tempo passa. Aos nove, eu e Zak curtíamos soltar pipa, jogar videogame, bater uma bola no campo dos fundos. Com os anos, Zak se tornou o exemplo perfeito de filhinho de papai criado na zona sul carioca: malhado, com roupa de marca, carro do ano (uma Hilux prata de dar inveja), garanhão entre as meninas na faculdade. Já eu... Virei o nerd do grupo, que gosta de escrever, curte cinema nacional e acha Machado de Assis um gênio da literatura brasileira. O estranho é que continuamos amigos. Não importa quanto o destino cisme em romper o tênue fio que nos une, os laços da infância não se desfazem.

Hoje é a primeira vez que pisaremos em Cyrille's House sem nossos pais. Também não poderia ser diferente. Não estamos indo para brincar no balanço ou nadar na piscina enquanto nossas mães conversam sobre a última moda em Paris. Dessa vez, vamos por algo muito mais sério. Nós decidimos nos matar.

1.

DAS ANOTAÇÕES DE ALESSANDRO PARENTONI DE CARVALHO
CASO CYRILLE'S HOUSE
IDENTIFICAÇÃO: 15634-0506-08
ENCONTRADO EM 10/9/2008, NO QUARTO DA VÍTIMA SUPRACITADA
OFICIAL RESPONSÁVEL: JOSÉ PEREIRA AQUINO, 12ª DP, COPACABANA

5 de junho de 2008, quinta-feira

"Para a semana que vem, senhores, um relatório crítico sobre *Vigiar e punir* do Foucault. Baseado nos princípios que vimos nesta semana. Podem se dividir em grupos de quatro ou de cinco."

Às vezes me questiono onde eu estava com a cabeça quando escolhi estudar direito. Existem tantas coisas mais legais para se fazer da vida: cinema, artes cênicas, letras...

"E, antes que perguntem, vale nota, sim."

Gosto de filosofia. Mas nunca, nunca mesmo, desejaria ser filósofo. De que adianta gastar minha massa cinzenta pensando e pensando para, no final, me tornar tema de trabalho de faculdade e merecer uns cinco ou seis "relatórios críticos" sobre minha obra? Não, não. Muito obrigado. Prefiro ganhar a vida como funcionário público: ter estabilidade, bom salário e outras mil vantagens que minha mãe não me deixa esquecer.

"Alê, você conhece esse aí?"

Como eu estava guardando o caderno na mochila, não vi quem era o "esse aí" a quem Zak se referia. Diante da minha expressão de ignorância, ele se deu ao trabalho de apontar mais uma vez para o quadro-negro:

TRABALHO FOUCOLT PARA 12/6

"Conhece?"

Deus do céu, como alguém pode chegar ao quarto período de uma faculdade de direito sem saber quem foi Michel Foucault?! Mas Zak conseguiu essa proeza, então é possível. Ele ajeitou a manga direita para dar espaço aos seus músculos e ficou me olhando enquanto aguardava uma resposta.

"Conheço", respondi.

No fundo, bem lá no fundo, ele nem era tão culpado. O velho professor, com todos os seus mestrados e doutorados, tinha sido imbecil o bastante para escrever Foucault errado. Ignorante por ignorante, pelo menos Zak era meu amigo.

"Bora fazer junto então."

Concordei com a cabeça. Existe um acordo implícito entre nós. Zak me ajuda com as garotas e eu o ajudo com os trabalhos da faculdade. Isso, sim, é que é justiça!

A sala já se esvaziava. Sempre sou um dos últimos a sair. O zíper da mochila não ajuda muito.

"Posso fazer com vocês?"

A garota que fez a pergunta tem cabelos ruivos entrelaçados estilo anos 1970, rosto fino, pele branca e olhos claros. Vestia um blusão bege e uma calça preta comprida o suficiente para cobrir o All Star vermelho. Sentava lá no fundo da sala e raras vezes arriscava alguma pergunta. Eu sabia seu nome pela chamada, que alguns professores ainda tinham a paciência de fazer: Rita Antunes Peixoto, Ritinha para os mais chegados. Não era o meu caso. Tampouco o do Zak. Mas fora a ele que ela tinha se dirigido.

"Pode", Zak respondeu, sem desviar o olhar de mim. Na verdade, a mensagem que seu sorriso me passou foi: "Essa ainda não comi, mas vou comer". E isso não era novidade.

O agradecimento da garota também foi murcho. Desde o início, ela sabia que seria aceita. Provavelmente nunca tinha levado um "não" ao longo dos seus dezoito ou dezenove anos de vida.

"Vamos fazer hoje, lá em casa... Certo, Alê?" Ele virou para mim, esperando uma anuência. Conseguiu. Zak estava mesmo com pressa de conhecer os dotes da Ritinha...

Ela concordou desleixadamente com a cabeça. Afinal, qual era o problema de se meter numa casa desconhecida com dois caras para fazer um trabalho sobre Foucault? Nenhum.

"Quinta, dia 12, é meu aniversário...", comentou ela, prendendo os cabelos cor de fogo. "Essa merda de trabalho é um belo presente de aniversário..."

Ela riu, esperando que compartilhássemos de sua piadinha. Ficamos em silêncio.

"Quem vai ser a quarta pessoa?", perguntei, no auge da minha inocência.

"Pode ser eu?"

A voz masculina veio de trás de mim. Era grave, agitada e um tanto fanha. Eu não precisava me virar para saber de quem se tratava. Na aula, o infeliz fazia uma pergunta inútil por minuto. O sorriso amarelo no rosto do Zak expressou toda a receptividade que ele teria em nosso grupo. Três homens e uma mulher? Não daria certo.

"Pode, sim, Noel", aceitou Ritinha, como se a brincadeira toda fosse acontecer no apartamento dela.

Noel foi a primeira pessoa que conheci na faculdade. Naquele desespero patético de colecionar amigos como se colecionam figurinhas, logo na primeira semana eu já o considerava um companheiro de anos. No trote, fui idiota o suficiente para tentar defendê-lo de uma situação ridícula na qual acabei me dando mal. É a vida... Dois ou três meses foram suficientes para Noel mostrar que não era boa companhia: as garotas fugiam dele. Então eu fugi também.

As sardas, os pequenos óculos escorregando pelo nariz pontudo, o cabelo cacheado caindo de modo irritante sobre a testa... Ele era asqueroso.

"Pode", concordou Zak, com toda a secura que foi capaz de expressar.

Viagens de carro, mesmo que curtas, costumam ser constrangedoras, porque o fato de um não poder olhar para a cara do outro sempre trava a conversa. Inicialmente se fala sobre o tempo, depois sobre o campeonato de futebol, mas logo, logo fica evidente que o melhor mesmo é ligar o rádio e esperar chegar ao destino. Como só éramos eu e Zak na Hilux, a conversa até que rendeu.

"Tenho pena dele, coitado", Zak disse.

Eu também tinha. Olhando pelo retrovisor e o vendo logo atrás, seguindo-nos em seu fusquinha azul com Ritinha no assento do carona, esse sentimento crescia dentro de mim. Não só porque a imagem lembrava uma baratinha seguindo um elefante, mas também porque meu bisavô tinha um fusquinha da mesma cor.

"Ele deve ser virgem."

"Viu o jogo do Fluzão ontem?", Zak perguntou, mudando de assunto, com o olhar fixo no trânsito à frente.

"Você sabe que não gosto de futebol."

"Cinema?"

"Tô sem saco para falar disso."

Silêncio.

"Tá. Acabou o assunto", ele disse.

"É. Liga o rádio."

Duas do Caetano, uma da Elza Soares e chegamos ao prédio dele.

Entrar pela primeira vez no apartamento do Zak faz você acreditar que mora em uma caixinha de fósforos. Como já fui lá umas duzentas vezes, a sensação deprimente já está se dissipando. Ainda assim, sempre levo uns biscoitinhos no bolso para o caso de me perder por uma semana naquele labirinto de concreto.

A grande vantagem de morar num apartamento como aquele é possuir uma sala com eco. Um puta eco. Além de, claro, valorizar o dono diante dos olhos femininos. Zak sabia aproveitar muito bem essa bênção imobiliária.

"Uau!"

"Uau!" É essa a interjeição que define a extensão da sala do apartamento. Saída da boca da Ritinha, então, parecia até poesia.

Os quadros muito sóbrios e alguns almofadões dão ao ambiente um estilo moderno e ao mesmo tempo descontraído. A mesa escura, sobre um tapete chique, completa o ambiente pensado por algum decorador famoso especialmente contratado.

"Cadê seus pais?", Noel perguntou.

Nesse caso, a pergunta era plausível. Era bem possível que eles estivessem a quilômetros dali, conversando na cozinha.

"Viajando."

Para variar, pensei em completar, mas me mantive calado e puxei uma cadeira. Não sei o porquê, mas a imagem do fusquinha azul veio à minha mente. Pelo peso, podia apostar que aquela cadeira tinha sido mais cara que o fusca. Madeira maciça.

Imaginei como Noel devia estar se sentindo. Um bosta, é claro. Se ele fosse religioso, tenho certeza de que acabara de perder toda a fé no Santíssimo. Como poderia haver justiça naquilo tudo? Fusca versus Hilux. Caixinha de fósforo versus aquela sala!

Deus é um cara muito sagaz, mas seu senso de justiça falhou quando criou Zak e Noel. Todos sabiam que Noel era doido para namorar a Ritinha. Todos também sabiam que ele nunca ia conseguir. E nós quatro sabíamos que ela estava doida pelo Zak. Pelo olhar dela, percebi que só não tirava a roupa e fazia o serviço ali mesmo porque o asqueroso do Noel estava presente.

Eu sabia que ele ia atrapalhar tudo...

"Posso sentar?", ela perguntou.

"Uhum."

Se Ritinha estava procurando um cavalheiro, era melhor caçar em outra freguesia. Zak não estava nem aí se ela ficaria de pé, sentada ou pendurada no lustre de cristal.

Enquanto todos se acomodavam, retirei da mochila meu exemplar de *Vigiar e punir*, comprado por dez reais num sebo do centro.

"Você já leu isso tudo?", Noel perguntou, coçando o nariz, o que acentuava sua voz nasalada.

"Li."

"Alguém mais leu?", indagou novamente, temendo ser o único a não ter sequer folheado o livro, mas encontrou conforto nos outros dois. Eu era o único que sabia do que tratava o livro.

"É pra fazer o que mesmo?", Zak perguntou, retirando os tênis e colocando os pés com meia sobre a mesa. Ele ficou recostado na cadeira como um marajá.

"Um relatório crítico. Seja lá o que isso signifique", Ritinha disse.

"Parece chato", sentenciou meu amigo, brincando com o lápis entre os dedos compridos. "Mudando de assunto... Sábado vou numa rave. Topam?"

"Nem rola", explicou Ritinha, dobrando as pernas e exibindo suas lindas coxas como em uma vitrine. "Por causa do meu aniversário, uns parentes do Sul chegam amanhã pra me ver. Vão passar a semana. Tias velhas, primos chatos..."

"Vai ter festa?", tentou Zak.

"Nada."

"E você, Alê? Que tal rave no sábado?"

Minha negativa foi expressa e silenciosa. Eu? Numa rave? Onde já se viu?

"Ah, Alê, vai uma galera legal", Zak argumentou. "Você deveria ir..."

Decidi nem responder. Negar, nessas horas, é a pior opção.

"Eu talvez tope", Noel disse, com naturalidade. Aquele era só mais um motivo para eu não ir.

Pelo silêncio que se seguiu, achei que era melhor tentar começar o trabalho. Eu sabia que logo seria interrompido por algum assunto idiota, mas não custava nada tentar.

"Foucault escreve sobre o sistema penal. Segundo ele, ocorreram transformações em nível europeu e mundial no fim do século XVIII e início..."

"Esse cara ainda está vivo?", interrompeu Noel, brincando com a espiral do caderno. Como não estávamos na sala de aula, pensei em lhe dizer que não toleraria suas perguntas idiotas. Mas só estiquei pacientemente a contracapa do livro na direção dele com a biografia do "cara".

"Lê alto, curioso", eu disse.

Noel pareceu não se importar com o "curioso", até porque era mesmo.

"*Michel Foucault, quando morreu de aids aos cinquenta e sete anos...*"

Ele tirou os olhos do livro e olhou para mim com um sorriso irônico.

"Continue."

"O cara morreu de aids. Devia ser veado."

"Ele era gay, sim", respondi, pedindo o livro de volta.

Mas Noel continuou a leitura em voz alta:

"Em sua casa, as pressões para que o menino se 'endireitasse' deviam ser intoleráveis. Pouco antes de morrer, o filósofo contou que, quando pequeno, seu pai o levou a uma das salas de cirurgia a fim de que ele 'se fizesse homem'. A vida então se tornou uma tortura: até os vinte e poucos anos, Foucault tentou várias vezes o suicídio. Sua afeição pelo álcool nasceu nessa época."

"É... O cara era pirado mesmo", Zak disse.

"Era melhor se tivesse conseguido se matar", defendeu Noel, buscando nossa aprovação a seu comentário patético. "Pelo menos não teríamos um relatório crítico para fazer."

Sem paciência, tomei o livro de suas mãos. Ele voltou a brincar infantilmente com a espiral do caderno. Zak e Ritinha já tinham, havia muito, entrado num transe sensual: lançavam olhares, trocavam sorrisos e, por debaixo da mesa, encostavam as pernas. Eu antevia a hora em que empurrariam os papéis para o chão e fariam tudo ali mesmo.

"Falando em suicídio... Vocês viram a notícia que saiu no jornal?", indagou Noel, decidido a fazer tudo menos a porra do trabalho da faculdade.

"Da roleta-russa?", Ritinha perguntou, parando com o chamego e demonstrando certo interesse no assunto.

É impressionante a atração humana pela desgraça alheia. É legal ver o Fulaninho casar e a Beltraninha ter filhos, mas a notícia vende muito mais se o Fulaninho mata a Beltraninha e depois comete suicídio.

Essa notícia tinha sido capa dos jornais na última semana. Um infeliz encontrou a arma do pai sobre o armário e propôs a brincadeira a três amigos. O revólver estava carregado, com só uma bala faltando no tambor. Todos aceitaram. Resultado: três mortos e um babaca preso.

"Macabro, né?"

"É...", Ritinha respondeu.

"Coisa de americano", Zak disse.

"Os caras eram franceses", Noel discordou.

"Eram americanos!", ela confirmou.

"Eram franceses. Eu li no jornal!"

"Os caras morreram em Boston!"

"Eu não sei onde morreram. Sei que eram franceses!"

Adoro esse tipo de discussão: a força argumentativa de sua tese é medida pelo vigor com que você a pronuncia... "Franceses!", "Americanos!", "Franceses!!!"

"Então eram franceses que decidiram se matar nos Estados Unidos", concluiu Ritinha, apaziguando os ânimos.

"Tenho os jornais com a reportagem lá no quarto", Zak disse. "Vou buscar pra esclarecer isso. Bora comigo, Ritinha?"

Pronto. Aquela era a deixa do casalzinho para a sacanagem.

Desistindo da discussão, Noel voltou a brincar com a espiral. Parecia se divertir tanto fazendo um barulhinho irritante ao deslizar o dedo sobre ela que nem sequer percebeu o que acontecia.

Esticando a mão para o anfitrião, Ritinha sumiu pelos corredores. Aproveitei para tentar organizar mentalmente o relatório crítico. Na verdade, desde que o professor o propusera, eu já tinha uma ideia formada na cabeça. Era só colocar no papel.

Com o som do mar batendo suavemente na areia lá fora, iniciei um esboço. Depois, numa revisão de quinze minutos, corrigi algumas partes e cheguei a uma versão final.

"Ei, cadê eles?"

Saindo do estado apático, Noel percebeu a ausência da sua musa inspiradora.

"Estão no quarto. O Zak foi buscar os jornais com a reportagem da roleta-russa."

Há quarenta minutos, pensei em acrescentar. Mas ele poderia suspeitar, e eu queria evitar constrangimentos desnecessários.

Discrição é para poucos. Mesmo que eu quisesse manter Noel na inocência, os decibéis dos gemidos da Ritinha não ajudavam muito. Ganhando caminho nos corredores e ecoando pela sala, reverberou uma longa sequência de "ohs", "ahs" e "uis", que se misturava ao som do mar de Ipanema ao longe.

"Eles estão…", Noel não completou a frase. Fechou o rosto, meio indignado, meio irritado. Então, levantou bruscamente para ir embora.

Não sou vidente e não jogo tarô, mas tudo terminou exatamente como eu havia previsto: Zak e Ritinha trepando, Noel saindo puto e eu fazendo sozinho a porra do trabalho sobre Foucault.

2.

DOS REGISTROS DE ÁUDIO

CASO CYRILLE'S HOUSE

REALIZADO EM 9/10/2009, NA SALA DE REUNIÕES DA CHEFIA DA POLÍCIA CIVIL DO ESTADO DO RIO DE JANEIRO

RESPONSÁVEL: DIANA CUSTÓDIO GUIMARÃES

DURAÇÃO: 6H23MIN41

(*chiado*)

DIANA: Nove de outubro de 2009. Dezesseis horas e trinta e dois minutos. Reunião para esclarecimentos sobre o caso Cyrille's House. Sou a delegada Diana Custódio Guimarães. Esta conversa está sendo gravada. Alguma objeção?

(*som do gravador sendo apoiado em uma superfície*)

DIANA: Ótimo. (*pausa*) Estão presentes Rosa Wallwitz, Sônia Castro de Mendonça, Rebecca Amaral Feitosa, Débora Parentoni de Carvalho, Amélia da Silva Guanabara, Olívia Azambuja e Vânia Antunes Peixoto. Mães das vítimas do incidente ocorrido em

7 de setembro de 2008. Nenhuma falta. Esta reunião tem duração prevista de quatro horas. Algum comentário ou objeção?

(*ranger de cadeiras*)

(*silêncio — três segundos*)

DIANA: Antes de tudo, devo dizer que lamento a perda que sofreram. (*pausa*) Acreditando que, depois de um ano, essa dor já tenha arrefecido, esta reunião foi marcada.

REBECCA (*com voz levemente chorosa*): Não arrefeceu. Você não sabe o que é perder uma filha...

DIANA: Em parceria com a Polícia Civil do Estado de Minas Gerais, a Chefia da Polícia Civil do Estado do Rio de Janeiro realiza esta reunião. Hoje, temos por objetivo buscar esclarecimentos acerca dos fatos ocorridos em 7 de setembro do ano passado. Como se sabe, nove jovens se reuniram na casa de campo Cyrille's House, em Minas Gerais, com o objetivo de realizar a chamada roleta-russa. Nesse "jogo", uma única bala é introduzida aleatoriamente em uma das câmaras do revólver. Depois, o tambor é girado e fechado. Então, é formada uma roda e cada participante atira na própria cabeça sem saber se...

OLÍVIA (*com a voz ríspida*): Chega dessa palhaçada. Todo mundo aqui sabe o que é roleta-russa.

REBECCA: Claro que sim.

SÔNIA: O que não entendo é como eles fizeram isso... Como podem ter morrido na mesma roleta-russa? Normalmente só morre uma pessoa, não?

DIANA: As regras da roleta-russa deles foram um pouco diferentes. Vou explicar isso em breve. Vocês vão entender tudo.

SÔNIA: Está bem.

DIANA: Como vocês sabem, o episódio terminou de forma violenta e um tanto quanto... misteriosa. (*pausa*) Os corpos foram encontrados pelos ex-policiais militares Jurandir Coelho Sá e Plínio Motta. (*pausa*) Acreditando que uma reavaliação dos fatos traria luz ao caso, estamos aqui hoje. Decidimos convocar apenas as mães, porque percebemos que as vítimas tinham mais contato com as senhoras do que com os pais, principalmente nos casos envolvendo divórcio.

OLÍVIA (com a *voz ríspida e depois chorosa*): Fomos exaustivamente interrogadas esse tempo todo. Não sei o que mais vocês querem sugar de nós.

DIANA: Estamos em busca da verdade, Olívia.

OLÍVIA: Também quero a verdade, mas já disse tudo o que sei. Não tenho nada a esconder.

DIANA: Decidimos considerar novas perspectivas. (*farfalhar de papéis*) Durante todo esse tempo, guardamos um trunfo que poderia ser a chave para entender como tudo aconteceu. (*agitação*) Isso nos ajudou bastante, mas não tanto quanto esperávamos. Talvez, se compartilharmos o material com vocês, possamos chegar a resultados satisfatórios...

SÔNIA: Do que você está falando? Trunfo? Não estou entendendo nada!

(*ranger de cadeiras*)

DIANA: Na época do incidente, nossas bases investigativas foram os interrogatórios com os pais e amigos, as evidências coletadas em Cyrille's House, os resultados da perícia e, como vocês sabem, as anotações de Alessandro Parentoni de Carvalho num caderno encontrado em sua residência, em Copacabana, três dias após a tragédia.

SÔNIA: A gente nunca teve acesso a esse caderno. O que tinha nele?

DIANA: Era uma espécie de diário datado em que o Alessandro registrava sua rotina. Ali, encontramos alguns dados úteis sobre as relações entre as vítimas e também informações sobre o processo de preparação e convocação de amigos para a roleta-russa.

OLÍVIA: Mas essas anotações do diário não serviram para

nada... Foi o que vocês disseram na época! (*com a voz ríspida*) O que tem de novo aí?

DIANA: Isto.

(*farfalhar de papéis*)

SÔNIA: Outro caderno?

DIANA: Sim. Também escrito pelo Alessandro. Um livro, na verdade. Encontrado no local onde tudo aconteceu. Em Cyrille's House.

DÉBORA: Outro caderno... do meu filho?

DIANA: É o que ele mesmo chamou de sua "grande cartada". Um livro que ele começou a escrever quando estava indo para lá, narrando todos os acontecimentos da roleta-russa quase em tempo real. Não é muito grande, mas esclarece alguns pontos. Não tudo, porque o livro para quando ele... (*pausa*) Quando ele morre.

DÉBORA: Meu filho... (*choro*)

DIANA: O Alessandro não foi o último a morrer. (*pausa*) No intervalo entre sua morte e o instante em que os corpos foram encontrados — cerca de cento e cinquenta minutos —, algo aconteceu. Algo que deixou os corpos naquele estado inexplicável...

(*silêncio — quatro segundos*)

DÉBORA: Meu filho sonhava em ser escritor. Chegou a escrever dois livros, mas as editoras recusaram. Ele disse... (*choro*) Ele dizia que um dia escreveria um livro que todos iam querer ler, mesmo que ele tivesse que morrer por isso...

DIANA: O Alessandro conta detalhadamente a maioria das coisas que aconteceram na casa. Em alguns momentos, o relato é bastante forte. (*pausa*) Se as senhoras se sentirem mal, não deixem de me avisar. (*pausa*) Vou ler o livro todo para vocês. Por favor, digam qualquer coisa que passar pela cabeça das senhoras. Mesmo aquele detalhe que parece irrelevante. Tudo pode ajudar a chegar a uma resposta. Certo?

DÉBORA: Ele só podia estar falando nisso... Quando me contou que seria um escritor famoso mesmo que tivesse que morrer por isso... Só podia estar... (*choro*)

DIANA: É bem possível que tenha sido esse o motivo dele para aceitar participar da roleta-russa. (*pausa*) Os motivos de outros jovens também ficam um pouco mais claros com a leitura. Mas não de todos. Espero que vocês consigam nos ajudar nesse sentido também. (*pausa*) Posso começar a ler?

OLÍVIA: Pode.

DIANA: Então vamos lá. "*Prólogo. Cyrille. Eu pesquisei antes de vir. É um nome francês. Mas vem do grego Kyrillos, que significa 'plena autoridade'...*"

3.

DAS ANOTAÇÕES DE ALESSANDRO PARENTONI DE CARVALHO
CASO CYRILLE'S HOUSE
IDENTIFICAÇÃO: 15634-1301-08
ENCONTRADO EM 10/9/2008, NO QUARTO DA VÍTIMA SUPRACITADA
OFICIAL RESPONSÁVEL: JOSÉ PEREIRA AQUINO, 12ª DP, COPACABANA

13 de janeiro de 2008, domingo

Saber jogar pôquer é uma arte. Não só pelos blefes nos momentos certos, mas também por reconhecer uma boa mão quando ela vem. Uma boa mão não depende apenas das cartas na mesa, mas também das cartas nas mãos dos outros jogadores. Muitas vezes, uma dupla pode esconder sua vitória. Mas, dependendo da rodada, uma sequência pode não valer nada. Tudo depende da expressão corporal dos seus oponentes. Saber reconhecê-la é outra arte. Alguns desandam a falar quando têm uma boa mão, outros batucam as cartas na mesa na hora de blefar, outros ainda jogam pôquer acreditando que se trata de pura sorte. Esses são os melhores. Entram para perder.

Eu entro para ganhar.

Obviamente, já perdi algumas vezes. Tive que ouvir discurso moralista da minha mãe, do tipo "Você vai ficar viciado!", ou "Vai perder todo o dinheiro do estágio nisso!", e outras lenga-lengas. Meu argumento é simples e irrefutável: não tem gente que sai de casa para ir ao cinema comer pipoca? Pois então, prefiro o pôquer. Se ganhar, é lucro. Se perder, pelo menos me diverti. Pior é ela, que joga há vinte anos na Mega-Sena e nunca recebeu nem um centavo de volta.

"Mesa", pedi, com um soquinho no feltro verde.

"Cubro a aposta do Otto e dobro."

Uma ou duas vezes ao mês, a gente marca um "poquerzinho". Normalmente na casa do Zak, porque os pais dele estão sempre viajando e ele traz uns amigos de não sei onde para jogar. Dessa vez, foi o Otto. É impressionante como, mesmo sendo meu amigo desde pequeno, Zak ainda aparece com pessoas que nunca vi na vida. Ele conheceu Otto num cruzeiro pelas ilhas gregas. Coisa chique mesmo. A cara da Marie Claire.

"Eu saio." Eu tinha um dois e um três na mão, de naipes distintos. Havia apenas cartas altas na mesa. Não era hora de blefar.

Ainda estava tentando descobrir o padrão do Otto. Pensei que ele abria bastante os olhos toda vez que tinha uma mão ruim, mas tive o dissabor de perceber que estava errado. Mais algumas rodadas e eu chegaria ao seu ponto fraco.

As pessoas mais comuns do mundo são, sem dúvida, as que têm mais potencial para ser grandes jogadores de pôquer. Otto é a prova disso. Rosto comprido, cabelos pretos cortados curto. Nariz pequeno, boca média com lábios finos. Olhos vazios e pretos, marcados por cílios longos e femininos. Magrelo. Enfim, uma pessoa que passa despercebida. Para compensar, usava um short mostarda e uma camisa kiwi.

“Também saio”, ele disse.

Merda! Zak levou a mesa sem ter que mostrar as cartas. E ele estava blefando. Eu sabia.

“Sou o dealer agora”, retomou ele.

As rodadas se sucederam. Perdi algumas, ganhei outras. O pôquer simula a vida. Às vezes você perde, às vezes ganha, mas o negócio é se manter lá, jogando. Dar *all-in* toda hora é coisa de principiante.

Meu bisavô me ensinou que você só pode dar *all-in* em dois momentos, que ele chamava de “a grande cartada” e “o grande blefe”. Na “grande cartada”, você aposta tudo simplesmente porque tem a certeza de que possui a melhor mão da mesa. No “grande blefe”, você tem que conhecer bem os outros jogadores para ter a certeza de que eles vão correr quando você fizer seu lance mentiroso. Como ele mesmo dizia, a “grande cartada” é para os homens de sorte e o “grande blefe”, para os homens de coragem. E ele era um sortudo corajoso…

“Não tem nada pra beber, não?”, Otto perguntou, piscando excessivamente os olhos, os cílios compridos parecendo leques.

“Água?”

“Eu estava pensando em uísque. Tem?”

Zak sorriu. Deixou as cartas na mesa e foi buscar a bebida.

“Eu aceito a água!”, gritei, enquanto ele sumia no corredor.

Beber álcool naquela altura do jogo só diminuiria minha atenção. Se fosse para me embebedar, eu iria para um bar, e não para uma mesa de pôquer. Por um instante, considerei a possibilidade de aquela ser mais uma tática do Otto, mas logo abandonei a hipótese. Ele não parecia tão esperto.

Zak voltou segurando desajeitadamente uma jarra de água e uma tentadora garrafa de Blue Label. Distribuiu os copos e se serviu. Otto observava a bebida, tenso.

Com os copos cheios, brindamos de forma nada animada,

pontuada apenas pelo tilintar dos vidros em choque. Zak esvaziou o copo numa golada. Moderados, eu e Otto tomamos apenas um gole e voltamos a atenção às nossas cartas.

Um três de copas e um dois de ouros. Só carta baixa... Que merda! Mesmo assim, apostei, acreditando numa sequência. Tensão total.

"Eu dobro", Otto disse.

"Eu cubro e dobro", Zak disse, rindo, antes de engolir a segunda dose de uísque.

Briga de cachorro grande. As cartas ainda nem tinham saído e aqueles desgraçados já apostavam alto. Deviam ter um par de ases nas mãos, os filhos da puta.

"Saio", eu disse. Agora não tinha mais como saber se Zak estava mentindo. Toda vez que blefava, ele inclinava levemente a cabeça para a esquerda. Depois de três copos, sua cabeça tombava de um lado para o outro como um pêndulo.

Bebi a água e fiquei observando Otto apostar. Segurava as fichas com firmeza e as jogava na mesa com uma segurança admirável. Mantinha a postura ereta, os olhos pretos atentos ao jogo, ignorando sumariamente o ambiente ao redor. Nenhuma brecha. Nenhum tique.

Decidi, então, fazer um tratamento de choque, puxando um assunto. Quanto mais banal, melhor. Falando sobre uma asneira qualquer, a guarda do desgraçado baixaria e ficaria mais fácil descobrir seu ponto fraco.

"Otto... É um palíndromo", eu disse, como quem não quer nada. "Quero dizer, seu nome, Otto, é um palíndromo."

Ele não respondeu. Segurou três fichas e as lançou sobre o feltro verde da mesa.

"Eu acho legal... palíndromos", não desisti.

"Que porra é um palíndromo?", Zak perguntou, rindo. Por que quanto mais bêbado mais engraçado a gente se acha?

"São palavras ou frases que, lidas na ordem direta ou inversa, dão na mesma coisa. Otto. De trás para a frente e de frente para trás é Otto", expliquei.

"Ovo também!", animou-se Zak.

Otto coçou a nuca sem tirar os olhos do jogo, ignorando a conversa.

"Anotaram a data da maratona... Também é um palíndromo", eu disse.

Zak me lançou um olhar desconfiado e começou a rir. Então parou, encheu mais um copo de uísque e ficou pensando.

"Vai. Aposta", Otto disse, cansado de esperar.

"Puta merda, pior que é um palíndromo mesmo! 'Anotaram a data da maratona.' Gostei!"

"Aposta", Otto mandou mais uma vez, sem alterar a voz.

"Está um saco esse jogo. Só você leva a mesa, Otto!", Zak disse, acompanhado de mais uma risada e mais um copo de uísque.

"O Lucas e a Maria João deveriam ter vindo. Cinco na mesa é bem melhor", opinei.

"Os pais deles se separaram, parece. Tá uma confusão só. Não deu pra eles aparecerem..."

Concordei com a cabeça. Estava cansado de ficar ali perdendo. Por um segundo, voltar para casa e ficar na internet ouvindo música me pareceu a melhor opção.

"Por que não jogamos outro jogo? Algo mais divertido", propôs Otto.

Uau, péssima ideia!, pensei em dizer. Mas só saiu:

"Eu não jogo outra coisa. Só gosto de pôquer."

"Então vamos jogar strip pôquer."

Confesso que aquela era a última proposta que eu esperava ouvir naquela sala. Meus músculos faciais se contorceram em sinal de reprovação, e tudo o que consegui balbuciar foi:

"Hein?"

"Strip pôquer!", gritou Zak, confirmando que eu não estava ficando surdo. "Boa ideia!"

Encarei meu amigo com total incredulidade. Com os olhos caídos, ele levantou seu oitavo copo de uísque e simulou um brinde. A garrafa de Blue Label já estava quase no fim.

Como assim, três marmanjos sentados numa mesa jogando strip pôquer?

"Eu não vou jogar", disse.

"A gente aposta o relógio, a meia, o tênis. Coisas assim!", Otto disse, tentando me convencer.

"Bora, Alê, deixa de besteira. Vai ser engraçado!"

Eu não sei onde estava com a cabeça quando anuí, hesitante. Talvez aquele desgraçado tivesse posto algo na água. De qualquer forma, estava consciente o bastante para evitar que as apostas ultrapassassem os acessórios básicos que eu usava.

Otto distribuiu as cartas apressadamente. Minha cabeça fervilhava e, sob a iluminação fraca do lustre, eu as segurei. Ajeitando o pescoço e respirando fundo, olhei a mão: uma dupla de reis. Bom sinal.

"Aposto meu relógio", Otto disse, jogando um Swatch de pelo menos trezentas pilas na mesa. Olhei para a aposta, tentando conter o sorriso. Ele seria meu.

"Minhas meias valem seu relógio?", Zak perguntou.

Otto deu de ombros e, pela primeira vez, sorriu.

"Valem."

Ofereci o pé direito do meu tênis.

Apostas feitas, Otto virou as três primeiras cartas, ansioso: um ás de ouros, um três de copas e outro de ouros.

Agora eu estava numa situação de risco: quem quer que tivesse um três na mão ganhava da minha duplinha de reis. Mesmo assim, confiante de que o relógio Swatch seria meu, apostei o outro pé do tênis. Otto tinha apostado a camiseta kiwi. Zak, a calça.

Mais uma carta virada: cinco de espadas.

Nada mudou no jogo. A tensão continuava a mesma. Todos pediram mesa. Ninguém queria arriscar. A última carta foi virada: sete de ouros.

Droga, pensei. *Tenho duas duplas. Os reis na mão e os três na mesa. Se alguém tiver um ás ou outro três, estou pior do que ferrado! Estou descalço!*

Havia ainda a possibilidade de alguém ter duas cartas de ouros na mão e fazer um flush! Zak apostou a camisa. Otto, as havaianas. Resolvi não arriscar e saí do jogo.

Zak não parava de rir enquanto esperava o resultado daquela jogada. Já Otto se mantinha calado, sem revelar seu maldito ponto fraco.

Hora de mostrar as cartas: Zak tinha na mão uma dupla de seis. Otto, uma de sete! Com um risinho contido, ele disse:

"Ganhei!"

Não consigo definir em palavras a raiva que senti naquela hora. Se eu tivesse continuado, teria ganho! Merda, merda, merda! Observei Otto segurar meu tênis como se fosse ouro.

"Vamos, Zak. Tira a camisa e a calça."

Aquilo foi o cúmulo para mim. Zak apenas ria, enquanto se despia diante de nós. O que muitos copos de uísque não fazem com um sujeito...

Levantei de súbito:

"Vou embora."

"Fica aí, chato!", reclamou Zak, atrapalhando-se para tirar a camisa.

"Não, não. Tô indo nessa."

Caminhei depressa até o quarto do Zak e peguei emprestado um par de chinelos. Um turbilhão de pensamentos invadia minha mente. De volta à sala, fui até a porta e dei um "tchau" revoltado.

A última imagem que tive foi de Zak sem camisa caindo na

gargalhada enquanto Otto, ajoelhado, o ajudava a tirar a calça. Na cadeira onde Otto estivera sentado, havia um montinho de cartas discretamente agrupado. O filho da puta tinha roubado o tempo todo!

Resolvido a não discutir, bati a porta. Ao entrar no elevador, ouvi a voz embriagada do Zak gritando:

"Anotaram a data da maratona!"

Agora, escrevendo, até acho engraçado ele ter gritado aquilo. Mas, na hora, eu estava puto. O sangue fervilhava nas veias. Se eles queriam ficar naquela coisa de bêbado, boa sorte! Não ia me meter.

4.

Capítulo 1

Para conseguir comprar uma boa quantidade de maconha em Paris, você deve procurar determinados bairros underground, onde se vende droga como pão na padaria. No Brasil, a coisa é mais simples: basta conhecer bem seus amigos e você acaba descobrindo um fornecedor ao lado de casa.

A Hilux avançava pela estrada de terra com os pneus baixos, suportando o peso de nove pessoas com bebidas e drogas suficientes para fundar uma nova Colômbia. Embaladas pelo som de "Smooth", do Santana, repetida pela vigésima vez (Zak é daqueles que ouve a música predileta sem deixar que o CD passe para a próxima faixa), as sombras das pessoas amontoadas na caçamba refletidas na lataria do carro lembravam uma orgia dos tempos romanos.

Na cabine, Zak tinha uma garrafa de cerveja na mão esquerda enquanto a outra segurava desleixadamente o volante.

"Você deveria estar bebendo. Vai ser uma das últimas cervejas da sua vida", ele disse, dando um sorriso.

"Não quero, obrigado. Pode faltar", gritei, tentando vencer o volume alto da música.

Ele concordou com a cabeça e deu uma golada, deixando a garrafa pela metade.

Por sorte, Zak não estava a fim de argumentar. Todos sabíamos que não faltaria nada: o banco traseiro estava completamente ocupado com caixas de bebidas, cocaína e maconha suficientes para levar o Vaticano inteiro ao êxtase. Mesmo dividido por nove, tudo aquilo ainda garantia uma overdose para cada um.

Todo o cenário fazia com que eu me sentisse um coiote tentando atravessar a fronteira dos Estados Unidos com mexicanos ilegais: o sol se pondo atrás das montanhas, o calor infernal lá fora, o horizonte deserto pontuado pela vegetação alta, a poeira subindo com a passagem da Hilux, o carregamento de drogas e o som da guitarra do Santana, evocando aquela imagem de "latino bigodudo".

"Como está ficando?", Zak perguntou, tentando puxar assunto.

Levantei os olhos do caderno e olhei para ele.

"O quê?"

"O livro, porra. Como está ficando?"

"Ainda estou no capítulo um."

"Queria poder ler." Ele deu mais uma golada, esvaziando a garrafa. "Mas nem vai dar tempo."

"É..."

"Está conseguindo escrever com essa luz?"

Tive vontade de gargalhar. Estávamos numa estrada de terra batida que tinha mais crateras que a Lua, com o CD do Santana berrando em meus ouvidos e um motorista bêbado. A parca iluminação do carro não era o pior dos meus problemas.

"Lê o início aí para mim."

"Tô escrevendo", respondi.

É estranho escrever os verbos no passado sendo que tudo está acontecendo agora. Mas sempre fiz assim. De certa maneira, pen-

so que é o jeito mais verossímil de contar as coisas. Afinal, se estou contando, é porque já aconteceram. Pode ser um passado recente, mas é passado.

"Pega mais uma cerveja aí atrás para mim."

Pronto! Além de escritor do grupo, eu tinha me tornado o barman. Do jeito que íamos, era mais provável terminarmos num acidente de carro do que em Cyrille's House.

Deixando o caderno de lado, procurei nas caixas cheias de gelo mais uma garrafa de cerveja. Troquei a cheia pela vazia, a qual juntei às outras três que Zak já tinha bebido. Ele agradeceu com a cabeça e voltou o rosto para o caminho adiante.

Olhando-o assim, de perfil, dava para perceber como a dor o havia castigado na semana anterior. Não estava mais ali o riquinho da zona sul que distribuía felicidade como se a comprasse em lojas de conveniência. Sua expressão exalava melancolia, angústia, certo desapego material... O corpo curvado sobre o banco de couro, tímido, como que com medo do mundo lá fora, não revelava o Zak que eu conhecia. Reservado no meu canto, não ousei me aproximar numa tentativa de consolo. Expressar piedade nessas horas soa vulgar, até ofensivo.

Sem que percebêssemos, o CD do Santana avançou e "Maria, Maria" invadiu a cabine com seu solo de violão. Zak nem sequer se mexeu, os olhos vidrados no horizonte já escurecido e a mente viajando por Deus sabe onde.

"Espero que seu livro faça um puta sucesso, Alê", ele disse.

Então era disso que Zak precisava: alguém para conversar e fazê-lo esquecer tudo o que tinha acontecido nos oito dias anteriores. Nesse caso, eu era a pessoa errada. Nunca fui bom em travar diálogos. Nunca soube fingir interesse por assuntos alheios. Nunca acreditei na eficiência das palavras. Como escritor, brinquei com elas por tempo suficiente para perceber que não dizem nada, podem ser forjadas, como a embalagem bonita de um bombom envenenado.

"Eu também", respondi. Esforcei-me para que o assunto não morresse ali. "É tão estranho escrever sem saber como as coisas vão acontecer..."

"Seus livros são bons, Alê. Essas editoras é que são foda!"

Ótimo! O problemático era ele, e era eu quem estava sendo consolado. Que belo amigo eu vinha me saindo! Em busca de algo para dizer, só encontrei:

"Deixou a próxima música entrar, é?"

Ele olhou para mim, com um sorriso amarelo forçado no rosto. Depois, com o indicador, voltou duas faixas. Pela vigésima quinta vez, "Smooth" bateu em meus ouvidos.

Uma coisa que aprendi nos primeiros anos de faculdade é que mais legal do que ficar bêbado é estar sóbrio quando seus amigos estão bêbados. Não que a partir desse princípio eu tenha cortado o álcool da minha vida e fundado uma nova religião, mas passei a moderar as doses semanais. Nas reuniões etílico-sociais, eu bebia um pouco de vinho ou cerveja e então passava para a água. Hoje, prometi a mim mesmo que não vou tomar nada. Até porque, de certa forma, estou a trabalho. Meu último trabalho. Minha grande cartada.

Pelo retrovisor, estudei o rosto das pessoas lá atrás, segurando na borda da caçamba, correndo o risco de cair. Ritinha percebeu que eu estava olhando e estendeu a garrafa, propondo um brinde. Apenas sorri. Cara, como ela era bonita! Contrastando com a blusa preta e o jeans escuro, sua pele reluzia de brancura, como leite derramado num piso negro.

Logo atrás dela, um Noel já completamente bêbado pendia entre os outros, segurando uma garrafa oscilante na mão esquerda. Com o olhar perdido nos seios de Ritinha, cambaleou até ela e, pelas suas costas, cochichou algo em seu ouvido. Ela sorriu... O que a bebida não faz com uma mulher... Mais umas cervejas e era bem capaz de ele conseguir um beijo naquelas bochechas sardentas.

Desviei o olhar do retrovisor. Sem eu ter percebido, Zak havia terminado a quinta garrafa e trocado o CD do Santana por um dos Mamonas Assassinas. O rock brega e irônico da banda em "Pelados em Santos" me remeteu à infância. Lembrei-me do quanto tinha curtido o som daqueles caras quando tinha uns oito anos. Lembrei-me da tristeza que me acometeu quando, em 3 de março de 1996, vi o Fantástico *anunciar que todos haviam morrido num acidente de avião. Aquela foi a primeira morte com que tive de lidar. Fiquei chocado. Tinha comprado o ingresso no dia anterior para o show que eles fariam no Rio. E simplesmente não haveria mais nada. A casa de espetáculos obviamente devolveu o dinheiro, mas fiz questão de guardar o ingresso. Agora, o pedaço de papel devia estar perdido entre livros de faculdade e rascunhos de romances.*

"Eles eram bons, não?", Zak perguntou, entregando-me a garrafa vazia.

"Eram. Chegaram a gravar um segundo CD. Eu comprei numa lo..."

"Fodeu!", ele interrompeu, desligando o som, apressado. Reduziu a velocidade, o que projetou nossos corpos levemente para a frente.

Agitado, retirei os óculos do bolso da camisa. Não precisava deles para escrever, mas para avistar qualquer coisa a mais de dez metros sou quase cego.

"Tem bala aí?", ele perguntou, nervoso.

À nossa frente, como um elemento atípico largado desleixadamente naquele cenário rústico, havia uma patrulha da polícia. Devia estar a uns sessenta metros, mas, naquele local onde não havia nada para distraí-los, qualquer marcha a ré seria um evidente sinal de fuga.

"Tem bala aí, porra?"

"Tá no porta-luvas", respondi, abrindo-o. Será que Zak ia mesmo fazer o que eu estava pensando? Pegar as balas, carregar o revólver e dar uns tiros nos PMs? No fundo, não era má ideia. Naquele fim de mundo, quando descobrissem os corpos dos policiais, seria tarde demais. Estaríamos todos mortos mesmo.

"Não tô falando disso. Bala de chupar, Alê! Bala de chupar!"

Sempre ando com balas e chicletes, e Zak sabe disso. É como um vício, uma mania. Passo por um camelô vendendo três Halls por dois reais e tenho uma necessidade imperiosa de comprar.

"Melancia ou menta?", perguntei, caçando as balas na parte da frente da mochila.

Pelo visto, o pessoal lá atrás já tinha se tocado da presença da polícia. Haviam cessado os palavrões, as conversas altas, as gargalhadas exageradas de bêbado. Oportunamente, as garrafas de cerveja que seguravam também haviam sumido, jogadas no matagal. Olhando pelo retrovisor, pareciam sete jovens na caçamba de uma picape esperando pelo início da aula de catecismo.

"Menta. Menta. Dá logo isso!"

Coloquei duas balas na mão dele, que as meteu na boca como se fossem comprimidos.

"Manda mais! Manda mais!"

Estávamos a menos de vinte por hora.

"Só tenho mais duas", observei.

"Então me passa as de melancia também... Rápido, rápido."

Entreguei os pacotes pra ele. Largando o volante, Zak pegou as balas e enfiou umas oito na boca de uma só vez, com papel e tudo. Então mastigou. O barulho dos dentes triturando as balas como se fossem pedras batendo em terra firme era irritante.

"Pronto."

Ele jogou o restante no meu colo e passamos pela patrulha com o ar da cabine empesteado por um cheiro doce de menta e cer-

veja. Se Zak bebesse um copo d'água naquele instante, posso apostar que sua boca arderia como o inferno.

Ao sinal, paramos.

"Boa noite, policial", ele disse, sorrindo, numa tentativa de estabelecer uma boa relação com a autoridade.

"Noite", foi a resposta, com certo desdém. "Habilitação e documento do veículo."

Os dois seres fardados provavelmente dariam mais certo como dupla sertaneja de cidade pequena. O primeiro, sentado no banco do carro, nos olhava com uma expressão de "só sei que nada sei". O segundo, que se dera ao trabalho de sair da viatura para encher nosso saco, ostentava um bigodão ruivo como os daqueles xerifes texanos e falava tão pausadamente que parecia arrotar entre uma palavra e outra.

"É pra já!", Zak respondeu.

Com as mãos levemente trêmulas, meu amigo abriu o porta-luvas e pegou a documentação. Do ângulo em que estava, o policial não conseguia ver o que mais havia lá dentro. Sorte nossa. Imagine sua reação ao perceber que carregávamos um revólver e munição dentro de um saquinho de supermercado.

"Tudo certinho. Levando o que aí atrás?", o policial perguntou, indicando os bancos traseiros com a ponta do narigão.

"Cerveja. Vamos fazer uma festa", Zak disse, com toda a sobriedade, como um padre que acabara de abandonar a clausura. Fosse eu, estaria falando alto, desregradamente e chamando o oficial de Xororó.

"Não é permitido andar com pessoas na caçamba do veículo", retrucou o policial, enfiando a cabeça pela janela da Hilux. "Não posso deixar vocês continuarem."

"Só estamos indo passar uma semaninha de férias. Não podemos chegar a um acordo favorável para os dois lados?"

O policial fechou a cara, aproximando-se do rosto do Zak. Deu umas duas ou três fungadas inconvenientes, provavelmente por sentir o cheiro mentolado que dominava o hálito do meu amigo.

"O senhor está falando de suborno?", perguntou, com uma rispidez assustadora.

"O senhor entende um acordo favorável para os dois lados como suborno?", devolveu Zak.

Franzindo o cenho, o policial prosseguiu:

"Salamandra. Você está falando de salamandra?", ele perguntou, parecendo um pouco nervoso. Por um segundo, acreditei que também tivesse acabado de tomar uns gorós.

Nesse instante, o outro policial saiu da viatura e caminhou até a Hilux. Passou lentamente em frente ao carro e me olhou como se examinasse um monte de bosta no chão. Então, juntou-se ao colega, observando com atenção o rosto do Zak.

"Não são eles, Plínio. Esquece a parada", ele disse, com uma voz fanha.

"Salamandra?", repetiu Zak, segurando o volante com firmeza, o pé encostado no acelerador caso os babacas decidissem atrapalhar nossos planos.

"Volta para o carro, Coelho. Deixa que eu resolvo a parada aqui", disse o primeiro policial para seu colega.

Fechando a cara, Coelho acabou obedecendo.

"De que acordo exatamente você estava falando, moleque?", ele perguntou, agora mantendo distância da boca do Zak.

"Duzentos reais", meu amigo respondeu, com a cara mais lavada que vi na vida.

"Quatrocentos?", o policial perguntou, com os olhos brilhando de animação.

"Quatrocentos", Zak concordou, entrando no jogo.

Nesse momento, elevei meus pensamentos aos céus, agradecendo a Deus por morar no Brasil. Só num país como este você é liberado carregando drogas e cerveja porque deu quatrocentos reais para o PM. Isto, sim, é o paraíso!

Lá atrás, a turma da caçamba continuava em silêncio, os rostos abaixados como se estivessem na lista de procurados.

Zak puxou o talão de cheques.

"Cheque?", o policial brigou. "Tá maluco, moleque? E se essa porra não tiver fundo?"

"Não estou com dinheiro vivo. É só descontar. Qualquer coisa, pode ir cobrar lá em Cyrille's House. Sabe onde é?"

"Cyrille's House? Sei... Casa de bacana... Eu cobro com juros, hein?", o policial disse, dando soquinhos leves na lataria do carro. "Juros altos."

"O cheque tem fundo", Zak respondeu, sério.

"Sei..."

"Vou colocar meu telefone no verso. Qualquer problema é só ligar, tá?", Zak disse, terminando de preencher o cheque.

O policial tomou o cheque das mãos dele. Tirou um celular do bolso e discou o número que Zak anotara.

"Só pra confirmar...", explicou, esperando a ligação ser completada.

O toque do celular do Zak — a música "Rehab", da Amy Winehouse — invadiu a cabine da Hilux.

"Bom garoto", o policial disse, dando tapinhas amigáveis no ombro de Zak. "Agora, circula."

"Você nunca viu a gente, certo?"

"Nem sei quem é você, moleque."

"Beleza, então."

"E vê se seu amigo aí bebe menos", comentou, apontando o narigão para as cinco garrafas vazias que estavam ali.

Assim que tomamos certa distância da patrulha, a agitação na caçamba recomeçou. Alguns levantaram, xingando Deus e o mundo por terem sido obrigados a ficar sentados durante aquele tempo todo. Outros, aliviados, comemoravam o fato de não terem sido pegos com meio quilo de cocaína no banco traseiro e decidiram iniciar uma nova rodada de cerveja.

Zak religou o rádio, deixando que os Mamonas terminassem "Pelados em Santos" e iniciassem "Chopis Centis".

"Como você sabia que ele ia aceitar?", perguntei.

"Hein?"

"Do jeito que ele falou... Pensei que não fosse aceitar. Como você sabia que... ele aceitaria a grana?"

"Ah, Alê, isso é mole. Esses caras ganham um salário mínimo por mês. Quatrocentos reais pra eles é ouro. Além do mais, se quisessem mesmo fazer justiça e salvar o mundo, não ficariam no meio do nada esperando bandido. Eles queriam dinheiro. Eu tinha. Encaixe perfeito."

Ele deu um sorriso orgulhoso.

"O cheque tem fundos?", perguntei.

"Claro que não!", exclamou Zak, como se aquela fosse uma resposta óbvia.

"Mas e se eles forem lá cobrar?"

"Vai ser divertido. Vão ter que explicar o que foram fazer numa casa onde nove jovens se suicidaram."

Zak deu uma gargalhada e buzinou alto por uns cinco segundos.

"Pega mais uma cerveja aí atrás."

Eu peguei.

É engraçado como ainda não me acostumei com a ideia de que, em breve, não estarei mais aqui...

5.

DAS ANOTAÇÕES DE ALESSANDRO PARENTONI DE CARVALHO

CASO CYRILLE'S HOUSE

IDENTIFICAÇÃO: 15634-3008-08

ENCONTRADO EM 10/9/2008, NO QUARTO DA VÍTIMA SUPRACITADA

OFICIAL RESPONSÁVEL: JOSÉ PEREIRA AQUINO, 12ª DP, COPACABANA

30 de agosto de 2008, sábado

Apesar de ter acordado às duas da tarde, hoje tive um dos dias mais longos da minha vida.

De segunda a sexta, levanto às seis e vou de metrô para a faculdade. Depois, almoço em um boteco e corro para não chegar muito atrasado no estágio. Quando a novela das oito está no meio, estou chegando em casa. Uma rotina e tanto! Por isso mesmo, nos fins de semana, me dou o direito de viver como um rei: acordar tarde, ficar largado no sofá mudando de canal, navegar na internet ou combinar com os amigos uma noitada na Lapa.

Hoje, assim que levantei, tinha o dia todo organizado na cabeça. Acredito que herdei o espírito metódico do meu pai. Como médico, ele possui os livros catalogados por assunto, consultas marcadas com cinco semanas de antecedência e uma agenda pessoal que prevê seus próximos seis meses. Sou capaz de apostar que ele combinou com Deus o dia em que vai morrer.

O barulho de um ônibus passando na rua invadiu a janela e me tirou do sono. Sentindo a cabeça latejar por causa da bebedeira da noite anterior, saí da cama, caminhando pesadamente até o banheiro. Uma ducha e eu seria um novo homem, sabia disso. Minha mãe não estava em casa e havia deixado no micro-ondas um macarrão instantâneo preparado com todo o amor e carinho. Esquentei um prato e comi apressado. Tinha ensaio da banda marcado para as quatro.

Vesti calça jeans, chinelos e a tradicional camiseta com a estampa do Che Guevara. Então montei na bicicleta.

Demora meia hora a pedalada de Copacabana até o final de Ipanema pelo calçadão para quem tem vitalidade. Como não era meu caso, cheguei ao prédio do Zak em cinquenta minutos.

Sorrindo como se eu fosse morador e contribuísse para a caixinha natalina todo ano, o porteiro me deixou entrar.

"Os outros dois já chegaram", ele avisou.

Ao apertar o botão do nono andar, torci para que o maldito elevador subisse logo. Como ele não pareceu se comover com minha pressa, aproveitei para estudar a figura feminina ao meu lado. Com o rosto fixo no visor dos andares, parecia ignorar minha presença. Para mim, no entanto, era impossível fingir que a mulher não estava ali. Mais alta do que eu, vestia um terninho branco alinhado e tinha o ar besta de quem mora em frente à praia de Ipanema. A maquiagem carregada tentava disfarçar os cinquenta e poucos anos, mas ela era bonita. Contrapondo-se à estrutura corporal firme, o olhar parecia perdido e um tanto cansado.

Chegando ao nono, alguém abriu a porta do lado de fora antes que eu o pudesse fazer. Era Zak.

"Fala, seu puto! Está atrasado!", ele disse, em tom de brincadeira.

Retruquei com um sorriso amarelo. Na tentativa de indicar que havia mais gente no elevador, joguei a cabeça para trás discretamente, apontando para a mulher. Pela brusca mudança na expressão dele, percebi que a havia notado.

"Oi, Sônia", Zak disse, com voz envergonhada.

"Ah... Oi, Zak", a mulher respondeu, parecendo ter sido despertada. Sua voz era fina e chorosa.

Zak apoiou o corpo malhado contra a porta, impedindo que o elevador subisse.

"Este é o Alessandro", ele me apresentou.

A mulher me estudou com os olhos espantados, como se eu tivesse acabado de me materializar naquele elevador. Então assentiu mecanicamente com a cabeça.

"Vamos ensaiar com a banda... É bem capaz de o barulho chegar na sua casa. Melhor tapar os ouvidos!", brincou ele. Observei que Sônia tinha apertado o botão do décimo. Certamente morava no apartamento de cima.

Ela deu de ombros, e um enorme sorriso brotou em seu rosto.

"Vocês vão ensaiar? Agora?"

"Vamos. Tem problema?", Zak perguntou, sem expressar a menor preocupação.

"É o Danilo." A mulher estudou o visor, tomando coragem. "Ele pode vir ver? Ele... tem ficado tão sozinho lá em casa. E gosta tanto de você, Zak!"

"Claro! Fala pro Dan descer que ele fica lá no quarto vendo a gente ensaiar."

A mulher relaxou os ombros.

"Ele vai ficar tão feliz!"

"Legal", Zak disse, fechando a porta do elevador.

Do jeito que a conversa ocorreu, formei na cabeça uma imagem completamente diferente do Danilo que apareceu na porta do apartamento do Zak dez minutos depois. Imaginara uma criança pentelha de uns oito anos, com cabelos ruivos como os da mãe caindo nos olhos, corpo pequeno e ágil o suficiente para causar um belo estrago nas louças do apartamento. Mas não. Danilo era do meu tamanho, estava um pouco acima do peso, tinha mãos gordas e rosto simpático. Seu cabelo ruivo chamaria mais atenção não fossem os traços fortes indicando síndrome de Down.

"Devo entrar, Zak?", ele perguntou, fanho. Falava de forma atropelada, como se temesse perder as palavras.

"Entra aí, Dan!"

O rapaz agradeceu, fazendo um aceno com seus braços curtos. Abriu um sorriso, andou depressa até Zak e deu um abraço apertado nele.

"Mamãe disse que você me convidou. Quero ver sua banda", Dan comentou.

Observando-o assim, julguei que tivesse por volta de dezesseis anos. Apesar da doença, tinha um rosto bonito, másculo. Os olhos verde-claros revelavam um brilho incomum de inocência sobre o nariz reduzido, de ponte achatada, e uma boca pequena, com uma língua protrusa que atrapalhava a fala.

"Este é meu amigo Alê", Zak disse.

Sem pestanejar, ele veio em minha direção e me deu um abraço também.

"Sou o Dan. Muito prazer. Somos amigos agora."

"O prazer é todo meu", respondi. E era verdade. Simpatizei com ele à primeira vista. Apesar de lhe impor limites na fala e na locomoção, a doença não parecia ter abalado sua forma de encarar as pessoas ou a vida. Era como se ele se sentisse uma pessoa normal. Achei isso incrível. Não simpatizo com coitadinhos.

Por um segundo, fiquei envergonhado por ter me sentido o cara mais infeliz do mundo no dia anterior e mergulhado na bebida. A cabeça ainda doía… E ele? Exalava uma felicidade tão sincera quanto incômoda.

"Já ouvi vocês tocando uma vez", Dan comentou despretensiosamente. "Devo dar uma sugestão?"

"Diga lá", incentivou Zak.

"Vocês podiam tocar Radiohead."

Arqueei as sobrancelhas. Quem diria que ele gostava de Radiohead?

"Alguma sugestão de música?", perguntei.

"'Karma Police', talvez.

Boa sugestão! *O.k. Computer* era, sem dúvida, o melhor álbum da carreira deles. E "Karma Police" realmente combinava com o nosso som. Ao fundo da conversa, dava para ouvir um barulho abafado de guitarra e saxofone vindo do corredor. Os outros estavam ensaiando.

"É uma boa", Zak respondeu, jogando a cabeça para a esquerda, como no pôquer. Tive a certeza de que ele não conhecia a música e só concordava para não ser grosseiro.

Satisfeito por ter contribuído de algum modo, Danilo sentou no sofá.

"Qual é o nome da banda?", ele perguntou, olhando para mim com ansiedade.

Como todo grupo de garagem sem grandes perspectivas, já tivéramos diversos nomes. O primeiro havia sido Concertistas de Carro. Mas uma infinita discussão sobre a grafia de "concertistas" (se seria com "s", fazendo alusão ao conserto de carros, ou com "c", referindo-se à música) fez com que abandonássemos a ideia. Depois, adotamos o nome Os Estilingues, porque não tínhamos um gênero definido para a banda e, metaforicamente, estávamos atirando para todos os lados. Quando nos fixamos num som mais rock, fugindo às vezes para o folk, o jazz e o tango, decidimos chamar de Gardel, em homenagem ao cantor argentino. Por fim, percebemos que aquele era um nome muito velho para uma banda formada por quatro jovens e decidimos chamá-la de Amenidades da Zona Sul. Confesso que era o meu predileto, pois carregava a ironia de nos considerarmos uma das coisas boas que a zona sul carioca possuía. Infelizmente, Amenidades já era o nome de uma banda de punk rock em Brasília, então desistimos dele. Enfim, com nossa capacidade criativa esgotada, chegamos à decisão unânime de que a banda não teria nome até que ficássemos razoavelmente conhecidos. De certo modo, nós nos achávamos o máximo por ser uma banda sem nome. Parecia inovador.

Quando disse a Danilo que não tínhamos nome, ele apenas sorriu, tentando ser agradável. Um silêncio constrangedor indicou que era hora de ir para o estúdio.

"E então? Vamos ao trabalho?", Zak disse. "O Lucas e a João já estão lá ensaiando."

Aqueles nomes me deram um frio na barriga. Não que eu tivesse algo contra eles, mas digamos que não eram minhas pessoas favoritas. Lucas não era o tipo com quem eu travaria uma amizade sólida: vestia sempre roupas pretas, encontrava no corpo uma vitrine para piercings e tatuagens, achava que apenas rock pesado era música decente e tinha lapsos depressivos frequentes que terminavam em ineficazes tentativas de suicídio. Eu sempre me considerei um pouco estranho, mas Lucas extrapolava os limites do razoável.

Já Maria João era um caso à parte. Meu único problema com ela era aquela sensação constrangedora entre duas pessoas que já foram para a cama e que, com o passar dos meses, se afastaram sem justificativas. Eu ainda queria algo com ela, claro. Mas a João me esnobava.

"Seus pais não estão em casa?", Danilo perguntou, avançando pelo corredor.

"Estão passando um tempo na nossa casa de campo em Minas", Zak informou. "Mas voltam hoje... Devem chegar umas seis da tarde."

Danilo concordou com a cabeça, dando uns tapinhas camaradas em meu ombro. Parecia me considerar um amigo de infância.

Chegamos ao estúdio. Eles finalizavam um trecho que, salvo engano, era de uma música do Iron Maiden. Com um sorriso montado no rosto, apertei a mão do Lucas e recebi da João um beijo murcho na bochecha.

Ajeitando o moicano, Lucas encostou a guitarra na parede acústica e foi falar com Zak.

"Quem é esse?", perguntou, com o indicador na cara do Danilo.

"O Dan. Meu amigo e vizinho aqui de cima."

Lucas recuou assustado quando Danilo se aproximou para cumprimentá-lo, dizendo:

"Muito prazer. E qual é seu nome?"

Pelo jeito, Lucas parecia acreditar que Dan ia latir em vez de falar. Babaca!

"Lucas", ele respondeu a contragosto.

"Aquela lá é a Maria João, mas pode chamar de João que ela atende", apresentou Zak, com uma gargalhada.

Aos meus olhos, Maria João era muito bonita. Tinha mesmo um jeitinho de moleque, que levara à predominância de "João" sobre "Maria", mas aquilo não mudava nada. O fato de gostar de futebol, não usar vestido e ter os braços mais fortes que os meus não significava que ela era homem, claro...

"Fala aí, cara!", cumprimentou ela, abandonando a limpeza do bocal do sax e batendo continência.

"Devo ir lá cumprimentar com um beijo?", Dan perguntou baixinho para Zak.

"Vai com fé!", o outro incentivou.

Animado, Danilo deu um beijo na bochecha da João e sussurrou algo em seu ouvido.

Zak se sentou diante da bateria ao fundo, pegando as baquetas.

"Vocês são irmãos?", Danilo perguntou, olhando para ela como quem acaba de avistar um oásis no deserto.

Afinando a guitarra, Lucas respondeu:

"Somos, somos..."

"Não tenho irmão. Lá em casa, somos só eu e minha mãe", Danilo disse, com um sorriso.

Ajeitando a altura do microfone, sentei no banquinho. Testei o volume e vi que estava bom. A melhor voz de nós quatro é a da João: suave, meio rouca, insinuante. No entanto, é impossível ela cantar e tocar o sax ao mesmo tempo. Então, sobrou para mim a tarefa de fingir uma voz decente.

"Qual é seu sobrenome?", Danilo perguntou a João, sentando numa cadeira que Zak havia pegado na cozinha.

"Hein?", ela perguntou, abandonando a partitura que estudava.

"Seu sobrenome."

"Da Silva Guanabara. Maria João da Silva Guanabara", ela respondeu.

Confesso que fiquei tentado a indagar por que ele perguntara aquilo, mas me contive. Só fiquei repetindo "Som, som, testando" ao microfone.

"Se tivéssemos um filho, o sobrenome seria Guanabara de Mendonça", comentou ele, com uma risada infantil. "Meu nome todo é Danilo Castro de Mendonça!"

A João deu um sorriso amarelo. Lucas continuou a dedilhar a guitarra. Para quebrar o silêncio, Zak deu uma risada forçada, dizendo:

"Boa, Dan! Acho que a João ganhou um novo admirador aqui..."

E era verdade. Definitivamente, ele estava dando em cima dela. Com um método bem pouco ortodoxo, claro. Não senti ciúmes, mas uma incrível vontade de cair na gargalhada. Imaginei-o dizendo em seguida: "Falando em filho, vamos ali para o cantinho fazer um?".

"Com qual música começamos?", Lucas perguntou, cortando a conversa. Ele era um sujeito de poucas palavras, e aquela era uma de suas raras qualidades.

"A dos Beatles já está ensaiada. Vamos começar por ela", comentou a João.

"Ei, eu ouvi uma piada boa outro dia...", Zak disse, batendo a baqueta de leve nos pratos. 'O que falta para os Beatles voltarem?"

Eu sabia a resposta. Fiquei calado para não estragar a brincadeira.

"Mais duas balas!", ele mesmo respondeu, divertindo-se.

Lucas também começou a rir. Danilo se manteve impassível, aparentemente sem entender. No entanto, o que eu mais esperava era a reação da João. Como beatlemaníaca, era ela quem tinha nos convencido a adicionar faixas da banda ao nosso repertório. Ela mesma havia feito os arranjos para o saxofone nas músicas. Sua reação à piada foi até das mais educadas: estendeu o dedo médio para Zak e proferiu uns quatro ou cinco palavrões. Nada comparado ao que minha mente fértil havia imaginado.

"Vamos começar."

"Antes, vou ao banheiro. Esperem um pouco aí", pedi.

"O lavabo está quebrado. Pode usar o da suíte dos meus pais...", avisou Zak.

Odeio invadir a intimidade dos outros, mesmo que de alguém que eu conheço desde pequeno. Apesar disso, peguei o corredor e entrei na suíte. O humilde quartinho do casal Vasconcellos era algo indescritível: lustre de cristal bem extravagante ao estilo Marie Claire, armário de mogno e cama king size desarrumada. Lembrei-me da conversa com Zak pelo telefone no dia anterior... A noitada com a garota misteriosa na cama dos pais parecia ter sido boa: lençóis amassados, travesseiros jogados. O banheiro anexo mais parecia outro quarto, pouco menor que o primeiro.

Quando voltei, os acordes de "All You Need is Love" soavam no estúdio. Zak entrou com a bateria e Maria, com o solo inicial do sax. Uma maravilha! Minha vez chegou. Fiz esforço para que a voz saísse bonita, porque tínhamos plateia. Emendamos "Penny Lane" e "I Am the Walrus". Quando terminamos, já sentia a garganta seca devido ao ar-condicionado. Dan levantou da cadeira para bater palmas efusivas. Por um instante, me senti uma celebridade. Talvez o brilho nos olhos dele, revelando a sinceridade no gesto, tivesse acentuado meu orgulho. Pela primeira vez, achei que a banda valia a pena. Pelo menos, já tínhamos alguém para fundar o fã-clube.

"Tive uma ideia", eu disse ao microfone.

"Qual?" Zak falou.

"O nome da banda... Podia ser Dan. É simples, compacto. Um bom nome. Dan."

Danilo sorriu satisfeito, batendo mais palmas de alegria.

"Eu aprovo!", Zak disse, entusiasmado. Olhei para meu amigo naquele momento. Ele parecia o homem mais feliz do mundo.

Então, o telefone da casa tocou.

Para evitar sair do estúdio, Zak tinha trazido o aparelho sem fio.

"Atende aí, Dan", pediu.

Sem precisar nem levantar, Danilo estendeu o braço e pegou o telefone. Nesse instante, senti o celular vibrar em meu bolso. Odeio celulares. Eles perderam a função original de comunicação, e agora tudo se resume a disputar quem tem a melhor câmera, os melhores toques ou o melhor tio, que traz o último modelo dos Estados Unidos.

Enquanto lia a mensagem, perdi, por um segundo, o que acontecia ao meu redor. Agora, tentando puxar os detalhes pela memória, me lembro de ver Dan atendendo e depois passando o aparelho para Zak. Pouco depois, o rosto do meu amigo subitamente tomado de espanto, e então o grito. O grito mais chocante que ouvi em toda a minha vida.

Larguei o celular na cadeira e corri para Zak. Seu corpo estava encolhido, os olhos fechados expulsavam lágrimas teimosas, e o grito doloroso persistia. O telefone estava ao lado, jogado no chão. Minha mente marcada pela tensão registrava apenas flashes, pela surpresa e pelo desespero de tentar entender o que estava acontecendo.

Peguei o telefone apressado, em busca de alguma resposta.

"Alô? Alô? Quem é? Quem é, porra?"

Do outro lado, um chiado. Era difícil escutar.

"Aqui é o delegado Jonas da 59ª DP de Duque de Caxias. Houve um acidente na BR-040 com um casal… Achamos esse número no registro de ligações do celular. Infelizmente, eles não resistiram e… alguém próximo às vítimas precisa comparecer ao IML para a identificação dos corpos."

6.

DIANA: *"É engraçado como ainda não me acostumei com a ideia de que, em breve, não estarei mais aqui..."* (*pausa*) Esse é o final do capítulo um. Algum comentário ou detalhe a acrescentar?

SÔNIA: Eu tenho.

DIANA: Diga.

SÔNIA: Como eles arrumaram dinheiro para toda essa droga que levavam no carro? (*pausa*) O Zak disse que o cheque para o policial nem tinha fundos!

DIANA: (*farfalhar de papéis*) Zak herdou o dinheiro da família e possuía pouco mais de cem mil em sua conta pessoal. Ele sacou o dinheiro na sexta anterior ao episódio, dia 5. Falamos com o gerente do banco, que informou que ele parecia agitado, mas seguro do que estava fazendo. Chegou ao banco por volta das três da tarde e encerrou a conta. Não revelou os motivos. (*pausa*) Dificilmente gastou tudo em droga. Alguém aqui tem ideia de onde o dinheiro foi parar?

(*silêncio — quatro segundos*)

DIANA: Sem problemas. Gostaríamos de deixar alguns outros pontos claros. (*pausa*) Os policiais militares envolvidos na blitz descrita no livro já foram afastados e estão sendo acusados de corrupção e tráfico de drogas. Pelo que as investigações revelaram, eles estavam aguardando um carregamento de maconha que chegaria para ser redistribuído. É o que eles queriam dizer com "salamandra". Outros três policiais militares estavam envolvidos no esquema.

OLÍVIA (*com a voz ríspida*): Ainda existem outros por aí. Tirando dinheiro de cidadãos honestos.

DIANA: Não cabe aqui avaliar a qualidade do trabalho policial, Olívia. A questão é que os oficiais envolvidos foram...

OLÍVIA (*com a voz alterada e chorosa*): Se eles tivessem feito o trabalho deles, nossos filhos estariam presos, e não mortos! O que é bem mais reconfortante na nossa situação. (*pausa*) A senhora não deve ser mãe! Não sabe! (*soluços*) Mas esses filhos da puta são, sim, responsáveis pelas mortes! Deveriam ser acusados de assassinato!

DIANA: Por favor, Olívia. (*pausa*) Não estamos aqui para julgar o que teria acontecido, mas para entender o que realmente aconteceu. Os ex-policiais estão presos e serão devidamente punidos.

OLÍVIA: Não existe justiça neste país. Eles merecem pena de morte. Pena de morte! Juízes comprados, fianças... A porra de Justiça não vai fazer esses homens pagarem por nada.

SÔNIA: Ei, veja como fala! Sou juíza e não admito que a senhora trate com desprezo o Judiciário!

DIANA: Senhoras, por favor...

OLÍVIA: Sônia, você é patética! Seu filho está morto por causa dessa merda toda e você ainda diz isso? Não sou obrigada a aturar esse tipo de coisa! Polícia incompetente. Justiça incompetente...

SÔNIA (*com a voz levemente chorosa e fraca*): Você está errada, minha querida! Meu filho está morto porque tinha uma deficiência intelectual e foi levado pelos amigos a cometer esses atos. Ele não sabia o que estava fazendo! Já o seu sabia muito bem! Ele meteu uma bala na cabeça porque quis! Escolheu morrer!

OLÍVIA: Cala a boca! Você... Você não sabe o que está dizendo!

DIANA: Parem com isso! Vai ser impossível terminar se entrarmos nesse tipo de discussão infundada! Tenham respeito umas pelas outras! Lembrem que todas aqui sofreram perdas. Lembrem que estamos em busca de esclarecimentos, e não de mais discórdia! Por favor!

(*silêncio — quatro segundos*)

SÔNIA: Desculpem. Eu me excedi.

DIANA: Tudo bem. Tenho algumas perguntas a fazer. (*pausa*) O Alessandro começou o primeiro capítulo do livro com o seguinte trecho: "*Para conseguir comprar uma boa quantidade de maconha em Paris, você deve procurar determinados bairros underground onde se vende droga como pão na padaria. No Brasil, a coisa é mais simples: basta conhecer bem seus amigos e você acaba descobrindo um fornecedor ao lado de casa*". (*pausa*) No porão de Cyrille's House, encontramos mais de cinquenta garrafas vazias, entre cerveja, uísque e vodca. Além de duzentos gramas de cocaína e nove cigarros de maconha. Nos corpos em que foi possível realizar exames laboratoriais, a perícia encontrou altos teores de álcool e substâncias tóxicas características dessas drogas, como morfina e metanfetamina.

REBECCA: "Nos corpos em que foi possível realizar exames laboratoriais"... (*pausa*) Você não precisa ficar nos lembrando disso.

DIANA: Não há dúvida de que as bebidas foram compradas por Zak num supermercado perto da casa. Temos o registro do cartão de crédito. O que não conseguimos foi descobrir a origem das drogas. (*pausa*) No trecho que li, o Alessandro deixa implícito que algum dos participantes da roleta-russa ou alguma pessoa próxima a eles comprou as drogas, mas não diz quem é. Vocês têm alguma ideia?

(*ranger de cadeiras*)

ROSA: O filho da minha vizinha foi preso esta semana por tráfico. Uma coisa horrível... Nunca poderíamos imaginar que ele era desses... (*pausa*) Talvez tenha vendido para o Otto.

DIANA: Otto consumia drogas, Rosa?

ROSA: Até onde sei, não... Mas, no trecho que você leu, o Alessandro diz que dá para conhecer um fornecedor na casa ao lado ou algo assim... O Júlio morava na porta em frente à nossa. É uma possibilidade.

DIANA: Ele diz: "basta conhecer bem seus amigos e você acaba descobrindo um fornecedor ao lado de casa". (*pausa*) Vamos investigar essa possibilidade. Sabe o nome completo do menino?

ROSA: Júlio Albuquerque, acho. Não tenho certeza. Foi preso na quarta. Não deve ser difícil de achar.

DIANA: Ótimo.

DÉBORA: Também conheço alguém. (*com a voz hesitante*) Ou melhor, conhecia... (*pausa*) Moro em Copacabana, perto de uma praça. Tem um homem... Um morador de rua, um... um mendigo que repassa drogas, sabe? É o fornecedor daquela área. Sobe o morro, pega com os traficantes e vende para o pessoal da zona sul que não quer subir a favela... Todo mundo sabe disso e... O Alessandro não usava drogas, mas com certeza saberia onde comprar se quisesse...

DIANA: Certo. Vamos conversar com esse homem também. Ele dorme na praça?

DÉBORA: Dormia. Não o vejo há alguns meses...

OLÍVIA: Ele deve ter lucrado tanto vendendo droga que arranjou onde morar...

DÉBORA: Na verdade, eu o conheci quando ele foi ao meu consultório. Na época, eu fazia parte de um programa social que atendia pessoas de rua. (*pausa*) Cuidei de duas cáries dele, ao longo de alguns meses. (*pausa*) Talvez ele tenha sido preso. Ou atropelado por alguém, não sei. Um sujeito daqueles não faz tanta falta.

DIANA: Você não sabe o nome dele?

DÉBORA: Devo ter nos meus registros. Cheguei a fazer alguns exames… (*pausa*) Mas não lembro de cabeça.

AMÉLIA: De que adianta saber quem forneceu as drogas? O que isso muda?

DIANA: Talvez essa pessoa tenha algo a nos contar. (*pausa*) Além disso, queremos precisar a quantidade de drogas que consumiram durante a roleta-russa. É importante para ter noção do estado de alienação em que estavam.

AMÉLIA: Talvez tenha sido o Lucas… (*pausa*) Quem conseguiu a droga…

DIANA: Seu filho era usuário?

AMÉLIA: Eu tinha minhas suspeitas… (*pausa*) Era muito difícil conviver com ele, delegada. Muito mesmo. Era a Maria João quem o domava.

DIANA: Então a senhora acha possível que tenha sido ele?

AMÉLIA: Lucas guardava dinheiro numa caixa. Quando fui mexer nas coisas dele… estava vazia.

DIANA: Então a senhora acha possível?

(*silêncio — três segundos*)

AMÉLIA: Sim, acho. (*com a voz levemente chorosa*) O que… O que eu fiz pra merecer perder meus dois filhos?

DIANA: Fique calma… A senhora tem ideia de onde ele poderia conseguir as drogas?

AMÉLIA: Não. Não tenho.

(*som de alguém escrevendo*)

DIANA: Certo.

OLÍVIA: Você não vai continuar com a leitura?

DIANA: Não estamos com pressa, Olívia.

OLÍVIA: Delegada, não sei como você se sente, mas saiba que isto não está sendo nem um pouco confortável pra mim. Reunir sete mães e nos relembrar dos piores momentos da nossa vida... Qual é o sentido disso? O que há para ser descoberto?

DIANA: Você sabe muito bem, Olívia. Você sabe como tudo terminou.

OLÍVIA: Por Deus, eles estão mortos! Mortos! Você não entende isso? Essa merda toda não vai trazer ninguém de volta. Só vai... (*com a voz chorosa*) Só vai trazer mais sofrimento!

DIANA: Se não julgássemos esta reunião extremamente necessária, ela não teria sido marcada, Olívia. Pensamos muito antes de decidir reunir vocês. Tentamos de todas as outras formas. Relemos e refizemos exaustivamente os interrogatórios individuais. Esta é nossa última chance. Nossa última tentativa. Mais de um ano depois... Reunir vocês... Sei que não é fácil. Mas, por favor, tente compreender que...

OLÍVIA (*com a voz ríspida*): Apenas leia, delegada.

(*silêncio — seis segundos*)

(*som de página sendo virada*)

DIANA: Então vamos lá. "*Capítulo dois. 'Depois de uma curva acentuada, contornando um morro, foi possível avistar Cyrille's House...'*"

7.

DAS ANOTAÇÕES DE ALESSANDRO PARENTONI DE CARVALHO
CASO CYRILLE'S HOUSE
IDENTIFICAÇÃO: 15634-1812-07
ENCONTRADO EM: 10/9/2008, NO QUARTO DA VÍTIMA SUPRACITADA
OFICIAL RESPONSÁVEL: JOSÉ PEREIRA AQUINO, 12ª DP, COPACABANA

18 de dezembro 2007, terça-feira

Odeio surpresas. Quer dizer, o que é a surpresa senão um susto desnecessário que alguém decidiu dar em você? Quando pequeno, ao dizer que não queria festa, era porque eu *realmente* não queria. No Natal, aproveitava a saída dos meus pais para mexer nos embrulhos ao pé da árvore até encontrar o que poderia ser meu presente. Certa vez, perguntei à minha mãe o que ganharia de aniversário e a resposta foi: "É surpresa. Mas você vai adorar!". Aguardei ansiosamente até o dia da festa, pensando em quinhentas coisas que aquele embrulho esverdeado poderia guardar. Enfim, o que era pra ser agradável acabou sendo decepcionante, já que o presente, mesmo sendo bom, era bem pior do que tudo o que eu havia fantasiado. Meu maior problema em ser surpreendido é a minha imaginação.

Contrariando todas as perspectivas, hoje foi um dia surpreendentemente positivo.

Às nove da manhã, fui acordado pelo antipático apito de mensagem no meu celular.

Cinema hoje de tarde. Vamos?

Era o Zak. Mesmo sabendo do meu ritual de sono até duas da tarde nas férias, ele fez questão de enviar a porra de uma mensagem inútil. Despertado pelo jato d'água do chuveiro, peguei o celular, liguei pra ele e tentei expressar depois do "alô" toda a minha raiva em ter sido levantado tão cedo:

"Cinema perto do Natal é a soma entre shoppings lotados e filmes escrotos em exibição. Você tinha mesmo que me acordar?"

"Que bom que gostou do convite!", respondeu ele, irônico. "Lembrar dos amigos faz bem."

"Transou com alguma modelo?", perguntei, ainda sonolento.

"Por quê?"

"Tá parecendo feliz demais."

"Hoje é um grande dia, Alê!"

Olhei pela janela do quarto. A manhã estava nublada, seca. O vento frio que entrava pela janela entreaberta não era nem um pouco convidativo. A curiosidade de entender o que ele queria dizer não foi suficiente para uma pergunta.

"E então? Vai ao cinema?", Zak insistiu, diante do meu silêncio.

"Quem vai?"

"O Lucas."

Lucas... Lucas... Tentei buscar a imagem de algum Lucas na mente, sem sucesso.

“Que Lucas?”

“Da nossa turma, porra!”

Na mesma hora, me perdoei por ter esquecido. O cara nunca fez parte do nosso círculo de amizades e, pelo pouco que o conhecia, eu preferia que continuasse assim.

“Calma aí!”, eu disse. “Não é o pirado que tentou se matar na semana passada?”

“O cara é legal, Alê.”

O cara é legal, Alê para mim soava como: *Sim, é o pirado que tentou se matar na semana passada.*

“Ele toca guitarra. E descobri que quer montar uma banda... Acho que pode dar certo. Novas amizades e tal!”

“Péssima ideia.”

“A irmã dele vai também. Parece que é uma gostosinha que faz escola de circo. Pensa bem.”

Ele atingiu meu ponto fraco.

“Você conhece a garota?”, perguntei, desconfiado.

“Não... Não conheço. Mas dizem que dá um caldo...”

“Vai que ela curte se enforcar de vez em quando também”, entrei na onda, soltando meu veneno matinal pelo telefone.

“Para com essa merda, Alê. Vai ou não?”

Sentado na cama, observei meus pés escondidos pelas meias e tive a certeza de que meu dia voltaria ao sedentarismo das férias se não fosse aquele cinema. Além do mais, “gostosinha que faz escola de circo”? O Zak nunca havia me metido em furada...

“Vou.”

“No Leblon, uma e meia da tarde. Fechado?”

“Sim, senhor”, respondi, depois de um bocejo.

“Ótimo.”

“E qual é o filme?”, perguntei, ajeitando o travesseiro para voltar a dormir.

"Isso realmente importa?"

Ele riu e desligou na minha cara.

O despertador sacudiu na cabeceira ao meio-dia, anunciando que eu não teria mais trégua. O toque irritante invadiu meus ouvidos, me obrigando a levantar e tomar outro banho. Vesti as roupas que encontrei penduradas no cabideiro, peguei uma maçã verde e saí de casa. Comecei ontem uma dieta para ver se entro em forma. Como faço questão de jantar, a solução foi cortar o almoço. Por enquanto, tem sido árdua a batalha de enganar meu estômago ao passar pelas padarias a cada esquina.

Cheguei ao shopping pouco antes do horário do filme. Saindo da escada rolante, avistei ao longe os três sentados no chão como se fizessem um piquenique sobre os quadrados de granito do piso. Corri para o grupo, tentando compensar o atraso com um sorriso patético e pouco espontâneo.

Minha primeira visão dela foi de costas. Não é das mais românticas que se pode ter, eu sei, mas definitivamente é possível se apaixonar por uma nuca. O cabelo preto curto, desfiado na altura do pescoço, deixava entrever uma nuca saborosa. Escondendo as curvas do corpo, ela vestia um camisão vermelho e uma calça preta de academia colada às coxas. Sem brincos. Aquele era meu tipo de garota.

Deus queira que ela tenha mau gosto e eu seja o tipo dela também, pensei, ao me aproximar. Nunca fui otimista e sou feliz assim. Obrigado.

O primeiro a levantar para me cumprimentar foi o maluco. Com todos os seus piercings, tattoos e balangandãs, Lucas me abraçou com uma intimidade desconcertante. Nunca tínhamos trocado mais de cinco palavras.

"Que bom que você veio", disse ele.

Sorri, ansioso.

"Tá atrasado...", comentou Zak.

"É que o ônibus..."

"Não importa agora... Hora de entrar... Toma seu ingresso", ele continuou, parecendo meio nervoso. Enfiou o papelzinho amarelo da entrada nas minhas mãos de forma desajeitada.

"Vamos perder o trailer", disse Lucas, ajeitando uma mecha atrás da orelha.

"Gosto de trailer também", concordou Zak.

"Trailer é escroto", disse a irmã, finalmente notando minha presença.

Ela era perfeita. Os olhos castanho-claros, o nariz tímido, a boca fina e delicada ao falar "Trailer é escroto", uma ótima frase para começar um relacionamento. Me imaginei aos setenta anos, sentado numa cadeira de balanço, rodeado por incontáveis netinhos curiosos pela minha juventude. Então, um deles, de olhinhos verdes, me perguntava: "Qual foi a primeira coisa que vovó te disse, vovô?". E eu responderia, saudoso: "Trailer é escroto".

"Acho que ele morreu", disse ela, me estudando feito um inseto da aula de biologia.

Ela estalou os dedos diante dos meus olhos, me tirando do estado de letargia.

"Pela décima vez, meu nome é Maria João. Já sei que o seu é Alessandro."

"Me chama de Alê."

"Pode me chamar de João." Ela ajeitou o blusão. Na frente, contrastando com o vermelho-sangue predominante, havia uma estampa em preto e branco da clássica foto dos Beatles atravessando a rua. "Todo mundo me chama assim."

Não era difícil entender o motivo do apelido. Seu modo de agir, nos mais simples movimentos, lembrava aqueles moleques que perdem a unha do dedão jogando futebol e coçam o saco a cada dois minutos. Não que eu ache isso bonito, mas encontrei sob tanta brutalidade uma feminilidade contida, a ser descoberta.

"Bora pro filme?", sugeriu Lucas, impaciente.

Fomos para a entrada. Tentei me manter ao lado dela, mas Zak me puxou de maneira tão discreta quanto dolorosa.

"O que achou?", quis saber.

Nem precisei dizer nada. Meus olhos responderam.

"Então presta atenção. Ela não é daquelas garotas que acredita em amor eterno, casamento na Igreja e uma família feliz. Nem tenta ser romântico. Mas tem algo de que ela gosta mais do que a própria vida..." Ele fez uma pausa. "Dinheiro. E caras com dinheiro."

"Deixa de ser machista, Zak."

"Tô falando sério", ele continuou. "Ela prefere o Faustão rico ao Brad Pitt pobre. Tá entendendo? Foi o que me contaram. Estou cantando a pedra pra você. Aproveita se quiser."

Eu queria aproveitar, e como queria! Mas o que podia fazer? Ganhar na Mega-Sena e ficar milionário? Às vezes, ter amigos ricos pode ser um problema: eles pensam que você é que nem eles e pode contar com um saque volumoso da conta bancária a qualquer momento pra resolver seus problemas.

"Eu disse pra ela que você é rico. Que foi um monte de vezes pra Europa, tem uma casa de veraneio nos Alpes e nunca, presta atenção, *nunca* andou de ônibus. Tá entendido?"

"Sim, senhor", brinquei. "Tenho até um jatinho e motorista particular."

"Jatinho é uma boa. Motorista particular é coisa pra retardado. Você tem seu próprio carro. Blindado", disse ele, me dando soquinhos motivadores no peito. Odeio soquinhos motivadores.

"Jatinho e carro blindado. Entendido."

Lucas e Maria João esperavam na entrada da sala de cinema. Peguei meu ingresso no bolso e, ao entregar o papel amassado ao funcionário, li o nome do filme de relance: *Loucuras de Papai Noel*. Nem precisava dizer nada… Era dessas porcarias criadas a cada fim de ano para tirar uma grana dos pais da criançada ou para casais terem um bom motivo para dar uns amassos nas últimas fileiras. Passei pela porta, torcendo para que aquele fosse o filme de Papai Noel mais erótico do mundo.

No escuro, sorri para ela. Já haviam se passado quinze minutos de comerciais escrotos e um silêncio incômodo surgira entre nós. Do meu outro lado, Zak dava cutucões irritantes na minha barriga me motivando a chegar logo nela. Percebendo que a Maria João não retribuíra o olhar e estava mais interessada nas medidas de segurança caso o cinema pegasse fogo, virei para Zak e sussurrei um "Para com essa merda!". Antes de sairmos dali, eu tentaria ficar com ela, mas não assim… Não antes do início do filme! Não antes de ela dar alguma brecha e mostrar que eu não levaria o fora mais patético do universo.

O filme começou com um pai de família se separando da esposa e sendo negligenciado pelo filho. Logo depois, veio uma música daquelas bandinhas americanas do momento que não passam do primeiro CD e eu já pude prever todo o roteiro. O pai devia ser um canalha filho da puta que ia se redimir e, no final, se vestir de Papai Noel para reconquistar o filho. Provavelmente, a última cena seria ao pé da árvore colorida, a família sorridente outra vez, com neve caindo lá fora… Tudo lindo, maravilhoso e fácil. Nada tão complexo como tentar algo com a Maria João naquele cinema cheio de crianças se empanturrando de pipoca.

Olhei o relógio. Meia hora de filme. Ela parecia incrivelmente interessada na história para perder tempo me dando um beijo. Tomando coragem, passei o braço por trás das costas dela e apoiei no encosto, mas isso não pareceu mudar nada. Do meu lado esquerdo, Zak conversava baixinho com Lucas sobre qualquer assunto mais interessante do que o filme. Tentando vencer a mão trêmula, olhei para a João buscando puxar um assunto qualquer.

"Você está gostando dessa bosta?", perguntei, a voz saindo quase fanha.

Ela demorou pouco mais de um minuto para desviar o olhar da telona.

"Não. É uma bosta. Você mesmo disse."

"A gente podia..." Respirei fundo. Era agora. Tinha que ser agora! "A gente podia fazer algo melhor..."

Uau! Péssimo começo. Se eu fosse ela, teria começado a gargalhar no cinema como se tivesse acabado de ouvir a piada do século. A *gente podia fazer algo melhor*. Aquela, sim, era uma frase digna de blockbusters norte-americanos.

"E o que tem de melhor pra fazer aqui?", perguntou ela.

Tudo ou nada. Uma lista de respostas surgiu diante de mim:

Me beijar... Uma boa merda.

Ficar comigo... Pior ainda.

Nada... Ela me acharia um babaca covarde.

Encontrei no silêncio a melhor resposta. Aproximei meu rosto e, num ímpeto, a puxei para mim.

Quando as luzes se acenderam, nos soltamos rapidamente. Eu me ajeitei na poltrona, sorrindo para ela. A João tentou parecer séria, distante, mas dois círculos roxos no pescoço branco revelavam que não havia prestado tanta atenção no filme.

"Então? Gostaram?", perguntou Zak, escondendo um sorriso. Discrição não é o forte dele.

"Melhor impossível", respondi. Mas a Maria João não ouviu. Já tinha se levantado e caminhava para a saída com o irmão.

Aproveitando que estávamos a sós, Zak resolveu ser mais direto:

"Não preciso nem perguntar nada. Mas vê se vai no banheiro lavar o rosto e desfaz essa cara retardada de criança que acabou de ganhar um doce."

"Ela é perfeita, cara. Perfeita!", comentei, sem exagero. Ainda guardava nos lábios o sabor da boca dela.

"Presente de Natal", disse ele, me estendendo o punho fechado. Sem perguntar, estiquei a mão e ele deixou cair sobre ela a chave do carro.

"Você está me dando um carro?", perguntei, sem entender.

"Tenho cara de Silvio Santos pra ficar dando carro por aí? Estou emprestando. Por um dia. Você finge que é seu, dá uma carona pra João, aí aproveita e come. Presente do Papai Zak aqui."

"Minha mãe está em casa."

"Meu querido, você não entendeu. Você vai pegar meu carro e dizer que é seu. E vai levar a João pro meu apartamento e dizer que ele é seu. Meus pais estão em Cyrille's House. Tirei os porta-retratos da sala. E o Lucas nunca foi lá. Logo, só por hoje, minha casa é a sua casa. Aproveita a oportunidade e faz a festa."

"Eu..."

Não sabia o que falar.

"E então?"

Por um segundo, um filme sobre uma vida perfeita ao lado da Maria João passou pela minha mente. E ele não começava com uma mentira.

"Acho melhor não, Zak."

"Cara, ela não vai namorar nem casar com você mesmo, porque é pobre."

"Sou classe média. Classe média alta."

"Não adianta. Já falei: ela gosta de milionário. Então, aproveita a chance de parecer rico por um dia e pega a garota de jeito. Você ainda é virgem, não é?"

A pergunta me pegou desprevenido. Olhei ao redor, temendo que alguém tivesse escutado, mas a sala de cinema já estava vazia, exceto por uma funcionária que catava o lixo do chão, agachada entre os bancos. Olhei para Zak com um olhar reprovador. Ele sabia muito bem a resposta.

"Tá aí sua chance, Alê."

Mais um soquinho motivador.

"Zak, sinto muito se eu penso diferente de você. Ainda acredito numa primeira noite ideal. Não quero perder a virgindade com uma puta como você fez."

"A João não é uma puta, Alê."

"Se ela só der pra mim por causa do carro e do apartamento..."

"Você que sabe. Meu pai diz que você tem que beijar muita perereca antes de uma virar princesa. Pode ser uma piada tosca, mas é verdade. Se não quer, o problema é seu."

Percebi certa mágoa na voz dele. Provavelmente, tinha programado aquele encontro havia semanas. E eu estava atrapalhando tudo.

"Devolve a chave", ele pediu, disfarçando a irritação.

Tomado por um espírito porra-louca, guardei a chave no bolso e saí do cinema exalando ares de milionário.

Assim que passamos pela porta do apartamento do Zak, a Maria João veio por trás e me deu um abraço. Provavelmente o tamanho da sala a excitou. Aproximando os lábios perfeitos da minha orelha, ela perguntou:

"E onde é seu quarto?"

Pareceu que estava implícito que faríamos sexo. Ela me puxou apressada pelo corredor, ansiosa para chegar ao *meu quarto*. Lucas e Zak tinham ido tomar um chope no quiosque da praia e ela subira ao apartamento com a desculpa de que ia pegar emprestado um livro da Patricia Highsmith. Torci para que Zak tivesse algum na estante. Pouco provável. Torci então para que a João transasse comigo antes disso. Bem mais provável.

O caminho até o quarto pareceu levar uma eternidade. A extensão do corredor mal iluminado pelas lâmpadas embutidas não ajudava muito. Minha mente recebia e enviava um turbilhão de estímulos para o corpo, reanalisando todos os filmes pornôs que eu vira, todas as posições eróticas. Queria um encontro perfeito, sexo selvagem durante horas e horas com a garota dos sonhos. Entrei num estado de transe. Não sou capaz de descrever aqui tudo o que senti naqueles instantes. Deus... Foram os melhores doze minutos de toda a minha vida.

8.

Capítulo 2

Depois de uma curva acentuada, contornando um morro, foi possível avistar Cyrille's House. Sacolejando na caçamba da Hilux, as pessoas comemoravam a chegada, deixando pelo caminho seus restos de discernimento. Entre um baseado e outro, brindavam com as garrafas, enquanto assistiam com os olhos caídos ao sol se esconder.

Sem desviar o olhar, Zak avançava com o carro pela estrada de terra. Depois de oito cervejas, meu amigo já não evitava os buracos com a mesma habilidade. Aos solavancos, passamos pela entrada e, cerca de duzentos metros depois, Zak parou o carro diante da escadaria de acesso.

Jogando seu cigarrinho na grama, Waléria tentou levantar e se manter firme, apoiada no ombro do Lucas. Sorrindo e com a boca expelindo a fumaça da última tragada, ela gritou:

"Chegamos, porra!"

Waléria esticou a mão pedindo por ajuda, então se apoiou em mim e desceu da caçamba. O fato de estar em terra firme não pareceu suficiente para mantê-la de pé. Com uma risada, ela desabou sobre a grama.

"Para de escrever nessa merda de caderno e me ajuda!", ela gritou, achando graça.

Merda de caderno? Nem me movi. Por mim, ela podia apodrecer ali, à espera dos urubus, se eles tivessem o mau gosto de querê-la.

Zak passou o braço sobre meus ombros e apoiou o corpo pesado em mim. Então, colocou a mão no bolso da calça jeans e retirou uma chave.

"Vamos entrar! Vamos entrar!", ele gritou, presenteando-me com seu bafo de álcool e menta, enquanto sacudia a chave no ar.

Subimos as escadarias e rapidamente alcançamos a entrada. Zak tentou enfiar a chave na fechadura, mas as mãos trêmulas e pouco precisas o impediram.

"Abre aí!", disse, entregando-me a chave.

Assim que entramos, ele trancou a porta e seguiu pelo corredor, sem sequer acender as luzes. Conheço perfeitamente a casa. Tem um grande salão que impressiona de imediato os visitantes de primeira viagem. Ao lado, fica a escada que leva ao segundo andar. Logo à esquerda, está a porta que vai para a cozinha e, mais para a frente, os cinco quartos do térreo.

"Uh... Estou me sentindo uma exploradora de cavernas...", murmurou Waléria com a voz fantasmagórica.

"Cala a merda dessa boca", respondi, me aproveitando da escuridão para descontar a raiva nela.

Era interessante como eu me sentia bem naquele lugar... Cada cantinho parecia íntimo, remetia a alguma situação do passado... Será que eu estava muito melancólico?

Ao mesmo tempo, havia uma sensação de novidade, como se agora, sem pais ou funcionários para nos controlar, um enorme leque de possibilidades se abrisse diante de mim. O porão, sem dúvida, era uma delas. Talvez a única parte da casa que eu não conhecia...

Dê um brinquedo a uma criança e ela se esquece dele uma semana depois. Dê uma bronca e ela vai se lembrar pelo resto da vida. Aprendi isso com o Getúlio. Eu tinha sete anos na época, e Zak, oito. Decidimos invadir o porão numa manhã em que estávamos à toa e nossos pais descansavam na piscina. A invasão não tinha objetivo específico, mas só o fato de tio Getúlio deixar o porão trancado em tempo integral era um bom motivo para aguçar nossa curiosidade. Como não tinha janelas, o único acesso era pela porta. Tínhamos visto em um filme um cara roubar uma casa enfiando um pedaço de arame na fechadura e decidimos tentar o mesmo. Foi o maior esporro que levei em toda a minha vida. Lembro-me do olhar enraivecido do Getúlio, do dedo em riste na minha cara, de minha mãe ao fundo pedindo desculpas e prometendo me dar mais umas palmadas. Ah, sim, o pobre Zak nunca pensaria em invadir o porão do papai... Sem dúvida a ideia tinha sido minha. Um pequeno meliante, aos sete anos de idade.

Acho que Getúlio nunca mais me olhou do mesmo jeito. Quando adolescente, sentia que ainda me encarava como o pivete que havia tentado invadir o porão da casa de campo. Minha visão das coisas também tinha mudado. Reservara um lugar especial na memória para toda aquela cena lamentável e comumente a consultava. De certa forma, era uma vitória carregar, agora, a chave do porão no bolso da calça jeans. Sem ninguém para me dizer "não".

Talvez aquilo explicasse o arrepio que senti, uma espécie de vazio. Nesses anos todos, imaginei o que essa merda de porão devia guardar para que Getúlio tivesse tanto cuidado. Imaginei corpos congelados, montanhas de barras de ouro, cartas de amantes... Tudo! E, em breve, o mistério acabaria... Eu teria acesso ao porão.

"Está pensando nele?", Zak perguntou, pegando a lanterna que eu tinha colocado na boca para poder escrever.

"Quem?"

"Meu pai...", Zak disse, melancólico.

Não respondi.

"Eu estou", ele continuou. "Foi uma bronca e tanto aquela. Imagino o que ele diria se estivesse aqui."

Zak deu uma tragada no cigarro.

"Você agora fuma?", perguntei.

Ele estendeu o cigarro.

"Esta é uma das vantagens de se saber que vai morrer. Você não precisa se preocupar com sua saúde daqui a dez anos... Vive o agora. Você deveria experimentar."

Ele deu outra tragada.

"Acho que seu pai se importaria mais com seu cigarro do que com a invasão", eu disse.

Zak sorriu, jogando a luz da lanterna em meu rosto.

"Isso depende do que a gente vai encontrar lá dentro."

"Você ainda acha que esse porão pode ser o acesso ao mundo dos duendes? Já não temos mais oito anos."

"Ah, Alê, quando foi que você perdeu sua inocência? Duendes, imagina... Já fadas..."

"Fadas...", repeti, dando de ombros.

Chegando ao fim do corredor, viramos à esquerda numa escadinha que levava ao subsolo. Logo atrás de mim, uma caravana de fumaça e sombras mambembes seguia caminho entre gritos e risadas. Eu odeio gente bêbada!

Alguém atrás de mim pareceu levar um tombo, e todos caíram na gargalhada.

"Abre logo essa merda", disse um ser não identificado, percebendo que a fila havia parado no meio da escada.

Peguei a chave no meu bolso, tentando relembrar, pela décima vez, por que eu estava ali. Fazia uns bons dez ou doze anos que não olhava para aquela porta. Na minha memória, ela era muito maior, mais imponente. Girei a chave na fechadura e abri. Diferentemente dos filmes de terror, ela não rangeu.

Passei a mão no interruptor e a luz se acendeu: uma única lâmpada no centro do ambiente empoeirado.

Nem corpos nem fadas nem duendes. Senti meu corpo murchar quando me dei conta de que o porão era igualzinho a qualquer outro: pequeno, com teto rebaixado, pilastras de sustentação, piso de tábua corrida, e iluminação parca, o recanto das quinquilharias indesejáveis. Não acreditei que tinha levado um esporro por tentar entrar naquela porcaria...

Dei um passo à frente e tive a impressão de que o piso rangeu. Nos passos seguintes, o ruído não se repetiu. Em um canto escuro da sala, havia uma mesinha de madeira sem um pé e uma cadeira lascada que, um dia, tivera pintura branca. Logo ao lado, jazia o pé que faltava, enroscado em um pedaço comprido de corda. Provavelmente alguém havia tentado, sem sucesso, consertar a mesa. Sobre a cadeira, descansavam um rolo de esparadrapo, uma chave de fenda, uma pinça e um martelo enferrujado, esquecidos ali havia anos. Mais perto da porta, por onde o pessoal entrava, havia um sofá depenado encostado à parede. Pela estampa mostarda, reconheci o sofá que ficava na sala de Zak quando éramos crianças. O enchimento de espuma saindo do encosto me fez sentir um aperto no peito. Será que a iminência da morte nos torna mais sentimentais? Acho que sim.

"CA-RA-LHO! Chegamos!", gritou Waléria, batucando sem ritmo na parede.

Odeio quando pronunciam devagar uma palavra, separando cada sílaba.

Consegui imaginar um dia ensolarado, bonito. Deus lá em cima, sentado em uma nuvem com os anjos tocando harpas ao fundo. Ele me criou. Pouco depois, percebeu que eu seria um indivíduo feliz demais, então decidiu inventar aquela criatura de nome Waléria só para me irritar. Ela nunca tinha me feito nada demais, mas eu odiava tudo nela. Simples assim.

“Eu te adoro, cara. Na boa, eu te adoro”, ela disse, passando o braço roliço pelas minhas costas.

Só podia ser Deus conspirando contra mim.

“Ah. Eu também te adoro. Vou falar de você com um carinho especial aqui no meu livro”, respondi. “Ou melhor, na minha ‘merda de caderno’!”

Ela sorriu, sem entender.

Compenetrados em seu trabalho, Ritinha e Lucas enrolavam cigarrinhos de maconha sentados no sofá depenado. Bem perto dali, Noel estudava o ambiente, mas parecia nas nuvens — provavelmente pensava em seus joguinhos de computador.

Vi Zak conversando com Otto, enquanto segurava desajeitadamente o baseado entre o polegar e o indicador. Ele foi até a porta, passou o trinco e retirou a chave. Agora era definitivo. Estávamos trancados. Enjaulados no mesmo porãozinho que eu havia tentado invadir anos antes... Como eu poderia imaginar que tudo acabaria aqui?

“Posso ler alguma coisa?”, Dan me perguntou, sem nenhuma arrogância ou tom de desafio.

“Pode.”

Entreguei o livro.

“Enjaulados no mesmo porãozinho que eu havia tentado invadir anos antes... Como eu poderia imaginar que tudo acabaria aqui?”, *ele leu, com certa dificuldade. “Você tentou entrar neste porão?”*

“Eu e o Zak. Quando éramos pequenos. Está explicado um pouco antes...”, respondi, indicando o trecho.

De repente, Dan riu.

“Que foi?”

“Também não gosto dela...”, ele disse, apontando com a cabeça para Waléria, que agora socializava com a turma do pó. Por alguns instantes, dava para esquecer que Dan tinha deficiência.

"Está ficando bom", murmurou, devolvendo o caderno. Ele coçou o nariz e retirou um chiclete do bolso.

"Quer?"

Neguei com a cabeça.

"O que você vai escrever agora?"

"O que acabamos de conversar", respondi.

"Mas... Você lembra tudo?"

"Tenho boa memória", eu disse, querendo encerrar o assunto.

"Mas quem vai querer ler o que a gente falou?"

"Não me interessa muito. Não mesmo."

Abri o caderno e encostei a caneta no papel. Não escrevo a lápis para não poder apagar o que foi escrito. Nada deve ser omitido.

"Você quer ser famoso?"

"Há mais famosos mortos do que vivos. A morte traz fama e reconhecimento. Quando eu morrer, vão querer saber o que aconteceu aqui, e meu trabalho será reconhecido... Eu espero."

Ele se afastou sem dizer nada. Na verdade, não havia mais o que dizer.

"Lucas", Zak chamou em um canto.

Abandonando seus serviços de embalador de maconha, o cara levantou. Vi quando Zak lhe entregou a chave com que acabara de trancar a porta. Cochichou algo em seu ouvido e deu dois tapinhas camaradas em seu ombro. Senti certo ciúme por ele não ter confiado a chave a mim, mas, de certa forma, compreendi. Zak tinha deixado a chave comigo no dia anterior, mas agora precisava de alguém que soubesse como fazê-la sumir para evitar quaisquer desistências... Eu não duvidava de que Lucas pudesse simplesmente engoli-la com um gole de cerveja.

Fiquei observando seus movimentos... Ele inicialmente massageou a chave, sentiu seu peso, seu tamanho. Então olhou ao redor, buscando algum lugar peculiar onde escondê-la. Aproximou-se do sofá e tocou a espuma, sentindo sua textura. Desistiu dali. Foi até a mesa... a cadeira... e nada.

Finalmente, olhou para a porta e pareceu tomar uma decisão. Ele a tateou e por um momento pareceu desistir. Mas não. Largou a chave, deixando-a quicar no chão. E então, discretamente, chutou-a para debaixo da porta. Como num filme, vi-a deslizar em câmera lenta, ultrapassando a fresta para chegar ao outro lado. Tão perto, mas ao mesmo tempo tão longe a ponto de nos impedir de sair... Maravilhoso! Brilhante!

Por um segundo, admirei sua coragem... Sim, estou convicto do que vim fazer aqui, mas, mesmo assim, não seria capaz de dar aquele empurrãozinho sem antes hesitar, repensar o ato e calcular quanto aquela medida tirava a chance de arrependimento ou dúvida. Restava apenas a prisão.

"Dan!", ouvi a João chamar. No ambiente pequeno, sua voz ganhava um timbre carregado, bastante sonoro.

Danilo observava a parede escura, mastigando ruidosamente o chiclete que tinha na boca. Eu e ele olhamos para a João ao mesmo tempo. Ela estava cercada por Zak, Waléria e todos os outros, exceto Lucas. Ao que parece, ninguém mais vira como ele havia se livrado da chave... Melhor assim.

"Que é?", Dan perguntou.

Todos riam, embebidos de alegria alcoólica.

"Quer cheirar uma carreirinha?", ela continuou.

Waléria se ajeitou, cruzando as pernas no chão, e pude ver o papelzinho com uma fileira do pó branco.

"Porra, João, para com essa merda!", gritei, chegando mais perto e puxando Dan pelo braço. "Isso é cocaína."

"Cocaína e mais um pouco!", acrescentou Ritinha, com os olhos vermelhos e o cigarrinho de maconha na boca.

"Deixa ele ser feliz um pouco, Alê. Você não é nossa mãe nem merda nenhuma", retrucou ela, esticando o papelote.

Pensei em responder. Dar um tapa no papel e jogar aquela bosta para todo lado.

"Eu quero!", Dan disse, olhando para mim. Soltei seu braço.

"Vocês são uns babacas!", eu disse, afastando-me. "E você é doente, porra. Parece que às vezes se esquece disso!"

O silêncio ganhou a sala. Dan ficou paralisado, como se não soubesse do que eu estava falando. Ou pior, como se acreditasse que ninguém percebia que ele era diferente. Tenho certeza de que ninguém nunca havia sido tão direto com ele. De qualquer modo, não acho que fiz errado.

"Enfia no cu!", ele disse, irritado. Jogou o papelote no chão e se recolheu em um canto. Pelo menos consegui que não cheirasse, independentemente da raiva que agora sentia de mim.

Os outros continuaram em silêncio, dirigindo-me um olhar acusador enquanto reclamavam do desperdício de droga e tentavam agrupar o pó branco espalhado pelo chão. Eu tinha "cortado o barato" deles. Eu era o "careta".

Aos poucos, o climão arrefeceu. Eles voltaram à bebida, e a fumaça dos cigarros empesteou tudo. A carreirinha de cocaína foi rapidamente recuperada e cheirada. Pareciam aspiradores de pó.

Dan continuou lá, no canto, sem falar com ninguém, mascando um chiclete atrás do outro.

Então Zak levantou. Pegou a sacola plástica que tinha deixado perto da porta e retirou uma flanela e o revólver de lá. Era uma Taurus 608, com cano de cento e sessenta e cinco milímetros em aço inox, calibre .357 Magnum. Oito tiros. Uma arma de bom porte.

Ele virou a sacola e a esvaziou no chão de madeira. Nove balas tilintaram no piso. Uma para cada um de nós. Nem mais nem menos.

Zak passou a flanela na arma, limpando o cilindro giratório, a empunhadura e o cano. Então, escolheu uma das balas. Colocou-a em uma das oito câmaras, guardando as restantes no bolso. Percebendo que todos nós o observávamos, levantou os olhos e arqueou as sobrancelhas.

Num movimento ágil, girou o tambor e, antes que alguém pudesse enxergar em qual câmara estava a bala, o fechou. O revólver fez um clique metálico. Com um sorriso no rosto, Zak sacudiu a arma carregada no ar.

Era hora de começarmos.

9.

DAS ANOTAÇÕES DE ALESSANDRO PARENTONI DE CARVALHO

CASO CYRILLE'S HOUSE

IDENTIFICAÇÃO: 15634-2908-08

ENCONTRADO EM 10/9/2008, NO QUARTO DA VÍTIMA SUPRACITADA

OFICIAL RESPONSÁVEL: JOSÉ PEREIRA AQUINO, 12ª DP, COPACABANA

29 de agosto de 2008, sexta-feira

O que faz de alguém um escritor de sucesso? Essa é uma pergunta que sempre me fiz.

Entrando no banho ou deitado na cama enquanto olho o teto do quarto, consigo me imaginar um grande escritor. Vejo meus livros, grossos, com capa perfeita, dispostos numa estante. Vejo-me a uma mesa repleta de exemplares empilhados; lá fora, em algum lugar que não consigo definir, está a fila. Inúmeros fãs que aguardam para falar comigo, comentar minha obra, discutir meus personagens, parabenizar pelas criações… Será possível?

Os obstáculos não são poucos, eu sei. Escrever, por si só, já é uma tarefa árdua. O verdadeiro escritor sofre com os personagens, vive o texto que escreve. E, pior, ao mesmo tempo que mora em seu mundo imaginário, é severamente confrontado pelo mundo real. Um escritor se acostuma a ser considerado lunático, cansa-se de ouvir que escrever não sustenta ninguém e que o melhor mesmo é seguir um caminho mais tradicional, mais seguro, mais, mais e mais...

Concluir um livro dá aquela sensação que nem mesmo o mais prolixo dos narradores é capaz de expressar. Algo como um sentimento de serviço feito, somado ao prazer de se sentir Deus, criador de pessoas, capaz de determinar seus atos, sua vida e sua morte. É poético...

Logo depois, vem a questão: todo escritor escreve para ser lido! A fama, o dinheiro e a noite de autógrafos são saborosas consequências de algo muito maior e mais importante: o reconhecimento. Não somente o financeiro, mas o reconhecimento pessoal, aquele elogio que leva às alturas o ego de qualquer escritor... O prazer de ouvir alguém dizer: "Li seu livro e adorei. É muito interessante mesmo!".

Comecei meu primeiro livro aos dez anos. Chamava-se *A galinha dos ovos de diamante*, uma variação da tradicional galinha dos ovos de ouro. A história se passava no sertão nordestino e era um pouco boba, sobre um caipira que, por sorte (ou azar), acabava ficando com a galinha do coronel malvadão da cidade. E ela, obviamente, botava ovos de diamante. Criava-se uma confusão, mas todos saíam felizes no final. Escrevi essa história num caderno que agora está guardado na gaveta. Um dia, pretendo passá-la para o computador e encadernar como recordação. Quem sabe, no futuro, eu a leia para meus netos.

Na época, minha mãe achou uma gracinha ter um escritor em casa. Ligou para todas as amigas para contar as peripécias do menino-prodígio. Depois, eu cresci, o sonho continuou, e já não era mais uma gracinha. Afinal, eu estava virando homem... Até quando ia acreditar que um dia viveria dos livros? Sonhar com o sucesso literário em um país onde tão pouca gente lê? Não. Deixei de ser prodígio e passei a ser problema.

Minha mãe martelava a importância da estabilidade financeira e o mundo real me chamava para ser mais um cidadão de terno, gravata e maleta de couro. Eu me rendi. Prestei vestibular para direito, mergulhei em toda aquela massa podre respaldada em códigos e doutrinas.

Ainda assim, lá dentro, em algum lugar que só os escritores têm, permaneceu o desejo, o formigamento criativo. Foram longas madrugadas, fins de semana perdidos, mentiras contadas para poder escrever o livro. Um livro feito com todo o cuidado, com o objetivo de contar uma boa história... Nada mais, nada menos.

Terminado o texto, registrei-o na Biblioteca Nacional e fiz tudo conforme o figurino: escolhi cinco editoras que tinham um perfil compatível com a trama policial da obra e enviei cópias encadernadas com a sinopse anexa.

O prazo de resposta variava de seis a nove meses! Nove meses! Dava para ter um filho nesse período! E a editora às vezes nem se dignava a responder... As cópias eram esquecidas no meio de tantas outras: "O volume de obras recebido é muito intenso... Fica impossível ler tudo o que mandam", dizem. Hoje (mais de quatro meses após o envio), recebi a resposta de uma das cinco editoras:

Sr. Alessandro Parentoni de Carvalho

A sua obra Dias perfeitos *foi lida pela equipe especializada da Editora TintaBrasil. Sem dúvida é uma obra de grande potencial. No entanto, lamentamos informar que nosso cronograma de lançamentos para 2008 e 2009 já está fechado.*

Certa de que, em breve, terá seu livro publicado, a Editora TintaBrasil lhe deseja boa sorte.

Vicente Nunes

Diretor editorial

Filhos da puta! Todos uns filhos da puta! Bela forma de dizer: "Olha, sinto muito, mas você não é ninguém. Somos uns covardes e preferimos pegar best-sellers norte-americanos e trazer para cá".

Tenho minhas dúvidas se eles realmente leem os originais enviados. "Sem dúvida é uma obra de grande potencial" serve para qualquer livro. Poderia apostar que é uma carta-padrão, com lacunas no nome do autor e da obra. Basta preencher e enviar para destruir mais um sonho.

Passei o dia deitado na cama, lendo e relendo a carta. Fico pensando em como os grandes escritores enfrentaram aquilo. Um dia eles foram "zés-ninguém", obrigados a ouvir que a editora já estava com o cronograma completo. Será que sentiam que, no final, tudo daria certo e seriam famosos? Em caso positivo, será que não é isso o que sinto? Porque, sim, eu sinto algo estranho... Como uma força maior que diz que um dia serei reconhecido. Que um dia escreverei algo que as pessoas desejarão ler...

Mas, enquanto isso não acontece, a vida precisa continuar. Ainda deitado na cama, peguei o telefone:

"Alô, Zak? É o Alê."

"Alê?! Alê?", ele perguntou.

"É, cacete! Não me conhece mais?", devolvi, achando estranho aquilo tudo.

"Ah... Desculpa... Estou meio... ocupado."

"Quero sair pra beber. Vamos?"

"Sair pra beber?" Ele deu uma risada forçada. "É você mesmo que está falando?"

"Sou, porra", respondi, sem vontade de explicar que queria esquecer os livros, a escrita, o maldito diretor editorial.

"Desde quando você sai pra beber?"

"Desde hoje, Zak. Não estou a fim de responder muitas perguntas. Vamos?"

"Não dá, cara...", ele disse. "Meus pais foram passar um tempo na casa de campo... Voltam amanhã..."

"E?", completei.

"E hoje tenho a casa livre. Para fazer o que quiser, entende? Tem uma mulher perfeita me esperando no quarto..."

"Entendo."

"Vou ter uma noite de sexo selvagem!" Ele riu. "Amanhã a gente sai depois do ensaio... Você vem, né? Às quatro..."

"Vou, vou", respondi. Não ia implorar para ele largar a piranha e sair comigo.

"Até mais, então. Estou ouvindo ela gemer daqui", Zak continuou, meio que gostando daquilo. Era difícil entender sua atitude. Se eu tivesse uma garota gemendo de prazer na minha cama, não contaria a meu amigo depressivo do outro lado da linha!

De qualquer modo, apurei os ouvidos. Não escutei gemido algum. Ficamos em silêncio por alguns segundos.

"Tchau... E use camisinha", provoquei, antes de desligar.

A trepada do Zak não ia me impedir de sair para afogar as mágoas. Como dizem os seres de carne e osso: *beber, beber, beber e esquecer...*

Vesti uma roupa qualquer e vim aqui escrever. Agora vou sair e quem sabe encontrar a ideia perfeita para o livro que vai me levar ao sucesso. Espairecer ajuda. Talvez a ideia esteja lá mesmo, no mundo dos ébrios, esperando, silenciosamente, para ser descoberta...

10.

DIANA: "*... fez um clique metálico. Com um sorriso no rosto, Zak sacudiu a arma carregada no ar. Era hora de começarmos.*" (*pausa*) Acabamos o capítulo dois. Algum comentário ou detalhe a acrescentar?

(*silêncio — três segundos*)

AMÉLIA: A arma...

DIANA: O que tem?

AMÉLIA: Onde eles conseguiram?

(*farfalhar de papéis*)

DIANA: A Taurus 608 era propriedade de Getúlio Vasconcellos. Foi registrada em 2005. (*pausa*) Chegamos a considerar a possibilidade de eles terem comprado com as drogas, mas não foi o caso. Ao que parece, Getúlio tinha a arma e Zak sabia onde o pai a guardava.

AMÉLIA: Mas e a munição? Eram exatamente nove balas, certo?

DIANA: Sim, sim...

(*ranger de cadeiras*)

AMÉLIA: Algo me ocorreu agora... Na verdade, não sei se faz muito sentido, mas... (*silêncio — três segundos*)

DIANA: Continue, Amélia.

AMÉLIA: Foi uma das últimas brigas que tive com o Lucas... (*com a voz hesitante*) Eu entrei no quarto e ele estava... navegando num site de venda de armas. Percebi que ele ficou nervoso porque fechou a página logo que entrei. Mas eu já tinha visto. Perguntei o que era, e ele simplesmente não respondeu. Me ignorou. (*com a voz chorosa*) Eu... Eu o tirei da cadeira e fui ver o histórico. O Lucas tinha entrado em vários e vários sites, a maioria ilegais, suponho. Todos de arma, munição, coisas desse tipo... Fiquei preocupada, claro. Vocês sabem, o Lucas já havia tentado... Ele tentou se matar tantas vezes... Eu não sabia mais o que fazer. Vivia de olho nele. E então aquilo!

DIANA: Quando foi isso, Amélia?

AMÉLIA: Na quarta... (*choro*) Na quarta anterior ao... Vocês sabem...

DIANA: Dia 3 de setembro, então?

AMÉLIA: Sim. (*pausa*) Os dois estavam estranhos naquele dia. A Maria tinha saído sem dizer aonde ia, e o Lucas passou a noite no computador, nem quis jantar. Ele sempre foi muito quieto, mas naquele dia estava especialmente silencioso... Percebi que alguma coisa estava acontecendo... O Lucas era um jovem revoltado, mas muito transparente nos seus sentimentos.

DIANA: Pelo que você disse no interrogatório, nesse dia o Zak foi visitar os dois, não?

AMÉLIA: Sim. Mais cedo... Por volta da hora do almoço. O Lucas tinha acabado de chegar da faculdade. Eu... Não conhecia o Zak, mas sabia quem era, porque o Lucas e a Maria tinham ido ao enterro dos pais dele na segunda e... Ele parecia calmo... Ofereci meus pêsames, ele pediu pra falar com os meninos, e eu deixei... Não sabia que... (*com a voz ainda mais chorosa*) Eu não sabia! Não tinha como saber!

DIANA: A senhora acha que foi nesse dia que o Zak fez o convite para a roleta-russa?

AMÉLIA: É... Só pode ser, não?

DIANA: E por que não disse antes que viu seu filho acessando sites de armas?

AMÉLIA: Nos interrogatórios, eu... informei que o Lucas tinha passado a noite no computador... Pediram para eu contar a última semana dele e da Maria, e eu contei... Só me esqueci das armas. Simplesmente esqueci! Isso me ocorreu agora... Quando você estava lendo... a descrição da arma...

DIANA: Na época, os históricos de todos os computadores foram analisados pela perícia. É estranho que nossos técnicos não tenham encontrado nada sobre sites de armas no computador do Lucas.

AMÉLIA: Meu filho apagava os históricos. Tenho certeza de que eles não encontraram nada mesmo...

(*som de alguém escrevendo*)

(*silêncio — cinco segundos*)

REBECCA: O garoto escreveu esse livro para ser publicado, certo? (*pausa*) Mas... Mas vocês não vão deixar... Quer dizer, é um absurdo publicar isso! (*pausa*) É degradante!

DIANA: Tivemos notícia de que pelo menos três jornalistas investigativos estão escrevendo sobre o caso Cyrille's House. Obviamente, eles não sabem deste livro. Poucas pessoas sabem. Se vocês não contarem, não há por que o livro ser publicado ou sequer citado em qualquer coisa que venha a ser escrita.

DÉBORA (*com a voz alterada e chorosa*): Meu filho deu a vida por esse livro, delegada. Vou fazer isso por ele... Vou publicar!

REBECCA: Isso é ridículo! (*com a voz exaltada*) Um livro difamando nossos filhos, detalhando a forma como morreram! Isso não pode ser exposto assim, como uma leitura banal. (*pausa*) São vidas!

DIANA: Por favor, senhoras. A reunião...

REBECCA: Minha filha era uma pessoa alegre, simpática. Ela... (*choro*) Ela não era um monstro, como esse garoto escreveu... A Waléria era doce, era... (*soluços*) Era maravilhosa. Ela não precisava ter se metido nisso. Eu poderia ter ajudado. Apesar de tudo, eu ainda ajudaria...

DIANA: Rebecca, por favor, fique calma... Eu...

DÉBORA: Vocês bem sabem que eu estive doente. Foi por pouco que eu não morri. (*com a voz exaltada*) Mas Deus me deixou viver por um motivo! Para cumprir uma missão! (*pausa*) Vou lutar para realizar o último desejo do meu filho!

REBECCA: Missão? Último desejo? (*pausa*) Você não se cansa dessas besteiras? (*pausa*) Você não vive numa novela, Débora!

VÂNIA: Esse menino é uma farsa... Quero dizer, esse Alessandro. (*pausa*) A Ritinha não fumava... Não é possível que ela estivesse fazendo cigarros de maconha como ele disse! Quem garante que ele não mentiu? Que não inventou tudo isso para o livro?

DÉBORA: Meu filho não teria por que mentir... Vocês podem dizer o que quiserem...

DIANA: O corpo da sua filha passou por exames toxicológicos, Vânia. Encontraram resíduos de cocaína e maconha. Eu... Eu sinto muito. Não se pode ir contra os resultados científicos.

VÂNIA: Ela não... (*choro*) Mas como eu nunca vi nada?

(*ranger de cadeiras*)

DIANA: É como disse a Débora, o Alessandro não tinha por que mentir. E todas as informações batem com os resultados da perícia.

SÔNIA: Ele era um bom rapaz. De certa forma, ele... Ele tentou proteger o Dan impedindo que ele cheirasse. Alessandro gostava do Danilo... Cuidava do meu filho.

OLÍVIA: Não o suficiente para não deixar que ele se matasse. Seu filho meteu uma bala na própria cabeça feito um robozinho, e o Alessandro não fez nada para impedir!

DÉBORA: Veja lá como fala! Só você fica causando confusão. Por que não cala a boca?

(*ranger de cadeiras*)

(*vozes exaltadas*)

DIANA: Por favor! Tenham respeito! Por favor!

OLÍVIA: A verdade dói? (*pausa*) Isso não vai me impedir de falar! Seu filho não era nenhum santinho, Débora! Odiava a Waléria, odiava o Otto, odiava meu filho, que nunca fez nada contra ele! O Noel pediu ajuda uma vez e ele negou! (*pausa*) O Alessandro era muito bonzinho desde que ele mesmo levasse alguma vantagem!

DÉBORA: Prefiro ficar quieta a responder às suas asneiras!

DIANA: Silêncio! Por favor! Não estamos aqui para trocar desaforos! (*farfalhar de papéis*) Vamos falar da chave do porão. Segundo o livro do Alessandro, a chave estava com ele desde o dia anterior. No entanto, suas anotações não registram nada disso.

OLÍVIA: Ele mesmo se contradiz nos textos! É uma perda de tempo! Vocês não veem isso?

DIANA: Não é propriamente uma contradição. É possível que, no calor do momento, ele tenha simplesmente se confundido. Isso pode ter acontecido na sexta, dia 5, por exemplo; e não no sábado, véspera da roleta-russa. (*pausa*) Débora, você lembra o que seu filho fez nesse dia?

(*silêncio — três segundos*)

DÉBORA: Agora entendi por que me perguntaram isso no interrogatório… Já respondi a essa pergunta. (*pausa*) O Alê saiu por volta das onze da manhã dizendo que ia passar o dia com o Zak. Eu… Não questionei. Ele sempre foi muito responsável. Não tinha por que ficar duvidando dele.

DIANA: Certo.

(*silêncio — seis segundos*)

AMÉLIA: Tem mais uma coisa que não entendi... Quer dizer, eu não conheci os pais do Zak, claro... e... obviamente eram pessoas ricas demais para ficar dando explicações por aí... (*pausa*) Mas por que o porão ficava trancado? Se só tinha uma mesa quebrada e um sofá despedaçado?

DIANA: Boa pergunta, Amélia.

AMÉLIA: Mas qual é a resposta?

DIANA: Graças ao livro do Alessandro, sabemos. (*pausa*) Havia algo mais naquele porão... Vocês vão ver mais para a frente.

OLÍVIA: Então continue com a leitura!

DIANA: Nada mais a ser dito?

(*silêncio — sete segundos*)

(*pigarro*)

DIANA: Então... "*Capítulo três. Cometer suicídio é como se tornar um deus por alguns segundos...*"

11.

DAS ANOTAÇÕES DE ALESSANDRO PARENTONI DE CARVALHO
CASO CYRILLE'S HOUSE
IDENTIFICAÇÃO: 15634-3108-08
ENCONTRADO EM 10/9/2008, NO QUARTO DA VÍTIMA SUPRACITADA
OFICIAL RESPONSÁVEL: JOSÉ PEREIRA AQUINO, 12ª DP, COPACABANA

31 de agosto de 2008, domingo

Chega uma idade em que você acredita já saber tudo da vida. Comigo isso aconteceu aos dezenove. Foi quando abri minha primeira conta no banco (com o mísero salário do estágio), recebi a carteira de motorista (depois de duas reprovações na prova escrota do Detran) e perdi a virgindade com a João.

Normalmente, a vida não deixa barato toda essa autoconfiança. Num período muito curto, descobri que a João não queria uma segunda vez, que eu ganharia mais dinheiro me prostituindo do que estagiando e que o trânsito parece bem mais selvagem sem um instrutor no banco do carona. Para as pessoas normais, as coisas acontecem assim. Rápido, sem piedade.

Zak nunca foi uma pessoa normal. Por ele ser um ano mais velho, eu sempre tive aquele tipo de admiração que me levava a observá-lo para tentar ser igual a ele. Logo também percebi que Zak não era propriamente uma pessoa em quem eu poderia me espelhar: aos nove anos, ele já tinha vinte mil de mesada acumulada na conta-corrente e dois cartões de crédito. Enquanto eu ainda achava o máximo fazer guerra de bonecos, ele beijava meninas de língua... Não duvido que, aos onze, Zak já acreditasse saber tudo da vida. E, para variar, contrariando a normalidade, a vida não foi lá bater na porta dele para mostrar que não é bem assim que as coisas funcionam.

Zak cresceu conhecendo tudo, fazendo tudo e conseguindo tudo o que queria desde que estivesse disposto a ir ao banco realizar um saque. Estive ao lado dele todos esses anos e sou capaz de contar nos dedos de uma mão os problemas que enfrentou: quase repetiu a oitava série, não passou de primeira no vestibular, apaixonou-se perdidamente por duas semanas por uma garota que viu de relance no metrô e... e... acabou. Três problemas em vinte e um anos de vida. Um belo número para quem vive em um mundo como o nosso.

Ontem, quando estávamos ensaiando com a banda e aquele telefone tocou, foi como uma agulha perfurando a bolha que sempre o protegera. Durante todos aqueles anos, ele tinha vivido em seu mundo de fantasia, regado a mulheres, dinheiro e viagens. Agora, de repente, aquela ligação vinha chamá-lo ao mundo real, onde as pessoas batem carros, se afundam em dívidas e se preocupam com a segurança no Rio de Janeiro. Era a vida cobrando seu preço. E com juros.

"Ah, merda, acorda ele!", foi o que eu disse, vendo Zak desmaiar ao meu lado, enroscado no chão, tremendo com um frio inexistente.

A grande verdade é que ninguém está preparado para momentos assim. Quer dizer, ao subir uma favela, a gente prevê o risco de uma bala perdida; se alguém que conhecemos entra em coma, a gente até espera sua morte; mas, quando você vive sua rotina normalmente, comprando pão na padaria, namorando uma garota legal, saindo todo aprumado para o trabalho, não espera voltar para casa e descobrir que a tal garota não existe mais. Que um pivete foi lá e acabou com a vida dela enquanto você fechava mais um grande negócio para sua empresa.

Você se sente um inútil, um nada.

Foi como eu me senti ali, agarrado ao telefone, sem saber exatamente o que dizer, mas fazendo mil perguntas para que o homem não desligasse.

"Mande alguém reconhecer os corpos", insistia o policial, as vozes ao fundo interferindo na conversa.

Quase instintivamente, a primeira coisa que você faz nesses casos é questionar a veracidade dos fatos.

"Você sabe o nome deles?", pedi, berrando.

"Quê?", o homem retrucou. Ao fundo, ouvi uma sirene.

"Os nomes. Você pode confirmar o nome das vítimas?", falei mais alto.

"O veículo estava em nome do sr. Getúlio Vasconcellos de Lima. Da mulher, não sabemos", respondeu.

Puta merda, eu não tinha dito o nome dele. Nem Zak. Não podia ser golpe... Simplesmente não podia.

Tentei ficar o mais calmo possível e agir racionalmente. Mas as duas coisas se mostraram impossíveis nos minutos seguintes. O sangue fervilhando, uma pontada de dor de cabeça aparecendo, sorrateira, e aquela sensação de impotência misturada a um intenso desejo de não ter atendido ao telefone e de poder apenas voltar a ensaiar. Tudo isso somado ao desmaio do Zak, ao desespero da João — por que toda mulher grita em situações extremas? —, à pressão de todos os lados... Deus!

Anotei na mão o endereço que o policial me deu e desliguei o telefone. Pedi ao Dan que subisse e contasse tudo para a mãe dele. Ela era juíza, ia saber o que fazer. Também telefonei para minha mãe. Ela era dentista, mas, nessas horas, a gente liga para todo mundo.

As duas chegaram logo, assustadas, cheias de perguntas. Zak já estava acordado, pálido e inerte. Minha mãe o levou para o quarto e deu um calmante a ele. Danilo tremia, nervoso, e perguntava repetidamente o que estava acontecendo. A mãe dele o mandou de volta para casa, para ficar com a empregada. Lucas e a João rapidamente encontraram uma desculpa esfarrapada para se mandar dali.

Minha mãe e a juíza, Sônia, decidiram que iriam juntas ao IML e prometeram que ligariam depois. Eu podia ir com elas, mas aquilo era coisa para adultos resolverem. Então eu disse que ficaria cuidando do Zak.

Senti pena do meu amigo. O que seria dele sem os pais? Lembrei-me de uma vez em que perguntei ao Zak o que seu pai fazia profissionalmente. Com a maior cara de pau do mundo, ele respondeu: "Ele faz dinheiro". E era exatamente aquilo. Getúlio comprava empresas, abria franquias, vendia o negócio maior e enchia, enchia, enchia sem parar a conta bancária. E agora? Será que Zak sabia ao menos mensurar o império que seu pai lhe deixara? Eu podia antever como as coisas mudariam para ele. O advogado da família, esperto, tentaria beliscar a fortuna, aproveitando-se da ignorância do Zak. O mundo é cheio de gente assim.

Tive vontade de quebrar tudo. Aquele desejo selvagem, que nos invade de repente, de se rebelar contra a merda do mundo, de abalar a paz social sublimável em que nos refestelamos com ar burguês. Queria fugir. Para um lugar sem mães, sem mortes, sem Zak. Mas aquele lugar não existia. Não importava quanta maconha você fumasse nem quantos litros de álcool bebesse. Ele não existia.

O cenário era o mesmo de sempre, mas os elementos pareciam mais estáticos. Os móveis de madeira fazendo sombra na penumbra, a luz insuficiente do abajur incidindo sobre a cama no centro do quarto, os pés de Zak para fora da cama, a cabeça escondida embaixo do travesseiro, como era típico dele. O suave vaivém do tórax era o único sinal de vida em seu corpo inerte.

Puxei um colchão que ficava embaixo da cama e escolhi um dos almofadões confortáveis espalhados pelo chão do quarto. Deitei, nauseado pela escuridão, sem vontade de mudar de roupa, escovar os dentes ou ligar para minha mãe para saber mais detalhes. Fechei os olhos e tentei dormir. Sentia como se um copo de vidro tivesse quebrado dentro do meu cérebro, os estilhaços arranhando os neurônios. Inevitavelmente, os fatos das últimas cinco horas me invadiram em flashes aleatórios. Banda. Telefone. Acidente. Zak. Morte. IML. Dan. Responsabilidade. Vida. Fim.

Adormeci.

Dormi o sono dos justos, apesar de tudo. Acordei às oito da manhã, despertado pela eficiente campainha da casa que tocava sem parar. Observei em meu celular que tinha recebido sete ligações durante a noite. Todas de minha mãe.

Deixei a campainha tocar enquanto lavava o rosto e confirmava diante do espelho o estado em que me encontrava: um caco. Já me sentia cansado pelo dia que viria. Caminhei pesadamente pelo corredor, certo de que encontraria minha mãe na porta, com olheiras no rosto e o mau humor digno de quem passou a noite em claro no IML.

Respirando fundo, abri a porta. Apesar de surpreso com a visita, me mantive impassível. Ficamos em silêncio por alguns segundos.

"E então, já aprendeu a jogar pôquer?"

Abri um sorriso forçado. Ele tinha escolhido uma bela maneira para começar a conversa.

"E você, já aprendeu a se vestir?"

Otto usava um jeans surrado, uma camisa listrada de verde e vermelho e os tênis que ganhara de mim no pôquer. Cheguei a pensar que ele os calçara de propósito, mas fazia uns seis meses que não o via e só alguém muito escroto faria aquilo de propósito depois de tanto tempo. Ele agora estava um pouco diferente. Talvez mais alto, com os cabelos compridos e uma barbicha crescendo. Também perdera as espinhas do rosto.

"Não vai me convidar pra entrar?"

Eu sorri.

"Não sou o dono da casa."

"É com ele que quero falar. O Zak está aí?", Otto perguntou, aproximando-se de mim e forçando a entrada.

Cedi. Afastei-me da porta e fui sentar em uma das largas poltronas ao redor da mesa de centro. Logo adiante, estava a mesa de vidro onde tínhamos jogado pôquer naquela noite. Senti um arrepio em estar ali de novo com Otto.

"Quanto tempo, né?", ele comentou, jogando-se no sofá e deixando de lado a mochila amarela que trazia nas costas.

"Não senti saudades", respondi.

"Deus do céu!", ele exclamou, levando a mão à testa. "Você não pode nem fingir!"

"Estou muito velho pra isso..."

"Você às vezes fala como meu avô."

"Talvez eu seja seu avô", retruquei, carregado de ironia.

"Minha avó, aquela safada!", continuou Otto, entrando na brincadeira.

Se ele estava ali para conquistar minha amizade, ia fracassar. A cada palavra que dizia, minha raiva aumentava. Talvez eu seja mesmo pouco sociável.

Ficamos em silêncio. Passeei os dedos pelo braço da poltrona, esperando que ele continuasse a conversa.

"Sabe, Alê... Você não é nada curioso", ele disse de repente.

"Obrigado."

"Não foi um elogio. Foi um comentário."

"Obrigado mesmo assim", acrescentei, com rispidez.

"Quero dizer... Você até agora não perguntou o que vim fazer aqui."

Dei de ombros.

"Você já disse. Veio falar com o Zak."

Ponto para mim.

Mais silêncio.

"Você tem noção do que aconteceu naquele jogo de pôquer?", ele perguntou, depois de um momento.

"Me deixa ver. Você nos embebedou, escondeu cartas e ganhou meu tênis. Deixei escapar algo?", respondi, com a voz mais cínica e severa de que fui capaz considerando o sono.

Otto se encolheu involuntariamente no sofá, então cruzou as pernas, esnobe.

"É impossível conversar com você", ele disse, enfiando as mãos entre as coxas. "Pode chamar o Zak?"

Olhei bem no fundo dos seus olhos, mas ele desviou o rosto.

"Também tenho uma pergunta pra você, Otto. Você sabe o que aconteceu?"

"Vi na TV agora cedo e vim correndo pra cá", ele respondeu, como se falássemos de futilidades.

"E você não supôs que o Zak não estaria em condições de falar nem com o papa, muito menos com você?"

"O assunto é de interesse dele", Otto respondeu, descruzando as pernas e se apoiando no encosto.

"Puta merda, como você me irrita", respondi, segurando-me para não levantar e dar um belo soco na cara dele.

Otto riu alto, como para avisar Zak da sua presença.

"Não sei se você entendeu. Os pais dele morreram ontem. Ele está sedado, ainda sem saber direito o que aconteceu. Não me venha com 'o assunto é de interesse dele'!"

Silêncio, silêncio e silêncio.

"Tenho uma história pra você", ele disse finalmente.

"Não, não, obrigado. Preciso dormir."

"Era uma vez um pássaro...", Otto começou, inabalável. "Ele vivia preso numa gaiola. Mas não totalmente preso: a portinha da gaiola ficava aberta, mas ele não tinha coragem de sair. Tinha medo de abandonar o chão, de voar, sabe?"

Otto suspirou, esperando minha reação. Não me movimentei.

"Um dia ele decidiu sair. Se jogou no mundo. E sentiu uma enorme sensação de liberdade. Maravilhosa. Pura. E então ficou realmente feliz", ele terminou, com um sorriso.

"Uau. Você deveria gravar um CD de histórias para crianças. Talvez ganhasse algum dinheiro."

Otto soltou outra risada forçada e cruzou as pernas de novo. Aquele cruza-descruza começava a me irritar.

"Eu saí de casa, Alê", explicou ele. "É isso que estou querendo dizer. Fugi de casa. Eu sou o pássaro."

Era minha vez de gargalhar.

"Não estou entendendo. Você decidiu voar e veio ciscar por aqui. É isso?"

"Sim", ele respondeu, como se fosse a coisa mais natural do mundo.

Levantei e contornei a poltrona. Apoiei os braços no encosto e fixei os olhos em Otto.

"Eu... Eu realmente não tenho o que dizer. Você deve estar pirado."

"Tenho total consciência dos meus atos", ele disse, com sobriedade. Então levantou, porque não ia deixar que eu ficasse de pé sozinho, intimidando-o.

"O que posso dizer a você?", murmurei. "Já sei. Cai fora!"

"Não é assim que funciona", ele retrucou, vindo em minha direção. Aproximou o rosto o suficiente para me deixar incomodado. "Vou repetir a pergunta, Alê: você tem noção do que aconteceu naquele jogo de pôquer?"

Permaneci em silêncio. Otto encarou aquilo como um não.

"Logo depois que você saiu emputecido, nós apostamos outras coisas... Mais íntimas."

"Cala a boca, Otto!", gritei.

"Começou com algo inocente, sabe? Apostamos que quem perdesse masturbaria o outro."

"Puta merda, Otto, sai daqui!", ordenei, caminhando na direção da porta e a abrindo. Eu não queria escutar o que ele me dizia.

"O Zak perdeu... Então continuamos o jogo... Apostamos um boquete. E a coisa foi indo."

As palavras dele soavam ofensivas. Iam contra tudo o que sabia sobre Zak depois de todos aqueles anos.

"'A coisa foi indo.' Que coisa, seu veado? Para de falar merda e dá o fora!"

Eu me segurei para não empurrá-lo. Queria enxotá-lo dali como um cachorro indesejável num restaurante fino.

"Nós dois gostamos da coisa. E fizemos outras vezes. Sem a desculpa do pôquer", ele disse, sentando-se novamente no sofá. "A primeira vez foi ali. Naquela poltrona em que você estava. Os pais dele tinham viajado, como sempre. Foi uma noite... maravilhosa."

Senti-me sujo. Podia ser tudo uma mentira descarada, claro. Zak não estava ali para se defender das asneiras que aquele cretino dizia. Por que eu deveria acreditar nele?

"Conheço o Zak desde pequeno, seu babaca. Eu o vi pegando mais mulheres do que você seria capaz de imaginar. Eu o vi trepando com elas!"

Otto balançou a cabeça, com um sorriso no rosto.

"Pobre Zak. Entendo o medo dele. Eu também era assim. O pássaro preso à gaiola, temeroso de voar. É preciso muita coragem, sabe?", ele explicou, com a entonação daqueles psicólogos de delinquentes juvenis.

"Sai daqui. É a última chamada, Otto."

Ele não parecia sequer me escutar. Continuava no sofá, quase deitado, dizendo aqueles disparates.

"Hoje cedo, quando soube da morte dos pais dele, percebi que era um aviso! Um aviso de que era o momento de voar. Mostrar ao mundo quem eu sou. Só assim nós dois vamos ser felizes."

"Quem disse que ele quer ser feliz com você, Otto? Parece até que você acha que agora pode simplesmente se mudar pra cá."

Otto arqueou as sobrancelhas, como se não tivesse pensado exatamente naquilo.

"Zak... Zak me ama", ele disse, cruzando as pernas. "Só escondia isso por causa dos pais. O Getúlio quase nos pegou uma vez... Era muita pressão em cima dele. Mas Zak me ama."

"Isso é um absurdo!"

"De certa forma, a morte dos pais vai fazer bem a ele", Otto comentou, despretensiosamente.

A raiva invadiu meu corpo. Deixando a responsabilidade escapar pelo ralo, fui em direção ao desgraçado. Ele não estava esperando pelo soco que levou na cara. Eu nunca tinha batido em ninguém, mas a sensação foi muito boa. Seu corpo escorregou do sofá, e ele me encarou aturdido, os olhos piscando sem saber direito o que tinha acontecido. Chutei sua barriga.

"Cala", mais um chute, "essa merda", outro chute, "de boca!", e mais um.

Ele apanhou em silêncio, surpreso que eu reagisse daquela maneira.

Eu me afastei.

"Essa é a verdade, Alê", Otto disse, sentando-se encurvado no sofá. Ele passou o indicador sobre o lábio inferior e confirmou que estava sangrando. "Você não deveria ter feito isso."

"E você não deveria ter vindo aqui. Sai!" Voltei para a porta e a abri.

"Assim que vi a reportagem, decidi contar tudo pra minha mãe. Ela já suspeitava, claro. Acho que fiz o certo", ele disse, e alisou a barriga chutada. "O Zak nunca teria essa coragem. Não vou fingir que fiquei triste com a morte dos pais dele. Vai ser a chance dele de se libertar."

"Você quer apanhar mais?", perguntei, saturado de ouvir aquilo.

"Vou embora", Otto murmurou, levantando. "Mas você vai ver como ele vai ser mais feliz."

"Deixa o meu tênis", eu disse, ainda segurando a maçaneta da porta.

"O quê?"

"Deixa o meu tênis!", gritei, apesar de estarmos a poucos metros de distância.

"Não vou andar descalço por aí", ele respondeu.

Larguei a porta, com adrenalina para mais um round. Ele se encolheu quando me aproximei. Eu era mais alto. Talvez mais forte. Otto não parecia disposto a arriscar.

"Deixa. O. Meu. Tênis. Entendeu?"

Ele me estudou com os olhos assustados, a face esquerda inchada, a mão apoiada no estômago. Descalçou os tênis e caminhou de meia até a porta. Era uma situação patética, mas eu senti uma ponta de orgulho ao vê-lo ali, descalço e desabrigado.

"Sabe qual é o seu problema, Alê?", ele disse, abrindo a porta. "Você se acha o fodão. Se acha o amigão do Zak. Acha que ele conta tudo para você. Acha que eu estou mentindo. Mas vai se dar mal. Muito mal."

Aproximei-me e Otto recuou, saindo do apartamento.

"Aliás, se não me engano, na sexta passada você estava bem chateado. Tristinho, tristinho", ele disse, jogando o anzol e percebendo que engoli a isca quando franzi o cenho. "Isso mesmo, Alê. Quando você ligou para o Zak querendo sair para beber... A 'mulher perfeita' era eu. Ele estava comigo, seu merda. Comigo."

Ele bateu a porta.

Pensei em ir atrás e mandar que explicasse melhor aquela história, mas resisti ao ímpeto. Então senti um súbito mal-estar. Um gosto amargo na boca, difícil de definir. Deixei meu corpo cair pesadamente sobre o sofá, com as palavras do Otto martelando na minha cabeça.

A *"mulher perfeita" era eu. Ele estava comigo, seu merda. Comigo.*

O embrulho no estômago subiu até a boca e veio a vontade de vomitar. Jogar para fora toda aquela merda que me consumia. Zak tinha preferido trepar com Otto a sair para beber comigo. Ele mentira durante todo aquele tempo. Havia criado uma imagem de másculo garanhão para me impressionar. Aquilo era amizade?

Fui invadido por uma imensa raiva do Zak. Toda aquela hipocrisia me fazia mal. A morte de Maria Clara e Getúlio. A papelada. O grito ensurdecedor. E agora Otto e Zak trepando. Senti nojo de estar ali. De viver em um mundo de maldades contidas, de bizarrices sem limites, de pessoas com duas faces...

Hoje, pela primeira vez, pensei em me matar.

12.

Capítulo 3

Cometer suicídio é como se tornar um deus por alguns segundos. Acabo de me dar conta disso.

Certa vez, li um artigo muito interessante dizendo como seria se soubéssemos quando vamos morrer, se viéssemos com prazo de validade. A pesquisa mostrava que as pessoas entrariam em desespero. Muitas ficariam mais amarguradas e depressivas à medida que os dias passassem e fosse se aproximando a data prevista para o fim. Outras surtariam, ansiosas por aproveitar os últimos momentos, cometendo atos irracionais e desumanos, desprezando as normas sociais.

Lembro-me de que, na época, tentei imaginar como ia me sentir e não consegui. Agora sei como é experimentar a iminência da morte…

Na verdade, todos temos medo de morrer, daquela incerteza escondida de saber se voltaremos vivos para casa, se teremos mais uma noite de sono, mais uma noite de sexo, assistiremos a mais um bom filme ou conseguiremos terminar aquele livro. Afinal, tudo acaba. E ninguém morre vazio de sonhos. O morto é enterrado com seus projetos, desejos, tudo... Num átimo, o tudo vira nada, e é isso. A vida continua. Deus aperta o "stop", e acabou sua vez neste mundinho.

De certa forma, o suicídio deturpa todo esse projeto predeterminado de vida e morte. Seria como se você mesmo roubasse o controle das mãos do Divino e apertasse o "stop" na hora que quisesse. Assim, roubaria Dele o direito de mandar na sua vida. Legal, não?

Com uma risada alta, Zak apontou o revólver para a própria cabeça e fez um "Pow!" com a boca, como se atirasse. Eu sentia no ar a tensão daquele momento. Ele nos levara até ali. Ele nos convencera a acabar com tudo de uma vez. Era o líder, o mentor. E fazia questão de deixar aquilo evidente. Mantinha a postura ereta, o olhar confiante, os movimentos firmes, sem demonstrar fraqueza ou arrependimento por ter se lançado na jornada.

"Sentem logo!", ele gritou, agitando os braços no ar, com o revólver pendendo ameaçadoramente na mão.

Permaneci no canto, observando a rodinha se formar a poucos metros. Ritinha sentou entre Waléria e Lucas, evitando Noel ao máximo. Dan continuava encolhido no canto, mastigando o chiclete com raiva, ainda chateado com o que eu havia dito. A João foi até ele e segurou seu braço. Dan fixou os olhos em mim, sem sequer piscar, o ódio me fuzilando feito tiros de AR-15. Demorou alguns segundos até decidir se juntar ao grupo. A João então sentou à esquerda do irmão, com Dan do seu outro lado. Ninguém pareceu se importar com o fato de eu não ter tomado posição na roda. Zak continuou de pé, ainda próximo à porta, analisando-nos como se fôssemos ratinhos de laboratório.

"Senta aí, Otto!", ele mandou.

Mas Otto pareceu não escutar, como se isso fosse possível no porão minúsculo e calorento. Seu rosto continuou abaixado, os cachos cobrindo a testa e chegando aos olhos. Suas bochechas esta-

vam crispadas e os dentes rangiam. Pelas minhas contas, ele já tinha cheirado três carreiras de cocaína.

"Eu estava pensando...", começou ele, mas desistiu de terminar a frase. Girou a cabeça no ar, com o corpo apoiado tropegamente na parede.

"Não pensa, Otto. Só entra na porra da roda!", gritou Zak, indo na direção dele num caminhar torto.

"Deixa o cara em pé! Ele tá na onda!", comentou Ritinha, sentada em postura de índio.

Zak aceitou. Seu corpo balançava de um lado para o outro. Posicionou-se no centro, observando os seis membros da disforme rodinha. Imaginei-o vestindo um lenço sobre os olhos e começando a girar, como em nossas brincadeiras da infância, nesta mesma casa.

Mas não.

A arma na mão do Zak, o ar inebriante devido ao cheiro doce de maconha, as pessoas jogadas no chão, os olhares caídos, tudo nos relembrava de que não estávamos ali de brincadeira. Não só de brincadeira.

"O esquema é o seguinte...", começou Zak, abrindo a sexta garrafa de vodca do dia. Ele estudou cada um de nós com seus olhinhos azuis já um tanto avermelhados. Volta e meia, olhava para Otto, buscando a atenção dele, tentando perceber o que aquele infeliz fazia de pé num canto escuro do porão. Virou a garrafa num gole, bebendo um quinto dela de uma vez e depois abrindo a boca para aliviar a ardência da garganta.

"A gente atira. Não pode desistir... Tem que atirar mesmo", continuou. "Daí, vai saindo um por um. E o último pode escolher..." Mais uma golada. "Se quer morrer com o resto ou viver."

A sala ficou em silêncio. Todos concordaram com as regras repassadas ligeiramente. Noel parecia em outro planeta, presente apenas em corpo naquela roda, ao lado da Waléria.

"A cada rodada, uma pessoa diferente começa."

Outro gole. Zak deixou escapar um pouco do líquido pela boca, sujando a camisa bege, mas pareceu não se importar.

"Pode ser?", perguntou.

Otto grasnou no cantinho e voltou ao seu estado letárgico.

"Antes de puxar o gatilho, cada um pode dizer uma frase de impacto. Daquelas que entram para a história, saca? Suas últimas palavras", propôs Waléria.

Olhei para ela com mais simpatia. A ideia era boa.

"Tipo 'Até tu, Brutus?'", confirmou a João.

"'Quando a música acabar, apaguem as luzes'", continuou Waléria, rindo.

"Quem disse essa merda?", Lucas perguntou, irritado, com o cigarrinho pendendo dos lábios.

"Hitler", ela respondeu, com outra risada. "Antes de meter uma bala na cabeça em 30 de abril de 1945."

Tinha me esquecido de que Waléria fazia faculdade de história.

"Eu estava pensando... Todos esses fodões se suicidaram, não é? Getúlio Vargas também deu um tiro na cabeça", disse a João, forçando a ervilha cerebral.

"Foi no coração."

"Hein?"

"Vargas não meteu um tiro na cabeça. Foi no coração", corrigiu Waléria, com a seriedade de quem ensina pirralhos do sétimo ano. "Vocês deveriam saber mais história!"

"É...", concordou Lucas numa tragada. "Pena que não temos mais tempo para aprender."

Waléria e a João caíram na gargalhada, tentando descontrair. Lucas permaneceu sério, sem entender a graça do que tinha dito.

Com um último gole, Zak esvaziou a garrafa, passando o braço pela boca para enxugar os lábios.

"Bora, Otto. Senta aí pra gente começar", ele pediu mais uma vez.

Voltamos ao silêncio.

"Ele não vai entrar na roda também?", Otto perguntou, abandonando a apatia habitual. Virou o rosto para Zak com o indicador em minha direção, sem me olhar na cara.

Zak ficou calado, esperando que eu respondesse. Não respondi.

"São só oito câmaras, Otto. Nós somos nove. O Alê entra na próxima rodada", meu amigo disse, impaciente.

Otto fez outro barulho estranho com a boca, sugando a saliva. Abriu um sorriso forçado, revelando os dentes. Depois, fechou os olhos, meio decepcionado.

"Por que ele?", perguntou.

Filho da puta. Filho da puta. Filho da puta, *pensei.*

"Eu entro na próxima. Não ele!", Otto gemeu, afetado.

"Não é esse o combinado... Você sabe que o Alê está escrevendo um livro e que..."

"Foda-se o livro dele!"

Otto desencostou da parede, os cachinhos esvoaçantes como nos comerciais de xampu. Caminhou em direção a Zak, gesticulando exageradamente.

"Não estou nem aí! Se ele não entrar, não entro!"

"Otto, seu merda", comecei, levantando. Pronunciei o "seu merda" com classe, quase como um epíteto. "Não estou nem aí para o que você pensa ou deixa de pensar do meu livro. A questão é que pedi ao Zak para entrar na segunda rodada para que eu possa escrever ao menos uma morte, tá entendendo? Todo mundo aceitou... Então deixa de babaquice e entra logo na roda!"

Ele hesitou. Provavelmente ainda não tinha se esquecido da troca de carinhos do nosso último encontro. Estudou-me de cima a baixo como se eu não fosse digno da sua atenção e então se voltou para Zak, ficando a centímetros do rosto dele.

"Deveríamos ser só oito!", ele gritou, aproximando mais o rosto. Por um instante, achei que fosse beijá-lo ali mesmo. "Porra, são só oito tiros. Deveríamos ser oito pessoas!"

Zak engoliu em seco, o olhar trêmulo por causa das drogas.

"Não interessa. Senta e vamos começar!", ele cortou com rispidez.

Otto soltou uma gargalhada irônica, deixando uma lufada de ar cinzento sair da boca.

"Não vou entrar sem ele. Você está ficando surdo?"

Noel continuava em outro planeta, longe da discussão. O restante do grupo, ainda sentado, assistia à briga de camarote, sem pagar ingresso.

Zak se irritou:

"Você está com cagaço, isso sim!"

"Vamos decidir na moeda!", Waléria disse, abandonando o grupinho. "Se der cara, você entra; coroa, o Alê entra!"

Ela sacou do bolso a maldita moeda que sempre carrega consigo e a estendeu na palma da mão gorda.

"Guarda essa merda, Waléria!", gritei, abandonando a escrita do texto. "Não vou decidir isso na sorte!"

"Quem você prefere, Zak?", Otto perguntou, jogando a cabeça na minha direção. "Ele ou eu?"

Zak piscou, como costuma fazer quando fica sem palavras. Apurei os ouvidos, curioso para ouvir a resposta.

"Quem, Zak?", Otto insistiu.

"Ele", Zak respondeu, depois de alguns segundos, com os dedos passeando nervosamente pela mancha de vodca na camisa.

Senti uma pontada de orgulho. Um a zero para mim.

Otto franziu as sobrancelhas, aturdido.

"Ele fez com você as coisas que eu fiz?", perguntou, agora com a voz sussurrante, quase sedutora. "Do jeito que eu fiz?"

A cena congelou: Zak de cabeça baixa, um pouco zonzo; Otto mirando-o com olhos de bichinho de pelúcia.

"Do que ele está falando?", quis saber Waléria. Ela guardou a moeda, atenta à discussão. "O que ele fez com você?"

Otto não respondeu. Apenas sorriu com aquela cara de "agora se vira, desgraçado".

"Ele está bêbado", Zak disse, agitando o braço para encerrar a conversa. "Esquece... Vamos começar logo."

"Estou bêbado, sim", retrucou Otto. "Mas não disse nenhuma mentira." Ele ajeitou uma mecha de cabelo para ganhar tempo, aproveitando a atenção de todos. "Por que você não conta aos seus amigos seus segredinhos, querido? Vamos todos morrer mesmo, não é?"

Zak fechou os punhos, com o rosto vermelho de raiva. Olhou-me de esguelha, para ver minha reação. Tentei ficar impassível.

Otto percebeu.

"Ah, não, Zak. Não se preocupa com o Alê. Ele já sabe de tudo." Aproximou-se do Zak, apoiando-se em seu peito depois de quase tropeçar num obstáculo invisível. Com um sorriso no rosto, chegou perto dos seus ouvidos. "Eu contei", sussurrou, dando uma mordiscada discreta na orelha dele.

Zak demorou a reagir. Tentou algumas palavras, levou a mão à testa. Buscou na minha expressão algum tipo de ajuda, talvez compreensão. O medo em seus olhos confirmava tudo o que Otto havia me dito sobre os dois.

"O que você contou para...?", ele balbuciou, deixando pender a garrafa vazia na mão, os olhos se enchendo de água.

"Você estava sedado. Eu decidi que era hora de revelar a verdade... Ele estava lá, e eu...", começou a explicar Otto, percebendo que tinha o comando da situação.

"De que merda vocês estão falando?", interrompeu Waléria. A curiosidade superava a paciência.

Otto riu, deslizando pelo corpo do Zak até cair sentado no chão. Então estendeu a mão para Waléria.

"Você não vai gostar de ouvir isso. O Zak é..."

A frase foi bruscamente interrompida. Aproveitando-se da posição desvantajosa em que Otto se encontrava, Zak chutou seu tó-

rax. Otto caiu para trás, a cabeça batendo no assoalho com um baque seco. Os quase dois metros do Zak saltaram raivosamente sobre o magrelo, como um leão atacando a presa. Imobilizando Otto entre as pernas, ele pressionou seu pescoço com a mão esquerda, socando seu rosto sem parar com a mão direita fechada. Não me movi. Ele merecia apanhar. E como!

Os outros, que não conheciam Zak como eu, foram acudir. Tentaram, inutilmente, segurar seus braços, que pareciam jogar tênis com a cabeça do desgraçado.

"Seu filho da puta! Cala a boca!", gritava ele, mais irritado ainda por estarem tentando impedi-lo. Quando cansou, afastou-se. Otto permaneceu no chão, contorcendo-se, a marca dos dedos evidente no pescoço, o rosto arranhado e manchado de sangue. Muito sangue.

"Zak, seu maldito, olha o que você fez! Eu... Eu estou deformado!", ele gritou de modo afeminado, tateando o rosto.

"Do que você estava falando, Otto?", Waléria perguntou, como se a briga não tivesse sido suficiente.

Ele baixou o rosto. Olhou para Zak, com a armação dos óculos pendendo na orelha.

"Eu só disse que... Que deveríamos ser oito. E não nove. Oito!", gritou, enraivecido.

"Não. Não é isso", continuou Waléria, agitando o dedo. "É outra coisa. Você ia falar..."

"Eu... Eu não sei", ele murmurou, com medo. Enlaçou as pernas com os braços e voltou ao seu casulo, quieto, vez ou outra alisando os ferimentos e percebendo que a face esquerda começava a inchar.

Recém-chegado da Lua, Noel olhava para nós, a expressão perdida estampada no rosto sardento.

"Vem para a roda, Otto. É a última chamada", gritou Zak, agitando o revólver no ar.

Ele ficou em silêncio por alguns segundos antes de responder:

"Pode me bater quanto quiser, seu veado! Eu não vou entrar antes dele. Não vou mesmo!"

O vocativo irritou Zak.

Ele levantou mais uma vez. Otto se encolheu no canto, com os olhos fechados, resignado a apanhar de novo. Zak foi até a parte mais escura do porão e agachou para mexer em alguma coisa. Ao voltar para a área iluminada, pude ver o que ele segurava na mão: o pé da cadeira enroscado na corda. Por um segundo, achei que fosse bater no Otto com aquilo e gostei da ideia.

Fiquei espantado quando Zak jogou o pedaço de madeira no chão e ficou só com a corda na mão. Estudei seu rosto enfurecido, tentando entender o que ele estava pensando.

Chegou perto do Otto o suficiente para ele se mijar nas calças e lhe deu um empurrão.

"Lucas, vem me ajudar!", ele gritou, com gotas de suor brotando na testa.

"Hein? O quê?", balbuciou Otto, com os olhos arregalados de medo. "O que você vai fazer?"

"Você vai entrar nesta rodada. Querendo ou não", ele respondeu, agarrando-o.

Desesperado, Otto começou a gritar, tentando inutilmente vencer a força do Zak. Lucas chegou mais perto, animado em participar da brincadeirinha sádica. Waléria se aproximou, querendo fazer parte daquilo tudo.

"O que vocês vão fazer?", ela perguntou, com um sorriso no rosto.

Sem responder, Zak segurou os braços do Otto enquanto Lucas segurava suas pernas, como se carregassem um saco pesado. O infeliz continuava a gritar, expulsando lágrimas de desespero, a parca iluminação denunciando a mancha de urina na calça.

"Me soltem! Por favor, me soltem! Eu só disse que deveríamos ser oito!"

Imóveis, Dan e Noel continuavam na roda, esperando o momento em que seriam chamados a fazer algo. Já Ritinha estava mais preocupada em cheirar outra carreira.

Otto esperneava como uma criança. Soltaram seu corpo num canto mais escuro, o eco da queda reverberando no pequeno porão.

"Fica de pé, seu merda! Fica!", gritou Zak, cuspindo no rosto violentado de Otto. Ele obedeceu sem pestanejar.

Com alguma dificuldade, encostaram seu corpo rebelde em um cano que subia pela parede até o teto. Amarraram os braços para trás. Otto gemeu, imobilizado, a cabeça caída como se estivesse desmaiado. Os gritos e o choro, no entanto, mostravam que ele estava mais acordado do que nunca.

"Desculpa, Zak. Desculpa!", ele pedia, o rosto manchado por um misto de lágrima e sangue.

"Você é um cagão!", gritou Zak em seu ouvido. "Tem que cumprir o que diz! Seja homem!"

Ele segurou a arma com firmeza, apontando-a para a própria cabeça.

"Olha para mim, seu merda. Não tenho medo. Estou aqui pra isso! Não tenho o menor medo, seu desgraçado."

Senti um calafrio ao ver Zak apontar a arma para a própria cabeça.

"Vou atirar, seu merda. Se a bala sair, saiu. Eu não tenho medo! Medo nenhum!", ele gritou, com o indicador alisando o gatilho, a cabeça se movendo ameaçadoramente na direção do cano.

E, então, ele atirou.

O tambor girou, fazendo um som metálico. Nenhuma bala saiu.

Zak escancarou um sorriso:

"É, parece que hoje não é seu dia de sorte!"

Por uma fração de segundo, senti pena do Otto. Seu olhar murchou. Ele soltou um choro seco, desesperançado.

"Agora é sua vez!", berrou Zak, apontando a arma para a cabeça dele.

Otto se contorceu, arranhando os pulsos na corda áspera, numa tentativa inútil de escapar. Fechou os olhos em desespero.

"Olha para mim! Quero que você esteja olhando para mim quando eu atirar!"

Com o corpo encolhido como se fosse possível ficar invisível ou fugir da mira do Zak a poucos centímetros de distância, Otto manteve a cabeça baixa.

"Olha, porra!"

"Eu..." Ele chorava. "Eu não consigo!"

Zak balançou a cabeça. Passou o revólver para a mão esquerda e, com a outra, segurou os cabelos do Otto, puxando-os para trás. Ele gemeu de dor. A pele esticava e os longos cílios encobriam os olhos fortemente cerrados, recusando-se a encarar a mira a poucos centímetros da testa.

"Não vou olhar... Eu... Eu não posso!", ele gritou, sem defesas.

Zak pareceu se fartar daquilo tudo. Deixou a arma no chão e enfiou a mão no bolso. Num primeiro momento, não vi o que pegou. O objeto metálico reluziu na escuridão como um minúsculo diamante bruto. Quando o segurou pela ponta, diante do rosto do Otto, pude ver o que era: uma pinça.

Voltei os olhos para a mesinha quebrada no outro canto da sala e vi que agora só restavam a chave de fenda e o martelo. Procurei pelo rolo de esparadrapo e encontrei-o no bolso do Zak fazendo volume.

"É sua última chance", sentenciou Zak, balançando a pinça. "Olha para mim!"

Otto apenas choramingou, esperando que alguém se apiedasse da situação e o salvasse.

Sem receber uma resposta, Zak segurou novamente os cabelos do infeliz. Puxou a cabeça dele para trás, dessa vez com mais raiva. Com o cuidado de um cirurgião, aproximou a pinça das pálpebras de Otto, escolhendo o olho direito. Então a posicionou entre o polegar e o indicador, pronta para o ataque. Depois de duas tentativas, pescou al-

guns cílios e puxou-os com força. A pálpebra se esticou e logo cedeu. Os pelinhos caíram de modo teatral nas bochechas de Otto.

"Seu filho da puta!", gritou ele, abrindo os olhos para tentar entender o que acontecia, a dor estampada no rosto inchado.

Zak fez novas investidas. Segurando firmemente a pinça, picotou os cílios de Otto, que tentava vencer a luta, com as pálpebras trêmulas.

"Você vai olhar querendo ou não!", ele disse, friamente, então mudou de olho.

Otto começou a tremer propositadamente, dificultando a continuação da tortura. Gritava alto, com as pernas e a cabeça se agitando para afastá-lo.

"Segura ele, Lucas! Segura!"

Lucas agarrou as pernas enquanto Zak puxava os cabelos do Otto com mais força. Ele aproximou novamente a pinça, selecionando mais um grupo de cílios. A pálpebra resistiu à puxada, e Otto urrou de dor.

"Não quero morrer! Eu... não quero morrer!", ele implorava.

Zak puxou mais bruscamente, e os cílios se soltaram. Os glóbulos oculares estavam vermelhos.

"Cala a boca, Otto!", ordenou Zak, sacando o rolo de esparadrapo do bolso e cortando um pedaço com os dentes.

Num surto, Otto sacudiu o corpo, livrando-se do Lucas. Sem muita dificuldade, chutou com força a barriga do Zak.

"Seu veado! Não faz isso comigo, seu veado! Não vou calar a boca!", ele esperneou, agitado.

Zak se projetou para o chão, caindo desajeitadamente. Ele passou uma das mãos pela testa, tentando secar o suor, enquanto comprimia a barriga com a outra. Lucas foi ajudá-lo a levantar.

"Eu te amo, Zak. Eu te amo!", gritou Otto, abaixando a cabeça e impedindo que eu visse o estrago em seus olhos. "Será que você não entende isso?"

Zak congelou novamente, tolhido pela vergonha e pelo medo. Waléria e a João se aproximaram do Otto, como se só agora percebessem que ele era humano.

"O que você disse? Você ama o Zak?", perguntou a João, franzindo o cenho.

Pensei que Zak fosse saltar em cima dele para que o infeliz não dissesse nada. Mas não. Ele ficou sentado, segurando a barriga com a cabeça baixa

"Ele me ama também", Otto continuou, dando de ombros. "Nós... Ele... Ele tinha medo de se assumir. O pai dele era muito severo..."

"Ele está falando sério, Zak?", indagou Waléria.

Não houve resposta.

Ainda sentados na roda, Dan e Noel pareciam se divertir sozinhos.

"Explique tudo direitinho, seu merda!", gritou Lucas, também se aproximando do Otto.

Frases desconexas partiam da boca ferida:

"Ah, Zak... Eu vim aqui por você... Agora somos livres... Seus pais... Nada faz sentido sem você... Eu..."

"Explica!", ordenou Lucas mais uma vez.

"Tudo começou num jogo de pôquer. A gente acabou mudando para strip pôquer e transamos naquela mesma noite..."

Larguei a caneta para tapar os ouvidos. Não queria ouvir todas aquelas atrocidades. Waléria, Ritinha e os dois irmãos olhavam para Otto atentos, feito criancinhas assistindo fascinadas a um teatro de fantoches.

Nenhum deles viu quando Zak rastejou até o revólver e, segurando a empunhadura, abriu a arma. Ele examinou as oito câmaras. Com as mãos trêmulas, girou o tambor noventa graus para a direita e o fechou sem fazer barulho.

Eu entendi o que ele pretendia e não fiz nada para impedir.

Fui criado em uma família religiosa e realmente não acredito que tenha mais salvação. Não temo o inferno, se é que ele existe. Intervir para salvar a vida do Otto seria inútil, ridículo. Eu o odeio como odeio poucas pessoas neste mundo.

Quando Zak levantou, segurando a arma na mão direita, destampei os ouvidos. Otto ainda contava sua história, entre um gemido e outro de dor.

"... na minha casa. O pai dele chegou de viagem antes e..."

"Chega!", gritou Zak, afastando os outros com o braço. "Ele já falou merda demais."

Waléria fez menção de reclamar da interrupção, mas desistiu.

Otto levantou a cabeça, revelando a boca trêmula. Com a parca luz central, pude ver seu rosto. É impressionante como o medo nos dá um aspecto desumano. Seus olhos estavam arregalados, as veias se delineando nos glóbulos, pequenos pigmentos vermelhos pipocando nas pálpebras no lugar onde antes ficavam os cílios. O corpo se contraía em espasmos. Ele piscou, abrindo os olhos rapidamente. Não conseguia mais fechá-los.

Zak jogou a pinça metálica no chão, num tilintar seco e rápido. Então levantou a arma na direção da testa do Otto.

"Eu... Eu só disse que deveríamos ser oito", ele choramingou.

"Isso não importa agora", Zak respondeu.

Ele fechou os olhos, com o revólver trêmulo na mão.

E, então, puxou o gatilho.

O desejo do Otto foi realizado.

Agora somos oito.

13.

DIANA: *"O desejo do Otto foi realizado."* (*pausa*) *"Agora somos oito."*

(*choro intenso*)

ROSA: Para! Para! Por favor, para! Eu... Eu não sou obrigada a ficar ouvindo esse desgraçado narrando a morte do meu filho! (*soluços*) É tão... horrível!

(*choro intenso*)

DIANA: Quer um copo de água com açúcar?

ROSA: Não, eu... Eu não quero... Não quero mais ouvir nada!

OLÍVIA: Eu também me recuso. (*pausa*) Quando fomos chamadas, ninguém falou que seria assim! Onde já se viu prender mães numa sala e ler para elas a morte dos seus filhos? Não podem nos submeter a isso!

DIANA: Ninguém está prendendo vocês aqui. (*pausa*) Como eu já disse, esta reunião foi convocada como uma última tentativa de esclarecer os acontecimentos ocorridos naquela casa. Sei que é difícil. Mas preciso que fiquem calmas. Que usem a razão.

OLÍVIA: Como você vem me falar em calma? (*pausa*) Olha

para ela! Olha, delegada! Uma mãe chorando a tortura e a morte do próprio filho! Você vê racionalidade nisso? Acha mesmo que existe algum pingo de racionalidade nisso?

(*silêncio — três segundos*)

(*choro contido*)

ROSA: Eu... Eu estou bem... (*pausa*) Pode terminar, delegada.

DIANA: Não quer mesmo um copo d'água?

ROSA: Só... (*soluços*) Termine...

DIANA: É o fim do capítulo três.

OLÍVIA (*com desdém*): Vou adivinhar: "Algum detalhe ou comentário a acrescentar?".

DIANA: Algum detalhe ou comentário a acrescentar?

(*silêncio — quatro segundos*)

(*choro*)

DIANA: Certo... Então eu gostaria de atentar para uma frase dita pelo Zak neste capítulo... (*farfalhar de papéis*) "*Não é esse o combinado... Você sabe que o Alê está escrevendo um livro e que...*". (*pausa*) O significado da frase é bem claro e tem até alguma lógica: o Alessandro queria ter a possibilidade de narrar ao menos uma morte no seu livro e, por isso, pediu para entrar apenas na segunda rodada.

OLÍVIA: Você chama isso de lógica, mas eu chamo de esperteza.

DIANA: O que nos chamou a atenção neste trecho foi a palavra usada pelo Zak. "*Não é esse o combinado...*" Combinado. (*pausa*) Mostra que, desde que a roleta-russa foi programada, o Alessandro já pretendia escrever o livro, deixando mais forte a hipótese de ter participado por esse motivo. (*pausa*) Mostra também que, em algum momento, eles se reuniram para combinar como a coisa funcionaria. É bem possível que tenha sido na sexta-feira anterior, dia 5 de setembro. As anotações do Alessandro não registram nada nesse dia. Nem nos dias 3 e 4, quarta e quinta. (*pausa*) No entanto, sexta-feira foi o único dia em que, segundo o que todas vocês disseram, seus filhos foram encontrar o Zak. Em horários distintos...

REBECCA: A Waléria não... Ela passou a sexta em casa, lendo no quarto...

DIANA: Ah, sim, me desculpe. Falei errado... (*pausa*) Todas vocês, exceto a Rebecca, disseram que seus filhos viram o Zak naquela sexta, não?

(*silêncio — quatro segundos*)

OLÍVIA: Certo, delegada. Nossos filhos se reuniram na sexta-feira para discutir a roleta-russa, e o Alessandro não fez nenhuma anotação. (*pausa*) Aonde pretende chegar com isso?

DIANA: O único fato conhecido da sexta é a ida do Zak ao banco para o fechamento da conta. (*pausa*) Como eu já disse, isso ocorreu por volta das três da tarde. Segundo o gerente, ele estava sozinho.

VÂNIA: Os outros poderiam estar esperando do lado de fora. Zak entrou sozinho, o que não quer dizer que estivesse sozinho!

DIANA: Verdade. (*pausa*) Mas também é bem estranho que o Alessandro tenha feito anotações sobre vários momentos pouco importantes da vida dele e ao mesmo tempo deixasse de registrar exatamente os três dias nos quais foram discutidas as regras da roleta-russa. (*pausa*) Além disso, se eles se reuniram na sexta-feira, onde foi? Fora de casa, como vocês mesmas afirmaram nos interrogatórios. E o circuito interno de TV do prédio do Zak registra ele saindo às oito da manhã e voltando sozinho às sete da noite. (*pausa*) A questão é: aonde eles foram?

OLÍVIA: Ah, delegada. A qualquer boteco de esquina... À praia... Existem mil lugares aonde eles podem ter ido! Isso é ridículo!

DIANA: Um boteco de esquina? Praia? (*pausa*) Na época da morte deles, a imprensa divulgou bastante o caso, muitas imagens foram veiculadas, muita gente ligou dizendo que viu alguns deles no sábado anterior, mas, estranhamente, ninguém os viu na sexta. Não recebemos nenhuma informação sobre o que eles fizeram nesse dia. É como se... Como se alguém tivesse interesse em sumir com esse dia e o que foi feito nele...

SÔNIA: O que você está insinuando, delegada?

(*ranger de cadeiras*)

DIANA: Eu não teria por que insinuar alguma coisa, Sônia. (*pausa*) Estou apenas tentando ver se, pensando juntas, chegamos a algum lugar...

SÔNIA: Seu tom... (*pausa*) Foi de afirmação. Não de pergunta.

DIANA: É impressão sua. Não...

SÔNIA: De todo modo, mantenho o que disse antes. Eu tinha vários processos em conclusão e voltei tarde para casa naquela sexta. A empregada foi embora às cinco. Quando cheguei, às dez, meu filho estava dormindo. Só depois eu soube que tinha ficado fora por duas horas... (*pausa*) Foi o porteiro quem me contou.

OLÍVIA: E por que ele não perguntou ao seu filho aonde ele tinha ido?

SÔNIA: Você não entendeu. Só depois de tudo isso fiquei sabendo... Depois da roleta-russa e...

DIANA: Os depoimentos de vocês estão no relatório. Não precisam ficar repetindo nada aqui...

OLÍVIA: Você nos leva a isso, delegada! A delegada aqui é você... (*com a voz ríspida*) Mas parece querer que tiremos surpresas da cartola. Não temos muito mais a dizer!

ROSA: Mas agora eu quero saber tudo até o fim. Disseram que nossos filhos se mataram por vontade própria... (*pausa*) Meu filho não queria morrer, delegada. (*choro*) O Otto nunca ia se matar... Ele foi assassinado! O Zak o matou! Meu filho não queria morrer! Ele desistiu...

(*choro intenso*)

(*silêncio — cinco segundos*)

DIANA: Eu entendo, Rosa. (*pausa*) Pelo que indica o livro do Alessandro, o Zak ajeitou o revólver para atirar no Otto. Ele queria calar sua boca. Pretendia fazer isso antes que aquelas revelações o complicassem ainda mais.

ROSA: Eu… eu me sinto tão culpada! Se pudesse voltar atrás… Não teria feito o que fiz… Eu amava meu filho apesar de… Delegada… (*pausa*) Desde que o Otto era pequenininho, eu sabia que ele era diferente. De certa forma, eu já sabia… Toda mãe sabe, você entende? (*pausa*) Mas não tinha certeza, claro… (*pausa*) Eu… Eu não estava preparada para aceitar que meu filho estava saindo com um homem… (*pausa*) Como fui burra! Ele era meu filho… Eu tinha que… Que ter aceitado!

DIANA: Rosa, não foi culpa sua. O Otto… Ele… já era quase um adulto… Sabia dos riscos que corria e…

ROSA: Eu não podia! O Carlos foi tão bruto com ele… A culpa foi nossa… Como pais, não podíamos… (*choro intenso*) Mas foi tudo tão horrível! Tão sem sentido… (*soluços*) Naquele domingo, estávamos à mesa tomando café da manhã e ele começou a falar… Parecia tão debochado! Tão cheio de si, certo do que estava fazendo… (*choro*) O Carlos gritou com ele. E ele retrucou. O Otto nunca retrucava… Nunca tinha levantado a voz pra gente. Parecia outra pessoa. Como se estivesse tomado pelo demônio. Eu… Eu… fiquei sem reação. O Carlos o chutou para fora de casa e eu… Eu não fiz nada!

DIANA: E foi então que ele procurou o Zak. Nós já sabemos. (*pausa*) O mais estranho foi ter ido falar aquilo mesmo sabendo que os pais dele tinham acabado de falecer…

ROSA: Ah, delegada… (*soluços*) O meu filho estava tão perdido… Otto não sabia para onde ir… Aquela verdade estava entalada na garganta dele e ele precisava botar para fora, precisava ser ouvido... (*pausa*) Quando viu na TV que os pais do Zak tinham morrido... Pensou que era a oportunidade dele de ser feliz... Achou que, sem os pais, Zak assumiria a homossexualidade... Meu filho, delegada... Ele amava aquele menino. Amava muito... (*pausa*) Mas só entendi isso depois... Só depois... (*pausa*) Ele deve ter se sentido tão rejeitado... Tão sozinho... Não tinha em quem se amparar... (*pausa*) E eu, a mãe dele, neguei ajuda, apoio... Eu neguei, meu Deus! (*pausa*) Sem os pais, sem o Zak... preferiu morrer... (*soluços*) Ele amava aquele menino...

OLÍVIA: Otto amava o Zak... Mas a recíproca não era verdadeira, afinal...

DÉBORA (*com a voz exaltada*): Cala a boca, sua víbora!

DIANA: Senhoras, por favor! Respeito!

(*silêncio — quatro segundos*)

VÂNIA (*com a voz hesitante*): Então o pai do Zak sabia...

DIANA: O que disse?

VÂNIA: Estava pensando aqui... O que o Otto disse enquanto contava a história... "*O pai dele chegou de viagem antes.*" Quer dizer que o Getúlio sabia das... (*pausa*) das aventuras do filho?

DIANA: Isso não sabemos ao certo... Não existe nada que confirme que o Getúlio sabia. (*pausa*) A anotação do Alessandro no dia 31 de agosto diz que Otto foi visitar Zak. Alessandro atendeu a porta e eles acabaram brigando. No final, Otto revelou seu caso com Zak e deu a entender que Getúlio tinha uma suspeita. Mas não sabemos se isso é mesmo verdade, nem quando aconteceu. (*pausa*) Sem dúvida, Getúlio era um empecilho para o caso dos dois. Temos quase certeza de que foram as mortes dele e da Maria Clara que incentivaram o Otto a revelar toda a verdade a seus pais e depois ir para a casa do Zak. (*pausa*) Nesse sentido, é bem provável que Getúlio soubesse de algo.

DÉBORA: Quando meu filho ficou sabendo que Zak era gay, ele... Pelo que entendi, não contou a ninguém...

DIANA: É o que parece, Débora. (*pausa*) O Alessandro descreveu em suas anotações a discussão que teve com Otto, mas, pelo visto, não contou a Zak que sabia a verdade. (*pausa*) A surpresa do amigo ao descobrir que Alessandro já sabia confirma isso. É bem provável que o fato tenha disparado a raiva do Zak pelo Otto. Explicando então por que ele girou o tambor para que o outro morresse...

(*silêncio — dois segundos*)

SÔNIA: Só não entendo o porquê da tortura... Por que arrancar os cílios do menino? Que coisa bárbara!

DIANA: Zak estava descontrolado, fora de si... (*pausa*) Queria que Otto visse a cena a qualquer custo. Queria que tudo acontecesse do jeito dele.

ROSA: Vocês precisam mesmo ficar repetindo isso? (*choro*) Por que não continua a ler para terminarmos logo?

OLÍVIA: Só acho importante lembrar também que esse Alessandro é tão culpado quanto Zak... (*pausa*) Ele viu Zak mexendo na arma e poderia ter impedido... Se não estivesse preocupado demais com o próprio umbigo, claro.

DÉBORA: Fica quieta, Olívia! Alessandro era o melhor filho do mundo... (*pausa*) Me apoiou em todos os momentos difíceis e... Eu faria tudo por ele... Eu... Eu faria de tudo!

OLÍVIA: Isso é muito bonito, mas...

DIANA: Senhoras, por favor! Encerramos os comentários sobre esse capítulo? (*pausa*) Posso continuar?

(*silêncio — seis segundos*)

DIANA: Vamos então. "*Capítulo quatro.*" (*pausa*) "*Eu nunca poderia imaginar que dentro de uma cabeça havia tanto sangue...*"

14.

DAS ANOTAÇÕES DE ALESSANDRO PARENTONI DE CARVALHO
CASO CYRILLE'S HOUSE
IDENTIFICAÇÃO: 15634-2508-08
ENCONTRADO EM 10/9/2008, NO QUARTO DA VÍTIMA SUPRACITADA
OFICIAL RESPONSÁVEL: JOSÉ PEREIRA AQUINO, 12ª DP, COPACABANA

25 de agosto de 2008, segunda-feira

Odeio arroz com brócolis.

E odeio salmão ao molho de alcaparras.

Odeio o tilintar dos talheres nos pratos, o guardanapo de linho e as risadas falsas e exageradas soltas entre uma garfada e outra.

Odeio os assuntos pseudointelectuais e a verborragia do Getúlio para provar, a quem quer que seja, que é o fodão.

Odeio as futilidades da Maria Clara e odeio ver minha mãe falando mal do meu pai e da nova mulher dele.

Talvez por isso o jantar de hoje tenha sido uma tortura.

Talvez não.

Talvez a culpa seja minha. Talvez eu não tenha nascido para funcionar no esquema, seguir a tendência. Sou a alavanca quebrada de uma indústria grande e eficiente.

"Então cheguei para o indivíduo e perguntei: 'Você sabe quem eu sou, meu rapaz?'."

Risadas.

"O pobrezinho começou a tremer. Foi aí que eu disse: 'Sou o dono deste lugar e pedi meu hambúrguer sem picles! Você sabe o que é isso aqui? Picles!'", terminou Getúlio com uma gargalhada. Foi a décima história da noite para comprovar que ele era o representante comercial de Deus na Terra.

Estávamos sentados ao redor da larga mesa de jantar dos Vasconcellos, mas tenho certeza de que preferiria que estivéssemos no Teatro Municipal, espremidos nas poltronas, assistindo ao seu monólogo sobre como se dar bem na vida passando a perna nos outros.

"Querido, conta aquela do Samuel. Da demissão...", pediu Maria Clara, orgulhosa das peripécias do marido, como a dona satisfeita com os truques do seu cachorrinho.

"Ah...", fez ele, mantendo o assunto no ar. "Prefiro não comentar esse caso... Seria antiético da minha parte..."

Arqueei as sobrancelhas, surpreso pelo fato de Getúlio saber que existe ética neste planeta. Gente como ele exclui essa palavra do dicionário para poder se dar bem na vida.

"Está gostando do salmão, querida?", a anfitriã perguntou à minha mãe, dando a quinta garfada em duas horas de jantar.

Os ricos têm esse incrível dom de fazer a comida render. Ficam falando baboseiras enquanto o salmão congela no prato. Comer é apenas uma desculpa para se reunir e contar suas últimas proezas econômicas.

"Está uma delícia", murmurou minha mãe, pouco animada.

Desde que ela e Maria Clara haviam chegado do médico, eu sabia o que estava acontecendo. Sabia que o resultado da biópsia estava pronto e não era dos melhores.

"O salmão está muito bom. Mas a quiche de cebola está dos deuses!", Maria Clara disse, os cabelos esvoaçando graças à escova definitiva. Ela fizera luzes em algumas mechas da cabeleira negra.

Entre salmões e quiches de cebola, o silêncio incômodo pairava sobre a mesa. Encontrei duas ou três vezes o olhar da minha mãe. Instintivamente, ela abaixava a cabeça, temendo me encarar, sabendo que eu conseguiria arrancar dela toda a verdade em questão de segundos.

Maria Clara ainda havia tentado disfarçar, dizendo que o resultado da biópsia estava atrasado ("Essas clínicas, sabe como é"). Ela é muito boa para comprar vestidos, organizar jantares e escolher sapatos, mas, definitivamente, não sabe mentir. O resultado do exame estava estampado em seu rosto, nos assuntos supérfluos e no jantar marcado às pressas: câncer. No estômago.

"Ah, Débora, se anima!", Maria Clara disse, dando tapinhas carinhosos no braço da minha mãe. "Por que não vem com a gente para Cyrille's House?"

"É mesmo...", concordou Getúlio, um tanto aturdido por ter sido interrompido no meio de mais uma de suas fantásticas histórias. "Vem com a gente! Vamos amanhã e voltamos no sábado à tarde."

Minha mãe sorriu, brincando com o garfo de prata. Jogou uma mecha de cabelo para trás, com o rosto pálido.

"Eu não..."

"Vai ser animado, querida! Vamos de carro... Em cinco horinhas chegamos lá!", Maria Clara tentou.

"O Zak não quer ir", Getúlio continuou, da cabeceira. "Mas, se o Alessandro for, ele vai, não é?"

"Pai, eu já disse que...", Zak murmurou, pela primeira vez dizendo algo. Ele também estava estranhamente quieto.

"Pode levar aquele seu amigo que esteve aqui outro dia...", Getúlio disse. "Qual era mesmo o nome dele?"

"Eu não vou, pai!", Zak desconversou, sem dizer o nome do tal amigo. Fiquei curioso.

Servi-me de mais uma fatia da quiche. O prato da minha mãe continuava intocado, a posta de salmão já fria, o arroz verde dando aquela aparência saudável ao jantar.

"Vocês, filhos, são uma coisa!", Getúlio reclamou. "Crescem e parecem ficar com medo da gente... Faz um bom tempo que você não vai a Cyrille's."

"Estou ocupado com a faculdade, pai!", Zak disse. Parecia estar a ponto de dar um soco enraivecido na mesa e abandonar o jantar.

"Tenho até orgulho de ouvir isso... 'Ocupado com a faculdade.' Falando assim até me convence...", disse Getúlio, colocando um bom pedaço de salmão na boca e sujando o bigode grisalho.

"Já mandou blindar o carro, querido?", Maria cortou, enquanto esticava o braço para limpar a boca do amado maridinho com o guardanapo.

"Vou fazer isso depois. Não precisamos desse gasto todo agora", Getúlio respondeu num tom severo. "A Maria está com medo de andar de carro pelo Rio de Janeiro!"

"Quem não está, afinal?", perguntei, entediado.

"Isso mesmo, Alê! Quem não está?", confirmou ela, satisfeita em ter um aliado na discussão. "Antigamente você sabia que tinha que se preocupar com os bandidos. Mas hoje até a polícia é perigosa! Podem atirar no meu carro achando que sou um assaltante fugindo! Outro dia, um rapaz foi confundido com um..."

"Ah, mas isso é coisa da imprensa, que faz um estardalhaço com qualquer bobeirinha!", interrompeu Getúlio, esticando o tronco no espaldar da cadeira com aquela cara de "eu sei do que estou falando".

"O menino morreu, Getúlio!", retrucou ela, irritada. "Nem sei o que faria com aqueles policiais se fosse meu filho! Zak anda para cima e para baixo com aquela Hilux que ganhou de aniversário... É um perigo! Os bandidos ficam de olho!"

"Você queria que eu desse o quê? Um fusca? Talvez uma bicicleta?", ele perguntou, com os olhos e o pescoço vermelhos de raiva.

"Isso aqui não é lugar para discut...", começou Zak.

"Só quero que você blinde a droga dos carros!", gritou Maria Clara, soltando os talheres no prato.

Uau! Nada como quatro garrafas de vinho para fazer o pessoal deixar cair a máscara e o barraco começar. Nunca tinha visto aqueles dois brigando. Ver aquilo de camarote em meio a um jantar sacal era um deleite.

"Blindar dois carros? Você está louca?", Getúlio perguntou, levantando. "Pensa que dinheiro dá em árvore?"

Entendo perfeitamente por que os ricos continuam sempre ricos: choram de pobreza enquanto conversam num iate ancorado na ilha particular e guardam cada centavo como se valesse sua vida.

Maria Clara voltou a comer, segurando o talher com firmeza, descontando a raiva em cada garfada. Minha mãe continuava lá, rígida, o corpo presente, mas a mente viajando. Tinha perdido a briga de novela.

Para quebrar o gelo, uma música moderninha invadiu o ambiente. Por um segundo, pensei que eles haviam contratado um DJ para o jantar. Mas não. Era apenas o celular do Getúlio, equipado com um som melhor do que qualquer boate carioca. Era só apagar as luzes, empurrar as mesas e deixá-lo tocando.

"Diga, Goulart", ele atendeu, arrastando a cadeira para trás como se fosse abandonar a mesa. "Sim. Sim. Tenho certeza de que ainda quero... Não tem problema. Na quinta também não vou estar aqui... Viajo amanhã e só volto no sábado... Passa segunda no escritório para fazer a alteração... A Bianca tem minha agenda... Marca um horário com ela. À tarde... Ótimo então! Nos vemos na segunda. Até mais."

Ele guardou o celular no bolso do paletó, com um sorriso estampado no rosto. Provavelmente, havia fechado mais algum grande negócio para a empresa, levara algum concorrente à falência ou qualquer coisa parecida. Relacionada a dinheiro, sem dúvida.

"Por que o advogado ligou a essa hora?", Maria Clara perguntou, com rispidez, sem desviar o olhar do prato.

"Goulart não é só advogado. É um amigo da família, querida..."

"E segunda à tarde ele vai ao seu escritório por ser... amigo da família?"

Confesso que fiquei espantado. Sempre vi a Maria Clara como aquela esposa dedicada, acéfala, submissa, quase uma santa, que faz compras no shopping e viaja para a Europa todo ano. Vê-la fazendo aquelas perguntas todas, a briga na mesa... Ela realmente tinha me surpreendido.

"Já falamos sobre isso, querida", ele respondeu, as mãos trêmulas opondo-se à voz calma. "E contei ao Zak também."

Então ele sorriu, parecendo constrangido. As rugas na testa passavam a mensagem: "Falamos disso depois, porque agora temos visita".

Zak continuou quieto, sem esboçar reação. Onde estava o cara que falava sem parar e me fazia rir com seus hábitos pouco convencionais no jantar?

"Não sei do que você está falando, *querido*..."

O "querido" soou esticado, quase cínico.

"Você se lembra do Pierre?", ele disse, pensando por onde começaria. Não estava pisando em terra firme.

"Sim, o francês que morreu no helicóptero... Uma história terrível... O que tem ele?"

Getúlio respirou fundo antes de continuar.

"Conheci o filho dele. Tem trinta anos, o moleque..."

Moleque? O que sou, então? Um recém-nascido?

"Ele assumiu os negócios do pai. Aliás, assumiu não...", Getúlio deu risada. "Vendeu... Vendeu tudinho. Está andando pelo mundo, torrando a grana, gastando com cada piranha que vê pela frente..."

Ajeitei-me na cadeira. Já sabia onde aquele assunto ia parar... Não podia dar certo.

"Não quero que isso ocorra comigo também...", ele continuou. "Quer dizer, Zak não está preparado para assumir as rédeas de tudo caso alguma coisa fora do normal aconteça..."

Ele parou de falar, esperando que deduzíssemos o restante. Diante do silêncio, continuou sua historieta.

"Zak é jovem ainda. E tem dinheiro. As meninas vão pular em cima dele...", explicou. "E isso enlouquece um homem, sabe? Faz ele ficar cego... Não ver as coisas com nitidez..."

"Pai, já entendi e...", tentou Zak.

"Aquela vagabundinha que esteve aqui na sexta não vai ser a última. Vai haver outras, meu filho", continuou, com a voz suave dos pais aconselhadores. "Sei bem disso. Vivi muito mais que você... Vou mudar o testamento para seu bem, entende? Para defender você..."

"Não estou reclamando, pai."

"Sua mãe que perguntou... só estou explicando", ele justificou. "Metade é sua de direito, e eu jamais discordaria disso... Mas a outra metade... Por enquanto, vou deixar nas mãos de gente que entende, que sabe o que fazer caso algo fuja ao esperado, percebe?"

Zak concordou com a cabeça, como se o assunto lhe soasse pouco interessante.

"Quando você ficar mais velho, terminar a faculdade, encontrar a mulher da sua vida... Aí, sim... Eu coloco tudo para você... Vai me agradecer por isso!"

"Eu entendo, pai. Faça como quiser. Não me importo", Zak respondeu.

Se fosse comigo, eu ficaria puto. Como assim, o pai tira as coisas do próprio filho para deixar que um bando de pilantras barbudos cuidem delas em salas de reunião?

"E é isso, e apenas isso, que o Goulart vai fazer lá no escritório na segunda-feira. Satisfeita, dona Maria Clara Vasconcellos de Lima?", ele perguntou, forçando simpatia.

Ela anuiu com a cabeça e voltou a comer, em silêncio. Minha mãe continuou a brincar com os grãozinhos de arroz esverdeados, enquanto eu ainda tentava entender o que estava acontecendo com Zak. Senti certa hostilidade do Getúlio em relação a ele, como se tivessem brigado antes do jantar ou algo assim. Mas tudo ainda me parecia muito nebuloso e complexo.

Incomodado com o silêncio, Getúlio começou uma nova história. Dessa vez, sobre a viagem que faria em setembro para o Mont Saint-Michel, na Normandia, exaltando a beleza do lugar sem nunca ter ido lá... Uma ilha de poucos habitantes, uma abadia beneditina, ruelas e casas que lembravam antigas vilas gaulesas...

Se eu pudesse pegar aquela conversa e colocá-la num vidrinho, teria o melhor sonífero do mundo.

"Yara, pode trazer a sobremesa, por favor!", pediu Maria Clara, depois de badalar um sininho sobre a mesa.

Parecia meio difícil que a empregada escutasse a ordem se estivesse na cozinha, mas segundos depois ela apareceu, solícita. Vestindo um avental daqueles comprados em lojas de madame, Yara deixou o doce sobre a mesa.

"Musse de mamão com calda de laranja-lima!", informou a anfitriã, com os olhos faiscantes.

Meu desânimo aumentava. Por que ricaços não conseguem comer coisas normais?

"Tem maçã?", perguntei.

Getúlio escondeu um sorriso de piedade. Maria Clara piscou, meio aturdida com meu pedido. No mundo dela, musses de mamão são mais comuns que maçãs...

"Tem maçã, Yara?"

"Não, dona Marie Claire", ela respondeu, com a cabeça baixa de vergonha. "Não tem."

O jantar acabou. Beijinhos aqui, abraços acolá, ficamos só nós dois. Eu e minha mãe, voltando para casa pela avenida Atlântica. Abri a janela e a brisa do mar invadiu o carro, trazida por um vento forte. Algumas pessoas jogavam vôlei na areia iluminada por grandes holofotes.

"Você nunca mais foi ao vôlei, né, filho?", ela perguntou, com as mãos coladas ao volante.

Então minha mãe queria conversar...

Estiquei a mão para baixar o volume do rádio, que tocava Adriana Calcanhoto.

"Não gosto dessa música", disse.

"Mas você adora Adriana Calcanhoto!", ela respondeu, com um sorriso brotando no rosto sério.

"Eu só disse que não gosto dessa música. Das outras, gosto."

"Certo", ela concordou, ajeitando-se no assento.

"E, quanto ao vôlei, só parei de ir."

"Certo também."

Fechei o vidro e virei o rosto para ela.

"E eu... tenho o direito de fazer perguntas?"

Ela agitou a cabeça.

"Acho melhor não, Alê."

Respirei fundo, observando os bares e prédios passarem apressadamente pela janela do carro, como flashes luminosos.

"Não vou perguntar do exame, mãe..."

Ela continuou quieta, atenta ao trânsito.

"Mas sei que você já tem a resposta..."

Tentei estudar seu rosto.

"Não sou mais criança, mãe."

Ela sorriu.

"Você é uma coisa, Alê... Uma coisa!", ela brincou. Ficamos em silêncio por um instante.

"Você vai ficar bem, mãe", eu disse, sabendo que era mentira. Nunca fui dado a frases consoladoras, mas aquela saiu do nada. Senti um vazio vendo minha mãe ali, o físico frágil, com a mente atormentada pela ameaça da morte.

"Sempre tem um lado positivo, Alê...", ela respondeu, enxugando uma lágrima teimosa que caía do olho esquerdo. "Você agora vai dar trabalho ao seu pai... Quero ver ele manter o ritmo com aquela vagabundinha dele com você por perto..."

"Você não vai morrer, mãe", retruquei, com firmeza.

"O médico me deu seis meses, filho", ela murmurou. Agora as lágrimas brotavam com mais vigor. "Seis meses!"

Puta merda, como é possível que alguém tenha a frieza de dizer isso na cara de outra pessoa? Nem com dez anos de faculdade e vinte de residência eu teria a coragem de chegar para alguém e anunciar: "Olha, analisando todos os exames, você tem seis meses de vida".

"Não dá para operar?", perguntei, sem querer vê-la chorar.

"Não sei...", minha mãe respondeu. "Deus... Eu tenho tanto medo..."

Eu sabia qual era o problema. Aquilo não era novidade para mim. Aos onze anos, assisti à minha tia-avó Iacy definhar em uma cama de hospital por quatro meses devido a um câncer de estômago descoberto tarde demais. Ela viajava para vários lugares, apreciava arte como poucos. Foi quem me deu o meu primeiro livro: *Um estudo em vermelho*, do Conan Doyle. Então comecei a escrever. Ela era a pessoa que eu mais admirava.

"É o mesmo de sempre, Alê... Operação com risco e sem resultado garantido", disse, levando a mão à testa. "Não quero passar por tudo isso de novo..."

"Vai dar certo, mãe... Fica tranquila...", tentei mais uma vez.

O silêncio voltou a reinar, pontuado pelos soluços contidos da minha mãe.

"Mas não tenho motivos para chorar, Alê...", recomeçou ela, enxugando o nariz. "Esses vão ser os melhores seis meses da nossa vida, entende? Vamos comer fora, sair todos os dias, ir ao teatro, ao cinema, viajar... Vamos aproveitar, filho!"

Não respondi. O que eu deveria dizer? "Isso mesmo, mãe! Vamos aproveitar bastante antes que você morra!?"

"Só quero pedir uma coisa...", ela prosseguiu. "Não conta pro seu pai... Não quero que ele saiba que... Que eu estou doente..."

"Não vou contar, mãe", respondi. "Mas acho que você deveria parar de falar nele, pensar nele... Partir para outra, sabe? Existem outros homens por aí. Homens decentes..."

"Homens decentes?", ela riu. "Nunca conheci nenhum! Quando aparecer, você me apresenta, certo?"

Também ri, buscando descontrair o clima pesado.

"Eu sou decente, dona Débora!"

Ela riu mais ainda.

"Alê... Você é meu filho... Eu faria de tudo por você... Mas... Mas você é homem... Não existe homem que preste... Nem você!"

"Agora fiquei ofendido!", respondi, colocando a mão em uma de suas coxas.

"Viu? Agora você vai me fazer sentir culpada... Tem alguma decência nisso?"

Apenas concordei e voltei a observar a praia. Minha mãe ainda sorria, tentando sufocar os pensamentos negativos.

Éramos como todo mundo. Uma família buscando a tranquilidade, experimentando um bem-estar volátil, com os problemas pairando sobre nossa cabeça. Tentamos ser felizes, viver momentos inesquecíveis, poéticos, cinematográficos. Mas não dava. Simplesmente não dava.

15.

Capítulo 4

Eu nunca poderia imaginar que dentro de uma cabeça havia tanto sangue. Quer dizer, na aula de biologia, em algum momento do ensino médio, ouvi que a cabeça é a parte mais pesada do corpo, que é cheia de sangue e blá-blá-blá… Mesmo assim, nunca imaginei que fosse cheia o suficiente para ele esguichar como um chafariz no centro de uma praça europeia.

"Merda, merda, merda!", gritou Waléria, recuando assustada. "Você matou o Otto! Explodiu a cabeça do cara!"

Zak sacudiu a arma descarregada no ar.

"Não foi culpa minha", sussurrou. No rosto, uma serenidade inacreditável. "Era a vez dele… Só puxei o gatilho…"

"'Só puxei o gatilho!'? E aquela história toda que ele contou? De vocês trepando e tudo o mais?"

Waléria se aproximou, o corpo largo intimidando Zak, cercando-o como a um bezerro fujão. Ele abaixou a cabeça, recusando-se a nos encarar, a encarar o corpo caído do Otto, sustentado apenas pela corda amarrada nos punhos, a cabeça substituída por uma massa pastosa de ossos, miolos e sangue.

Ainda sentado na roda, Dan observava o cadáver, com os olhinhos assustados, a boca levemente aberta, as mãos molhadas de suor. Senti pena dele, e uma vontade de protegê-lo de toda aquela visão grotesca e sem sentido.

"Eu não fiz nada!", gritou Zak. "Peguei a arma e atirei em mim. Depois atirei nele. Otto deu azar... É a vida!"

Zak definitivamente estava mudado. Duas semanas antes, fazia viagens, comprava futilidades e beijava gatinhas. Essa era a vida dele. Agora, atirava em si próprio e depois explodia a cabeça de sua paixonite homossexual. Uma baita diferença.

"Você armou para ele...", acusou Waléria, com o indicador em riste. "Quando a gente não estava vendo! Você deu um jeito!"

"Ele morreu, garota! Vamos continuar logo com isso!", gritou Ritinha, impaciente.

"Você não escutou o que ele disse?", Waléria reclamou, os braços gordos se agitando no ar como as pás de um ventilador. "Eles treparam! E ele matou o Otto por causa disso!"

Zak se agachou diante do montinho de balas agrupadas no saco plástico. Ignorando as reclamações da Waléria, pegou mais uma.

"Você está bêbada... Eu não matei o Otto... Só foi a vez dele!", gritou, levantando. "Você estava distraída com a historinha que ele contou, mas o Alê prestou atenção, não é, Alê?"

Zak buscou meu olhar. Estudou-me enquanto eu escrevia no caderno.

"Não fiz nada de mais, certo?"

Ele percebeu que eu sabia. Percebeu que eu o tinha visto ajeitar a arma e estava me testando! Precisava de um cúmplice para dividir a culpa.

"Zak não fez nada... Eu vi", respondi, sentindo um frio congelante tomar minha espinha, as gotas de suor deixando a testa sebosa.

"Porra! Você é o melhor amigo dele! Não acredito em você!", gritou Waléria, achando-se a rainha dos detetives. Ela se aproximou de mim, suas toneladas fazendo sombra. Ainda bem que eu estava com a lanterna.

Aproveitando que Waléria o esquecera, Zak abriu a arma. Com a agilidade de um profissional, introduziu a bala e girou o tambor.

"Fico imaginando, Alê...", começou ela, agachando-se e ficando cara a cara comigo. "Você sabia dessas aventuras do Zak?"

Tentei manter o rosto impassível, um túmulo selado para as perguntas daquela fofoqueira. Mas devo ter deixado passar algo... Porque ela sorriu. Como um detetive quando chega à solução do mistério.

"Vai ver você participava também", ela prosseguiu, soltando uma gargalhada, os micróbios da sua boca indo parar na minha cara. "Algo como um ménage à trois..."

"Cala a boca, Waléria!", exclamei, empurrando-a. Nunca tinha agredido uma mulher, mas não me arrependi.

Ela gritou, dramatizando o golpe.

"Para com isso, garota! Para!", berrou Ritinha, abandonando a roda e pisando enfurecida na guimba do cigarrinho que fumava.

"Peraí, gente!", interveio Lucas, mostrando que ainda estava na discussão. "Ela tem razão! Quer dizer, o Zak tem que explicar essa parada do Otto!"

"Isso é pura babaquice!", respondi, largando o caderno. "O Zak nunca fez nada com o Otto... Vocês duas sabem muito bem do que ele gosta!"

Zak me observou. Havia gratidão em seus olhos. Eu sabia de muitas coisas comprometedoras, podia apedrejá-lo, encurralá-lo, como estavam fazendo os outros, mas não. Apesar de tudo, continuava do lado dele, como fazem os bons amigos.

"Não sei de nada!", gritou Waléria. "Só que Otto parecia estar falando a verdade quando..."

"Cala a boca, droga! Vamos continuar!", reclamou Zak, aproximando-se da roda mantida por Dan, Noel e a João.

Waléria soltou outra gargalhada.

"Façamos assim, Zak: vamos ver na moeda. Tentar a sorte."

Mais uma vez, sacou do bolso do jeans a porra da moeda. Agitou-a no ar, um brilhozinho metálico reluzindo na penumbra.

"Se der coroa, não pergunto mais nada e finjo que nunca ouvi essa conversa..." Ela sorriu. "Se der cara, você me conta tudo sobre a surubinha de vocês..."

Waléria brincou com a moeda entre os dedos gordos e, então, lançou-a no ar.

Antes que completasse a trajetória e voltasse à sua mão, a moeda foi agarrada pelo braço comprido do Zak.

"Para com essa merda!", gritou ele, sacudindo o punho fechado. "As coisas não se decidem nessa sua sorte fajuta!"

"Devolve a moeda!", reclamou Waléria, choramingando como uma menina mimada que perdeu a boneca.

"Vai ficar comigo por enquanto. Vamos começar!"

"Minha moeda!", esperneou ela.

"Agora é minha!", desafiou Zak, enfiando a mão no bolso esquerdo e depois mostrando-a vazia diante dos olhos enfurecidos da Waléria.

"É minha! Minha!", brigou ela. A moeda era como um amuleto para Waléria, trazendo sorte, conforto ou coisa parecida. "Me dá, seu desgraçado!"

Ela jogou o corpo sobre Zak, os braços cortando o ar na tentativa de socá-lo, o grito ecoando no porão.

Em tese, é bem fácil conter uma mulher. Basta segurar seus braços numa espécie de abraço apertado. E pronto: selvageria domada. Com Waléria, era diferente...

Eu e Lucas tentamos interromper o espetáculo. Busquei uma aproximação amigável, com frases do tipo "Fica calma", mas não adiantou. A infeliz continuou gritando, chutando e socando Zak.

"Para com a palhaçada, Waléria", ouvi Zak dizer. A voz saiu calma, quase aconselhadora.

Ela arregalou os olhos e parou por alguns segundos. Foi nesse momento que virei o rosto e vi o que Zak estava fazendo...

"Para agora!", repetiu ele, com a arma apontada na direção dela.

Em vez de recuar ou tentar se defender, Waléria apenas sorriu, mordiscando o lábio inferior enquanto pensava. Deu de ombros e então se aproximou.

"Atira!", desafiou ela, ficando a poucos centímetros do cano. "Vamos, seu veadinho enrustido, atira!"

Zak hesitou.

"Vamos! Eu não tenho medo", ela gritou, dando tapinhas no próprio rosto. "Atira bem aqui, na minha cara... Estou esperando!"

O revólver tremeu na mão do Zak.

"Vamos, cacete!", gritou ela mais uma vez, com a voz firme. "Bora! Ou prefere atirar na barriga? Seu merda!"

"Para com isso!", ordenou Zak, mas a ordem saiu quase como uma súplica. "Vou atirar mesmo, hein?"

"Atira!", ela berrou, o rosto branco ficando vermelho naquele calor, os dentes cerrados de ódio. "Qual é seu problema, Zak? Só porque não estou implorando para viver? Não estou chorando feito um cordeirinho prestes a ser sacrificado? Vamos lá! Estou aqui olhando bem na sua cara e dizendo com todas as letras: 'A-T-I-R-A!'. Você não vai nem precisar arrancar meus cílios, como fez com seu bofe! É só atirar!"

Zak gemeu, os lábios se crispando com força.

"Você não quer que eu faça isso", ele disse, piscando seguidamente, surpreso com toda aquela rebeldia. Abaixou um pouco a arma.

"E isso realmente importa para você?", continuou ela. "Importa? Se não me engano, aquele ali não teve nenhuma escolha! Ele implorou para você não atirar!"

Waléria apontou para aquilo que havia sido a cabeça do Otto. Senti mais um calafrio ao ver seu cadáver e o sangue coagulando numa poça disforme.

"Não venha bancar a santinha... Você também estava se divertindo...", ele respondeu, com a voz carregada de certa cumplicidade.

"Qual é o sentido disso tudo, Zak?", ela perguntou, agora um pouco mais calma, aproximando-se dele. "Estamos aqui para jogar roleta-russa e... Até o momento, só vi tortura e assassinato, e agora você está apontando a arma para mim... O que quer com tudo isso? Vai matar todos nós, um por um?"

Sem deixar de encará-la, Zak baixou a guarda. O revólver pendeu em sua mão.

"Então, meu querido, se for para você matar cada um de nós, é bom que comece por mim." Ela se aproximou, a voz ganhando um tom ameaçador. "Porque vou dar um puta dum trabalho se continuar viva..."

Num acesso de raiva, meu amigo levantou a arma mais uma vez, os olhos semicerrados, a boca emitindo um som que transparecia ódio e medo.

"Eu..."

Ela percebeu que o tinha confundido.

"E então, vai responder ou vai me matar?", ela perguntou, com o olhar mais sereno que já vi em toda a minha vida. "A história do Otto é verdade?"

Zak a encarou e, depois, olhou para cada um de nós. Parou um instante em mim. Sua expressão era de quem pedia desculpa.

Então, ele começou a chorar, as lágrimas escorrendo pelo rosto.

"Não me obrigue...", ele começou, com o revólver apontado para a própria cabeça, o cano massageando a têmpora. "Não me obrigue a dizer o que você já sabe..."

E atirou.

Waléria fechou os olhos depressa, provavelmente imaginando a cabeça dele se despedaçando. Escondi o rosto, esperando a reação dos outros para saber o que tinha acontecido.

Mas ouvi o clique seco do revólver.

"Não foi dessa vez", comentou Zak, parecendo aliviado, mas com os olhos ainda molhados. Ele estalou os lábios enquanto recuperava a voz. "Quem é o próximo?"

Ficamos nos encarando em silêncio, esperando que alguém pegasse a arma das mãos dele e continuasse a rodada.

Restam sete tiros. Algum de nós vai ser o premiado.

"Acho que antes a gente deveria formar a roda", reclamou a João, pegando a arma. "Senão vai ficar uma zona."

"É", concordou Ritinha. "Sentem aqui, droga!"

Lucas saiu do lado da irmã, atraído pela carreirinha de cocaína que Ritinha delineou no piso imundo. Ele se ajoelhou desajeitadamente, aproximando o nariz do pó. Fechou uma das narinas com o polegar e inspirou com vigor.

"Quer?", murmurou ele, levantando a cabeça como um cachorro depois de ter acabado com a ração. Lucas percebeu que eu estava olhando e me ofereceu mais uma vez. "Quer?"

Neguei com a cabeça, a caneta deslizando apressadamente pelo caderno para registrar cada momento.

"Você gosta dessas coisas, não é?", ele perguntou, sentando de pernas cruzadas ao lado da Ritinha. "Envolvendo mistério e morte..."

"Gosto", respondi.

"Prefiro Bukowski", Lucas comentou, apertando o próprio nariz, vermelho como o de um palhaço. "Mas li Conan Doyle uma vez... 'Elementar, meu caro Watson' e tudo o mais."

"Gostou?", perguntei, automaticamente. Logo depois me arrependi. Puxar conversa com ele estava na lista das coisas que eu não devia fazer. No topo da lista.

Waléria sentou entre Ritinha e Noel. Prestava atenção na nossa conversa, como se já tivesse lido algo diferente de revistas de fofoca e livros de história.

"Gostei, gostei...", Lucas disse, enquanto acariciava sua tatuagem de tartaruga no antebraço. "E descobri uma coisa interessante, cara..."

Decidi não continuar a conversa e me prometi não perguntar, mas Waléria fez aquilo por mim.

"Que coisa interessante?"

"Além de tocar violino e prender assassinos, o tio Holmes curtia uma cocaína...", explicou ele. "Num dos livros... ele cheira antes de sair por aí brincando de polícia e ladrão. Você também deveria experimentar uma carreira, Alê. Como o Sherlock."

Então ele achava que eu ia cheirar só porque um personagem fictício londrino cheirava? Aquilo me lembrava de por que não gostava dele.

Em meio ao silêncio, sentei entre Zak e Noel, completando a roda.

A João apoiou a arma no chão e olhou para cada um de nós.

"Segunda rodada! O Zak já foi... Seguindo a ordem... É sua vez, Alê", ela explicou, empurrando a arma para mim. O revólver deslizou, arranhando o piso e fazendo um barulho irritante, e foi parar no meu joelho.

Um turbilhão de pensamentos me invadiu quando senti o cano tocar minha perna. Repensei tudo o que tinha acontecido até aquele momento. Os sonhos, os medos e até as coisas menos importantes que tinha vivido. Lembrei-me da minha mãe chorando enquanto contava a conversa com o médico, do brilho fútil e quase infantil nos olhos da Maria Clara, e, por um segundo, senti voltar o arrepio que me acometera anos atrás, quando tentamos invadir este mesmo porão: eu revirando o arame na fechadura enquanto Zak, da escadinha, espiava o corredor; nossos olhinhos astutos e tensos em meio à escuridão.

"Pega a arma logo, Alê, e atira", ordenou Ritinha.

Agora eu não tinha mais desculpas. É bem verdade que ainda estava com medo, em dúvida se aquilo era mesmo o que eu queria para mim. Se adiantaria de alguma coisa... Se eu seria lido.

Não havia escapatória.

"E não se esqueça de dizer a frase de efeito", completou Waléria.

"Que frase de efeito?", perguntei, tentando ganhar tempo.

"Sei lá... Diz qual é seu objetivo com esse livro", ela explicou.

Terminei de escrever o parágrafo e olhei para ela.

"Meu objetivo?", confirmei. "Destruir os exércitos verdes ou conquistar vinte e quatro territórios."

Waléria caiu na gargalhada enquanto Ritinha sussurrou um "Engraçadinho!", olhando-me com ar de condenação. Ela sabia que eu estava enrolando.

Meu objetivo... Meu único objetivo em estar aqui com este caderno é divertir, entreter. Olhando para o rosto inebriado de cada um, percebo que nenhum deles entenderia meus motivos. Nem Noel nem Waléria nem Ritinha nem Lucas nem a João nem Danilo nem Zak. Ninguém seria capaz de sentir o que sinto agora, de acreditar no que acredito. Nem mesmo eu sei se estou certo. Não sei se vale a pena estar aqui, vivendo esta loucura, narrando cada instante, obcecado, vendo seres humanos definharem diante da morte, rendendo-se ao instinto. Tudo isso para quê? Para ser lido num país onde metade da população é analfabeta. Para realizar um sonho que desde cedo me disseram ser utópico, irreal, coisa de louco.

Pois eu sou louco.

Estou aqui, disposto a morrer por isso. Por minha loucura. Por minha louca paixão pela escrita, pelo que a literatura pode proporcionar. Estou aqui por você, leitor.

Espero sinceramente que você tenha se divertido até agora. É uma pena saber que este vai ser o único livro meu que vai poder ler. Não vou escrever outros. Ainda assim, espero que tenha cumprido meu objetivo.

Agora vou pegar a arma e atirar na minha cabeça.

Se eu não voltar, você já sabe... Este é o último capítulo.

16.

DIANA: *"Se eu não voltar, você já sabe..."* (*pausa*) *"Este é o último capítulo."*

(*silêncio — quatro segundos*)

OLÍVIA: Certo. Esse foi o capítulo quatro e eu não tenho nada a acrescentar. (*com a voz ríspida*) Ainda falta muito, delegada?

DIANA: Ninguém quer dizer mais nada?

(*silêncio — três segundos*)

(*ranger de cadeiras*)

DIANA: Não tenho muito a comentar sobre esse capítulo. Na verdade, só dois pontos bem rápidos. (*farfalhar de papéis*) *"Vamos! Eu não tenho medo. Atira bem aqui, na minha cara... Estou esperando!"* (*pausa*) Essa atitude da Waléria é bastante surpreendente. (*pausa*) Até o momento, ela não tinha assumido nenhuma posição de coragem. Esse questionamento à evidente liderança do Zak parece interessante. Principalmente no estado em que ela estava, como narra o Alessandro.

VÂNIA: Pois eu acho que foi justamente esse estado que fez com que tivesse a ousadia de desafiar o Zak. (*pausa*) Ninguém sóbrio faria o que ela fez! Ele estava drogado e armado!

DIANA: É verdade, talvez o álcool a tenha motivado. (*pausa*) Ainda assim, ela disse: "*Qual é o sentido disso tudo, Zak? Estamos aqui para jogar roleta-russa e... Até o momento, só vi tortura e assassinato, e agora você está apontando a arma para mim... O que quer com tudo isso? Vai matar todos nós, um por um?*". (*pausa*) Ela parece falar isso com total sobriedade. Quer dizer, ao se utilizar desse cinismo, ao insinuar que Zak começaria a matar um por um... É como se...

REBECCA: O que você está querendo dizer, delegada?

DIANA: Nada. (*pausa*) Mas, ao falar isso, é como se ela tivesse percebido algo no ar. Como se tivesse percebido que estava acontecendo algo fora do planejado e que deveria impedir.

OLÍVIA: Mas é claro que algo estava acontecendo... O filhinho de papai estava brincando de tiro ao alvo com os outros... Ela só mostrou que ele não era a última bolacha do pacote, como estava pensando. Foi uma mulher firme!

REBECCA: Minha filha era muito forte. E esperta também. Lia nas entrelinhas. (*pausa*) Ela notou que, do jeito que as coisas andavam, o Zak acabaria matando todo mundo.

SÔNIA: Mas e a moeda? O que significava aquela moeda para ela?

(*silêncio — três segundos*)

DIANA: Rebecca já nos falou da moeda da filha. Nos interrogatórios individuais... Não é importante no momento... Mais tarde...

REBECCA: Era do meu pai. Ele trabalhava na Casa da Moeda. (*com a voz chorosa*) Deu de presente pra ela, pediu que guardasse... E Waléria levou a sério. Ele foi muito importante para todos nós, sabe?

(*silêncio — cinco segundos*)

DIANA: Ainda tratando da percepção da Waléria... (*pausa*) Bem, ela conseguiu arrancar uma confissão do Zak. (*pausa*)

Quando ele disse: "*Não me obrigue a dizer o que você já sabe...*". (*pausa*) Foi como uma confissão.

OLÍVIA: Certo... E?

DIANA: Ela deu outra indireta. (*farfalhar de papéis*) "*Vai ver você participava também... Algo como um ménage à trois...*" (*pausa*) Foi o que ela disse ao Alessandro.

(*silêncio — quatro segundos*)

OLÍVIA: Não duvido nada que ela estivesse certa... (*pausa*) Ele ficou bem irritadinho com a acusação...

DÉBORA: Mas isso é um absurdo! Vocês estão insinuando que... (*pausa*) Quem não ficaria irritado se fosse injustamente chamado de homossexual?

DIANA: Veja bem, Débora. Não estamos afirmando nada. Ele mesmo escreveu isso.

DÉBORA: Mentira! Pura mentira! Meu filho nunca se meteu com essas coisas...

DIANA: O Alessandro era o melhor amigo do Zak... (*pausa*) É muito estranho que ele nunca tenha desconfiado de nada e...

DÉBORA: Não estou falando que meu filho era mulherengo... Ao contrário... Mas ele não... Ele não saía com homens! (*pausa*) Zak o enganou! Criou uma imagem máscula para esconder que era gay... Mas... meu filho não tinha por que desconfiar... Ninguém desconfiava!

OLÍVIA: Deve ser difícil pra você... Mas são fatos... (*pausa*) É só somar dois mais dois para encontrar quatro... (*pausa*) Seu filho não contou para ninguém quando descobriu que Zak era gay. Mentiu por ele na hora da roleta-russa. É só fazer a conta.

DÉBORA: Vocês estão condenando meu filho por ser um bom amigo! (*com a voz exaltada*) Eu o conhecia muito bem... Ficou chocado quando descobriu que Zak era... (*pausa*) Enfim, que ele era gay... (*pausa*) Mas, antes de tudo, manteve a amizade... Não contou o que sabia... Pra ninguém! Nem pro próprio

Zak! Ao contrário do que muita gente faria! Vocês deveriam ter isso como um exemplo! (*pausa*) Dizer que meu filho era gay só por causa disso é extremamente preconceituoso! Não é porque respeitava os homossexuais que ele era um deles!

ROSA: Respeitava os homossexuais... (*pausa*) Débora, você acredita mesmo nas baboseiras que fala? Seu filho repudiava o meu... Deixou que Zak o matasse friamente! Não vem me dizer que ele respeitava os...

DÉBORA: Alê não gostava do Otto por outros motivos... (*pausa*) O que seu filho fez com ele e Zak não foi ético! Ir à casa dele no dia seguinte à morte dos pais e... (*pausa*) O Alê nunca...

ROSA: E o que eles fizeram com meu filho?!? (*com a voz alterada e chorosa*) Foi o quê? (*pausa*) Foi covarde! Desumano! Monstruoso! Foi... (*choro intenso*)

DIANA: Senhoras, por favor. Eu preciso que...

OLÍVIA: Não quer falar, não fala. Mas não somos otárias, Débora!

DÉBORA: Meu filho não era gay! (*pausa*) Se fosse, eu falaria... Ao contrário de umas e outras, eu não tinha vergonha dele!

ROSA: Sua vagabun...

(*ranger de cadeiras*)

(*gritos e palavrões*)

DIANA: Segurem ela. Por favor, segurem!

DÉBORA: Não tenho medo de você, Rosa! (*com a voz exaltada*) Não estamos aqui para falar verdades? Pois eu falei a verdade!

DIANA: Senta, Rosa... Senta!

DÉBORA: Meu filho morreu pra escrever esse livro... Não vai ser sua babaquice que vai me impedir de concretizar o sonho dele!

OLÍVIA: Calma, querida... Fica calma...

ROSA: Me soltem... Eu... Eu não vou perder a cabeça por causa dessa desqualificada... Preciso... (*pausa*) Preciso tomar um pouco de ar...

OLÍVIA: Todas precisamos de um pouco de ar... (*pausa*) Delegada, por que não lê o final dessa merda de caderno e termina logo com isso? Aí não está escrito tudo o que vocês precisam saber?

DIANA: Como eu disse, Olívia, os eventos são narrados até o instante da morte do Alessandro. (*pausa*) Ele não foi o último a morrer. (*pausa*) No intervalo entre a morte dele até o momento em que os corpos foram encontrados, coisas aconteceram. Coisas que fizeram tudo terminar daquele jeito que vocês estão cansadas de saber... Não preciso ficar repetindo.

DÉBORA: Nem lembrando...

SÔNIA: Peraí, de que coisas você está falando?

DIANA: Não sabemos ao certo. (*pausa*) Temos teorias, é claro. Vamos apresentar a vocês mais tarde.

OLÍVIA: Teorias... Eu preferiria ficar sem saber de nada... Não quero remexer essa história toda. (*pausa*) Será que isso vai me acompanhar pelo resto da vida?

ROSA: Eu... Eu preciso tomar um ar... (*soluços*)

DIANA: Está bem... Acho que todas precisamos de um tempo.

ROSA: Ótimo!

(*passos apressados*)

(*ranger de porta*)

(*silêncio — quatro segundos*)

DIANA: Voltamos em vinte minutos.

17.

DAS ANOTAÇÕES DE ALESSANDRO PARENTONI DE CARVALHO
CASO CYRILLE'S HOUSE
IDENTIFICAÇÃO: 15634-0109-08
ENCONTRADO EM 10/9/2008, NO QUARTO DA VÍTIMA SUPRACITADA
OFICIAL RESPONSÁVEL: JOSÉ PEREIRA AQUINO, 12ª DP, COPACABANA

1º de setembro de 2008, segunda-feira

De acordo com os jornais, o acidente ocorreu às 12h17 na BR-040, próximo à concessionária Chevrolet de Duque de Caxias. Poucos veículos estavam na via, mas, segundo as testemunhas, a Pajero do casal Vasconcellos foi bruscamente fechada por um automóvel não identificado, que fugiu. Enquanto um rapaz que passava de carro na hora do acidente afirmou que o responsável foi um caminhão sem placa de lona laranja, uma senhora, incapaz de recordar um dígito sequer da placa, afirmou ter sido uma Kombi, também laranja. Kombi ou caminhão, ninguém achou o culpado. Segundo as mesmas testemunhas, Getúlio teve tempo suficiente para frear quando foi fechado, mas o carro desviou e atingiu a mureta, capotando no barranco.

Ele não usava cinto de segurança. Seu corpo voou longe antes que o carro atingisse o chão de terra batida. Getúlio já estava morto quando a primeira testemunha se aproximou do local, caído a alguns metros do veículo capotado, com a testa coberta de sangue e estilhaços do para-brisa.

Só perceberam que havia mais alguém no carro quando Maria Clara começou a gritar, pedindo socorro e dizendo que não conseguia mover os braços. Segundo o mesmo homem, ele e mais três pessoas tentaram retirá-la do carro, mas o seu corpo estava preso às ferragens da cintura para baixo. Antes da chegada do Corpo de Bombeiros, o veículo pegou fogo. A chama se alastrou rapidamente pelos bancos, transformando o automóvel numa verdadeira fogueira.

"Eu a ouvi gritando enquanto o fogo cobria o carro. Foi horrível... Eu não pude fazer nada", explicou uma das testemunhas ao canal de televisão local.

Outros detalhes sórdidos preencheram as manchetes dos jornais de ontem e de hoje, incluindo uma foto com o carro capotado e o corpo do Getúlio coberto por um saco preto. Angustiante de ver.

Evitei ao máximo saber o que tinha acontecido, mas ficava meio impossível, estando tão emocionalmente envolvido.

Sem dúvida, toda aquela desgraça quase folhetinesca explicava o circo que se armou durante o enterro. Flashes, microfones, holofotes... A imprensa tem o incrível dom de transformar um sepultamento em uma festa. Um casal da high society carioca que sofria um acidente dava pano para manga por cinco ou seis dias.

Há algo interessante na relação entre catástrofe e notícia. Quer dizer, quando um avião cai e morrem duzentas pessoas, misteriosamente, milhares de quedas de avião ao redor do mundo são noticiadas na semana seguinte. O mesmo acontece com crianças violentadas, balas perdidas e tufões que derrubam casas nos Estados Unidos. Depois, o assunto passa a ser outro, e a queda de um avião em um lugar distante nem é mais tão chocante assim. Tudo é normal. Rotineiro.

No caso dos Vasconcellos, até que a situação se amornasse, eu já podia prever especialistas indo a programas de auditório falar de bebida no trânsito, assim como depoimentos de jovens entrevados que haviam perdido as pernas num acidente, políticos fazendo campanhas para evitar mortes nas estradas e, é claro, fotos e mais fotos do desfile de moda em pleno Cemitério São João Batista. Porque foi isso o que vi hoje: madames usando óculos escuros Armani para esconder o choro tímido, tailleurs feitos sob medida, bolsas gigantes da Gucci, sapatos Prada. Todo mundo seguia a última moda para enterros.

"Em nome do Pai, do Filho e do Espírito San...", começou o padre, a voz se perdendo na multidão de curiosos observando os caixões como se fossem duas naves extraterrestres. "Irmãos, estamos aqui hoje, neste momento de tristeza, para nos despedir..."

Por mais que eu tentasse prestar atenção no sermão, algo mais forte me puxava para fora das palavras do padre. Meus olhos se fixavam em sua boca — um bigode irritantemente grande que se movia para cima e para baixo enquanto ele falava —, e minha mente começava a viajar por um mundo de pensamentos bastante distantes daquele cemitério.

Tudo acontecera muito depressa. Não havíamos tido tempo para pensar, raciocinar, agir logicamente. Minha mãe teve um puta trabalho para preparar todos os detalhes do enterro, já que Zak não estava em condições de fazer nada, nem sequer chorar.

Pelo que entendi, Maria Clara havia deixado tudo arranjado. Tinha comprado o caixão em que gostaria de ser enterrada quatro anos antes. Aquilo era a cara dela, pensei, com um sorriso.

Não sou daquelas pessoas que beatificam os mortos: Fulaninho pode ter feito um bando de merda aqui na Terra, mas é só morrer que vira santo, o pessoal chora a perda do homem bom que ele era e tudo o mais. Odeio isso.

Maria Clara e Getúlio não eram santos.

Ela era consumista, superficial, fútil, alheia à triste realidade brasileira. Ele era metido, cínico e tinha feito outras pessoas de degrau para chegar ao topo. Mas, ainda assim, eu gostava deles. Conseguia ver a futilidade nos olhos da Maria Clara, mas era algo inocente, quase infantil, como se ela tivesse se esquecido de crescer. Em vez de colecionar bonecas, ela colecionava bolsas, sapatos e óculos importados. Getúlio era ambicioso e antiético, é verdade, mas havia algo de heroico, de corajoso em todos os seus atos. Ele tinha uma meta, um objetivo de vida, era paternal... Nos seus esporros, nos seus comentários, nas suas atitudes... Ele substituía meu pai.

"Rezemos juntos. Pai nosso, que estais no céu..."

Zak passou o braço pelas minhas costas, cansado. Ele mantinha o rosto sério, os olhos fixos nos caixões dentro da cova. Os flashes das câmeras fotográficas registravam sua tristeza, guardando-a para a eternidade. Seu mundo havia desmoronado em poucos dias, e tudo o que queriam fazer era evidenciar sua desgraça, torná-la pública, vendável.

"Quero ir embora", murmurou ele, levantando o rosto e olhando para mim. Só então percebi que chorava. As lágrimas não escorriam, permanecendo nos olhos, com vergonha de se expor diante da multidão. Ele tentava se mostrar forte, equiparar seus sentimentos ao físico sadio e vigoroso. Onde já se viu um cara alto e musculoso chorando copiosamente na frente dos repórteres? Não, não, não! Até mesmo ali Zak tinha que se render às regras sociais. Homens não choram. Pouco importa a merda que esteja sua vida.

"Quero ir embora", ele repetiu, quase implorando.

Era a primeira vez que nos falávamos desde o desmaio. E, puta merda, eu não sabia o que dizer... Não podíamos sair assim... Do nada, sem dar explicações... Conveniências, as malditas conveniências.

É muito estranha essa coisa do antes e do depois. Antes, Zak estava lá, vivendo sua vidinha, distribuindo felicidade. Agora, eu o via destroçado, o rosto empalidecido, os ombros encurvados, a consciência de que tudo seria pior dali para a frente.

Foi minha mãe quem lhe contou do acidente quando ele acordou, passado o efeito dos sedativos. Por sorte, eu não estava presente. Não conseguiria. Não seria capaz de vê-lo definhar diante dos meus olhos sem poder fazer nada.

"Espera mais um pouco", pedi, procurando minha mãe no meio da multidão. "Por favor."

Zak abaixou a cabeça, sem reclamar.

Mais cedo, quando nos encontramos no cemitério, a primeira coisa que eu havia feito foi lhe dar um abraço apertado, que expressava tudo o que as palavras não eram capazes de dizer. Sou escritor e futuro advogado, mas Deus sabe que não há palavras para tal momento. Um "meus pêsames" soa fútil, debochado. Qualquer justificativa para a morte parece infundada, superficial, quase infantil. Era melhor ficar calado. Dar apoio às emoções, compartilhar a dor em silêncio.

Enquanto meu olhar passeava pelas pessoas, encontrei Lucas e Maria João. Ela estava agarrada ao braço do irmão, com o corpinho espremido na confusão de gente. Percebeu que eu olhava e baixou a cabeça. Lucas observava fixamente os caixões, as mãos escondidas em luvas negras acariciando os cabelos curtos da irmã.

Tentei imaginar por que ele vestia luvas negras de motoqueiro com aquele sol escaldante castigando nossa cabeça. Talvez fosse para uma festa punk logo depois dali. Pois é assim mesmo: saímos de um enterro já nos perguntando onde vamos jantar ou se vamos chegar em casa a tempo de assistir ao próximo capítulo da novela. Passamos do luto à banalidade num piscar de olhos.

"Eu... Eu não aguento mais...", rendeu-se Zak, deitando a cabeça no meu ombro.

Instintivamente, recuei. Ainda estava impressionado com a conversa que tivera com Otto no dia anterior. E se fosse verdade? O que teria significado nossa amizade? Um disfarce para as aventuras sexuais dele? Não dava para dizer que eu realmente o conhecia.

Não tive estômago para confrontá-lo com a verdade. A vida já estava sendo dura demais com ele. Não queria ajudá-la a terminar de esmagá-lo, destruí-lo. Mas, um dia, teria que fazer aquilo... As dúvidas, cada vez mais, se acumulavam goela abaixo, me sufocavam com um vigor entorpecente. Um dia eu teria que saber, não?

E tinha algo ainda mais estranho: e se, depois da morte da Maria Clara e do Getúlio, Zak resolvesse assumir sua homossexualidade? Quer dizer, e se aquela coisa de ele e o Otto se amarem fosse mesmo verdade? Continuaríamos amigos?

Num movimento ágil, Zak largou meu braço e se afastou, ganhando espaço entre o grupo de socialites amigas da Maria Clara e causando um burburinho geral. Num ímpeto, fui atrás dele, segurando-o de novo pelo braço.

"Me solta, Alê!", Zak gritou, enquanto pessoas filmavam nossa conversa com o celular. "Eu não aguento mais! Não aguento mais!"

Ele levou as mãos ao rosto, as lágrimas contidas escorrendo pelas bochechas.

Abracei-o com força, meus olhos fechados resistindo a chorar com ele.

Puta merda, eu era amigo de Zak! Não importava o que ele fosse, o que ele pensava, o que escondera de mim... Ele era meu amigo. Eu não podia abandoná-lo naquele momento. Não conseguia, por instinto. Tinha que ficar do lado dele, defendê-lo daqueles predadores munidos de celulares e câmeras fotográficas nos bombardeando com seus cliques.

"Estou do seu lado, cara...", eu disse, percebendo que não adiantaria mais prender o choro. "Estou aqui... com você..."

Sua cabeça tremia no meu ombro, os braços fortes enlaçados no meu pescoço.

Pensei, repensei... E então, respirando fundo, levei minha mão aos seus cabelos e os acariciei, pedindo que ficasse calmo, que não tivesse medo. Meus dedos deslizaram por sua cabeça, num afago desesperado. Eu também estava com medo. Medo dos dias que viriam. Medo do que poderia acontecer...

O padre terminou o sermão e liberou os dois rapazes para que fechassem o túmulo, cobrindo-o com uma pesada placa de ardósia. As câmeras se voltaram para o jazigo. Zak me apertou contra seu peito largo. Soltou um choro seco, um esgar contido, vendo os pais enterrados naquela cova e seu futuro, inevitavelmente, sendo selado com eles.

"Respira, cara", murmurei em seu ouvido. "Respira fundo..."

Ele levantou a cabeça e ficou diante de mim. Estendeu as mãos na direção do meu rosto, pressionando minhas bochechas. Seus lábios tremiam, e seus olhos avermelhados também, a íris azul brilhando por causa das lágrimas.

"Obrigado, Alê", ele disse. "Eu não sei o que... Você é um grande amigo, cara."

Sorri, sentindo que meus olhos também se umedeciam.

"Você também, Zak", respondi. "Você também é um grande amigo."

O mundo parecia estagnado naquele momento, atento ao nosso diálogo. As pessoas, a luz, os jazigos monumentais se estendendo por um caminho gélido, tudo se transformou num grande quadro de pigmentos coloridos e difusos. Senti uma pontada na cabeça, o início de uma maldita dor que cisma em aparecer de vez em quando no lado esquerdo, e fiquei zonzo. Apoiei-me discretamente no braço do Zak, tentando recuperar o prumo. Ele ainda me olhava nos olhos.

"Vamos, Zak. Vamos, querido", minha mãe disse, chegando perto de nós. Ela segurou na cintura dele e passou o braço por suas costas para dar apoio. Zak reclinou a cabeça sobre o ombro dela e fechou os olhos, deixando-se guiar entre o corredor de pessoas curiosas. Fiquei parado, vendo os dois se distanciarem a passos curtos enquanto o caminho se fechava e eu os perdia de vista.

"Muito bonito, meu rapaz", disse uma voz atrás de mim, entre uma fungada e outra. "Muito bonito mesmo."

Antes que tivesse tempo de virar para ver quem era, a pessoa esticou o braço e apertou meu ombro num patético afago.

"Vem cá, me dá um abraço!", continuou ela, como se fôssemos amigos de infância. Possuía um sotaque carregado do interior nordestino, e quando virei confirmei que, definitivamente, nunca tinha visto aquela mulher na vida.

Sem cerimônias, ela jogou o corpinho gordo sobre o meu num abraço apertado de quem não se vê há décadas. Fez carinho na minha cabeça enquanto dava fungadas de um choro emocionado.

"Você... Você é um anjo!", ela disse com um sorriso, enquanto enxugava os olhos.

Fiquei sem reação, olhando aquela criatura desconhecida fazer uma declaração de amor para mim em pleno Cemitério São João Batista.

"Eu sei, eu sei", a mulher continuou, as palavras saindo de sua boca num ritmo quase cantado. "Você deve achar que sou louca..."

Achar? Eu tinha certeza de que ela não era nada normal.

"Vejo que está assustado", ela prosseguiu, com um sorriso no rosto. "Mas é claro, claro… Eu nem me apresentei… Sou Maria… de Lourdes. Maria de Lourdes."

Continuei imóvel, olhando a criaturinha de rosto redondo gesticular, com uma bolsa gasta presa ao braço gordo.

"Mas me chamam de Lourdes mesmo… E você, como chama?"

"Alessandro. Alessandro", repeti, sem saber por quê.

"Ah, sim… Eu…", começou ela, voltando a chorar. "Fiquei tão emocionada em ver você ao lado do menino… De Zak… Ele…" Uma lágrima escorreu tragicamente pelo seu rosto. "Ele deve estar sofrendo tanto… Precisando de todos… Dos amigos, da namorada, da família…"

Anuí de leve com a cabeça. Malucos… Melhor não contrariar.

"Ah… A família… É pena que moremos tão longe", murmurou ela, quase para si, mas alto o suficiente para que eu escutasse. Lourdes levou um lencinho branco ao nariz e o assoou. "A Maria Clara era uma irmã maravilhosa, apesar da distância entre nós…"

Agora eu começava a entender aonde ela pretendia chegar, como uma figura amorfa ganhando contornos diante dos meus olhos. Eu podia apostar que Marie Claire tinha tentado ao máximo aumentar aquela distância quando era viva, apagando o passado humilde, os parentes de sotaque carregado.

"Vocês eram irmãs, então?", perguntei, simulando interesse.

"Ah, sim… Que cabeça a minha…", ela gritou, agitando os bracinhos no ar. "Você não tinha como saber… Claro que não… Somos quatro irmãs… Todas Marias. Promessa da minha mãe, sabe? Maria de Lourdes, Maria de Fátima, Maria Antônia e Maria Clara, a caçula… Ela sempre foi a mais espertinha, sabe? Sempre disse que seria rica, famosa, bonita…" Lourdes deixou outra lágrima escorrer pelas bochechas gordas. "E conseguiu, não é? Ela conseguiu!"

A mulher me olhou com um misto de riso e choro no rosto. Fiquei parado, esperando que continuasse.

"Estamos unidos num mesmo objetivo, rapaz", explicou, segurando minhas mãos com força. "Ajudar o menino... O menino Zak... Nesse momento tão, tão difícil... Estou muito preocupada com ele..."

Tentei dar um sorriso, mas toda aquela conversinha fajuta começava a me enojar.

"Vim com minhas malas... Vou passar um tempo aqui no Rio. Na casa deles... Para o que o menino precisar... O que acha? Vai ser bom, não vai?"

Não respondi, mas ela deve ter entendido como um sim, porque emendou:

"Ótimo, ótimo... Preciso que me ajude a convencer Zak de que é o melhor para ele também... O garoto deve estar tão confuso... É natural que fique um pouco reticente no início... No entanto, a família é muito importante nesses momentos... Mesmo distante, eu sempre ligava para minha irmã. Tínhamos um laço muito forte."

"Não acho que..."

"Quem vai fazer comida pra ele? Arrumar suas coisas? Não há dinheiro que compre isso... Carinho... Amor... Ele precisa de uma família em quem possa confiar... A questão da herança e tudo o mais..."

Ficamos em silêncio por alguns segundos.

Ela já havia chegado à palavra mágica: herança. Bufunfa. Grana.

Pude perceber seus olhinhos brilharem diante da possibilidade de tirar a sorte grande com um sobrinho carente e milionário. Observando com mais cuidado, comecei a notar semelhanças entre ela e Maria Clara: o rosto redondo, as bochechas salientes, os olhos expressivos e reveladores. Era quase como uma Maria Clara sem cremes, escovas, luzes, maquiagem e roupas de grife.

"Espero ter seu apoio nesta luta, meu rapaz."

Sem o que dizer, concordei com a cabeça.

"Ótimo!", animou-se ela, batendo palmas. "A união é muito importante, sabe? O menino é muito jovem ainda. Precisa de alguém mais experiente para administrar as coisas pra ele. As coisas da vida..."

Ela deu uma fungada.

"Obviamente vou precisar de uma ajuda financeira... Para ajudar, só tenho a boa vontade. Mas creio que isso não vai ser problema."

Do jeito que falava, ela parecia uma pastora catequizando o rebanho. Tudo o que eu queria era desaparecer dali. Então, veio a salvação:

"Alessandro?", Sônia chamou, aproximando-se. "Desculpa interromper a conversa de vocês."

Lourdes sorriu para nós, deu-me outro abraço apertado e saiu.

"Atrapalhei algo?", a juíza perguntou, um tanto envergonhada. Trazia Dan pelo braço, como um menininho de castigo.

"Não, imagina", respondi, tentado a agradecer-lhe por ter me livrado daquele serzinho interesseiro.

"Você acredita que o Danilo está com vergonha de dar um abraço no Zak?", comentou ela, apontando o filho. Ele vestia um shortinho verde-claro e uma camiseta branca surrada no corpo troncudo. Deu um sorriso medroso para mim, com a cabeça baixa.

"Deixa de timidez, Dan. Vem aqui, me dá um abraço", eu disse, chegando perto dele. "Agora vamos lá dar um abraço no Zak."

Tomei-o pela mão e fui me enfiando entre as pessoas, que agora se dissipavam. Chegamos ao fim do corredor de jazigos e viramos à direita, entrando em um caminho mais estreito. Passamos por um paredão de velas e viramos mais uma vez à direita, em direção à saída.

Descendo as escadarias, encontramos Zak no estacionamento, sentado no banco traseiro do carro da minha mãe, com a cabeça apoiada no encosto.

"Ei, Zak, olha quem veio dar um abraço em você", eu disse pela janela aberta.

Ele levantou os olhos para Dan, sem muita expressão. Tentou um sorriso.

Abri a porta e o garoto se aproximou, enfiando o corpinho no carro.

"Devo abraçar você, Zak?", ele perguntou, antes de tomar qualquer atitude.

Zak sorriu, com os olhos ainda molhados.

"Deve, sim. Deve", ele respondeu, abrindo os braços.

Ainda tímido, Dan enlaçou seu tronco, apertando-o contra o peito frágil. Permaneceu ali uns dois minutos, com a cabeça pousada no ombro de Zak, sem dizer nada.

O estacionamento agora estava quase vazio. O silêncio era interrompido vez ou outra pelos automóveis que passavam em frente ao cemitério. Sônia se aproximou e levou Dan embora antes que eu tivesse tempo de me despedir. Sentei-me no banco do carona, com minha mãe ao volante.

"Vocês estão com fome?", ela perguntou, tentando achar um assunto.

Girou a chave na ignição e o motor roncou.

Vi, ao longe, um homem acenar para nós. Ele desceu as escadarias com pressa e veio correndo em nossa direção.

"Espera aí. Espera", eu disse, cutucando o braço da minha mãe antes que ela arrancasse com o carro.

Com sua aproximação, vi a camisa de botão listrada enfiada no jeans surrado, a pele branca como a de um albino e os olhos verdes, frios e inexpressivos.

Minha mãe desceu o vidro.

"Desculpe, eu...", começou ele. "Sou o delegado Jonas, responsável pelo registro do acidente."

"Delegado?", perguntei, expressando todo meu mal-estar.

Zak levantou a cabeça, como se só então percebesse que o carro ainda não havia partido. Ele olhou para o homem com uma expressão interrogativa.

"Ei, garoto...", Jonas disse, enfiando a cabeça pela janela. "Sinto muito mesmo."

Zak abaixou o rosto, deitando-se no banco traseiro, sem dar importância ao que ele dizia. Dobrou as pernas para que coubessem no banco e apoiou os pés no vidro lateral.

"Tentei falar com você durante o enterro, mas..."

"O que você quer?", cortei, arrependido de ter impedido minha mãe de sair com o carro. Ela me encarou com aquele olhar de "onde-já-se-viu-falar-assim-com-o-delegado?".

"Preciso conversar com você, garoto", ele disse para Zak, sem se importar que meu amigo não estivesse olhando. "Pode ser amanhã... Posso ir ao seu apartamento."

O delegado enfiou um cartão pela janela e entregou para Zak. Depois, tamborilou os dedos na lataria, aguardando uma resposta.

"Ele vai ficar no nosso apartamento por enquanto", explicou minha mãe.

"Não tem problema", ele respondeu. "Tenho o endereço de lá também. Amanhã."

"Posso estar junto?", perguntei, não querendo deixar Zak sozinho.

"Não vejo problema", concordou ele. "É só uma conversa informal."

"Tem um bar na esquina da rua onde moramos", propus. "Vamos estar lá às onze. Pode ser?"

Não queria um elemento como ele na minha casa só porque tinha um distintivo. Um lugar aberto era bem melhor para essas "conversas informais".

"Onze horas está ótimo", ele respondeu, tirando a cabeça da janela e dando batidinhas na porta em sinal de despedida. "Não vai ser nada muito demorado. Não se preocupe. Encontro vocês às onze, então."

Ele se afastou sem muita cerimônia. Minha mãe partiu com o carro e ficou tentando puxar assunto para descontrair. Zak pareceu adormecer no banco traseiro, e eu fiquei olhando as pessoas passarem na rua, buscando alguma coisa que me distraísse, mas não encontrei nada. Uma pergunta martelava incessantemente minha cabeça, e confesso que até agora não encontrei uma resposta plausível. O que o delegado pode estar querendo com Zak?

18.

Capítulo 5

Voltei.

Voltei!

Voltei!!!

É maravilhoso esse arrepio, essa sensação de escapar por um triz. Algo como renascer, ganhar uma nova chance...

Não que eu queira ficar vivo. Disso estou certo. Se não estivesse, não teria puxado o gatilho.

Meu objetivo é muito mais nobre do que qualquer vida nova. Estou aqui por algo mais profundo e corajoso.

É engraçada essa coisa do método. Nos outros dois livros que escrevi, programei tudo: o número de capítulos, de páginas, a quantidade de personagens e as frases de efeito que usaria. Tudo arrumadinho feito uma receita de bolo... Quem diria que eu acabaria assim? Escrevendo um livro sobre a realidade nua e crua, com personagens reais, sem saber como ou quando vai terminar... Isso deixa a coisa toda mais interessante e surpreendente.

Espero que você esteja sentindo o mesmo que eu. Com um sopro frio percorrendo as entranhas, os pés gelados, os pelos eriçados sem um motivo racional.

A sensação de levar uma arma à cabeça é mágica. O cano metálico passeando pelos fios de cabelo e massageando a têmpora, o peso do revólver, a mão suada envolvendo a empunhadura, o coração bombeando sangue com um pulsar agitado, o cérebro despejando impulsos elétricos no corpo...

É como um êxtase, um orgasmo.

Você deveria experimentar.

Na verdade, todos deveriam.

Não necessariamente com a arma carregada. Só a experiência de sentir que você pode acabar com tudo ali, naquele momento, num piscar de olhos, já é algo maravilhoso. Sentir o indicador brincar no gatilho, sabendo que basta puxá-lo para mudar toda uma história. É divino, sobrenatural.

"Passa a arma, Alê!", gritou então Ritinha.

Levantei os olhos do caderno. O revólver continuava no meu colo, pesando sobre minhas coxas, meu corpo ainda inebriado pela sensação de sobrevida. Estudei o rosto de cada um deles, seus olhos caídos, a expressão de cansaço.

Cada um, dentro de si, tem um motivo para estar aqui. Não posso esperar que me entendam... Deus, tampouco os entendo. Quer dizer, olhando para Ritinha, o que vejo? Uma ruiva gostosa, de cabelos entrelaçados, peitões doidos para saltar da blusa, jeans justinho e pulseirões que lhe conferem um ar meio hippie. Não vejo uma suicida. Não vejo motivos. Não encontro um pingo de melancolia no olhar, nenhuma tristeza no sorriso. Mesmo assim, ela veio para esta casa jogar roleta-russa... Está prestes a meter uma bala na cabeça e acabar com tudo... E Waléria? O que ela está fazendo aqui? É bem verdade que é feia. Mas ainda assim... Podia fazer uma dieta em vez de acabar com a própria vida...

Principalmente agora! Tem tanto para viver, para aprender... Mas não. Ela está aqui. Torrando minha paciência, desafiando Zak a atirar nela, disposta a morrer pelos seus motivos, sejam quais forem.

Não me interessa sabê-los. Ninguém perguntou os meus... E eu ficaria puto por ter que explicá-los a quem quer que fosse. Estou aqui porque estou. Por algo interno que me motiva. Foda-se o resto. Não precisa fazer sentido.

"A arma!", repetiu a ruiva.

Novamente, passei os olhos por eles: Noel, Waléria, Ritinha, Lucas, João e Dan. Seis pessoas. E seis câmaras restantes no revólver. Uma delas com uma bala. *É tão estranho pensar que, até o fim da rodada, alguém vai estar morto. Pior: até o fim da noite todo mundo vai estar morto.*

Inclusive eu.

Noel esticou o braço e pegou a arma. Endireitou o corpo e fechou os olhos enquanto levava o revólver à cabeça. Sua mão tremia. Fechou a boca e cerrou os dentes.

"A frase", Waléria lembrou. Aquela história de frase já começava a me irritar.

Repentinamente, ele arregalou os olhos, sufocado. Lágrimas desceram pelo rosto sardento. Ele não conseguia.

Eu não gostava dele, mas fiquei com pena. Sabia como era difícil estar ali, prestes a puxar o gatilho.

Uma chance em seis.

"Não tenho frase de efeito", ele disse, chorando, a arma ainda apontada para a própria cabeça. "Só quero dizer uma coisa..."

Ficamos em silêncio, esperando que se preparasse. Ele virou o rosto para Ritinha, que observava a cena acompanhada por uma garrafa de cerveja quase vazia.

"Eu te amo, Ritinha", Noel sussurrou. "Eu te amo. Muito, muito... Estou fazendo isso por você."

Ela desviou o olhar e bebeu um gole da cerveja. Deu um sorriso sem graça para o chão, brincando com os cadarços dos tênis.

"Eu te amo... Saiba disso... Espero que a gente possa ser feliz nesse outro lugar para onde vamos depois da morte... Céu, inferno, não sei... Só quero estar com você..."

Ritinha meneou a cabeça sem levantar os olhos. Deu de ombros, como se o assunto não fosse do seu interesse.

Noel franziu o cenho, magoado pelo desprezo. Fechou os olhos mais uma vez, então respirou fundo e puxou o gatilho.

A arma fez um clique e o tambor girou, passando para a câmara seguinte.

Ele abriu os olhos, aliviado, arfando. Largou a arma no chão e levou as mãos ao rosto. Abriu a boca, agitado, prestes a gritar, mas não emitiu nenhum som, apenas sacudiu o corpo. A adrenalina era liberada pelos poros.

Ele estava vivo.

Vivo.

"Toma", sussurrou, passando apressadamente a arma como se estivesse queimando suas mãos.

Waléria segurou o revólver, pouco confiante, com os ombros murchos feito um maracujá.

Era interessante como a postura mudava ao receber a arma. Mais do que um objeto metálico, o revólver carregava um peso moral, a hesitação diante do futuro, o medo estampado nos olhos trêmulos.

"Uma frase...", começou Waléria, sem sequer levantar a arma. Ela franziu o cenho e baixou a cabeça. Parecia pensar no que dizer. Mas eu sabia o que estava fazendo. Sentia o temor invadir seu corpo nos possíveis instantes finais, um líquido quente e ácido vir à garganta, prestes a ser expelido no piso de madeira.

Ela revirou os olhos, dando de ombros. Levantou o revólver na altura dos seios e jogou a cabeleira para trás. Observou o teto, mas seus olhos transpassavam a estrutura de madeira, como se fi-

xassem a noite lá fora, o céu estrelado com cigarras musicando o cenário rural.

"Atira logo!", gritou Ritinha, ansiosa por sua vez.

Desencorajada, Waléria abaixou a arma e me estudou com os olhos carregados de frieza. Sem dúvida, um filme se apresentava diante dela, uma conjugação dos momentos que vivera até ali. Sorriu. Ela sabia que eu a odiava, que a desprezava como mulher, amiga, ser humano...

Não... Não torci para que fosse a vez dela... Mas, observando as outras quatro pessoas restantes... Waléria era a que menos me faria falta.

"Lá vou eu", ela disse, dando uma gargalhada desesperada, compartilhando comigo um ódio recíproco, com um sorriso falso estampado no rosto redondo.

Ela respirou fundo e apertou os lábios.

"Saio da vida para entrar na história", murmurou ela, levantando a arma e posicionando-a na altura do ouvido direito.

Então atirou.

Meu coração batia forte.

Senti o corpo pesar diante do clique seco da arma, quase um tilintar inexpressivo ecoando pelo porão e martelando minha cabeça. Clique... Clique... Clique...

Waléria manteve o revólver apontado, a mão esquerda, trêmula, apoiada nas coxas gordas.

Ela abriu os olhos, sorrindo para ninguém em especial.

"Estou viva", murmurou.

"É o que parece...", Zak disse, sem nenhuma malícia na voz.

Waléria fechou a cara.

"Não foi uma pergunta, Zak", disse, com rispidez. "Você deveria ficar mais quieto... Vê se enche o rabo de bebida, maconha e o cacete em vez de ficar falando bosta..."

A frase pairou no ar esfumaçado.

"Quanta educação!", comentei com Noel, que estava ao meu lado.

Ele concordou, mas não disse nada.

"Fica quieto você também, seu nerdinho!", gritou ela para mim. "Continua escrevendo isso aí, vai..."

Com quem ela pensava estar falando? Vaca. Joguei a luz da lanterna em seu rosto. Waléria fechou os olhos, escondendo-se atrás do braço pelancudo. Instintivamente, apontou a arma para mim.

Afastei-me da roda, assustado. Era o que me faltava: aquela maldita atirar e estragar tudo!

"Abaixa o revólver, Waléria!", repreendeu Zak, esticando as mãos apaziguadoramente e chegando um pouco mais perto dela.

Ela sorriu, olhando de modo bestial para a arma em suas mãos, como se só agora tivesse notado que a apontava para mim.

"Abaixa!", pedi, tentando inutilmente me esconder atrás de uma pilastra.

Waléria pareceu não se importar com o fato de todos terem se afastado. Virou o rosto para Zak, sem ceder.

"Viu como é?", perguntou. "Não é legal ficar apontando para os outros, Zak... Entendeu? Não é nem um pouco legal..."

Ele balançou a cabeça, concordando silenciosamente, um pouco incomodado.

"Não sou como você, cara", ela continuou. "Vou sair daqui sem matar ninguém..." Ela se ajeitou, abaixando um pouco o revólver. "Quero garantir meu lugar no céu." Brincou com a arma entre os dedos enquanto assobiava uma música dos Rolling Stones. Parou de cantarolar e voltou para a roda, jogando o revólver no colo da Ritinha. "Pega aí."

O estrondoso barulho da arma batendo no piso ecoou pelo porão. No susto, todos recuaram.

"Porra!", gritou Noel. "Essa merda podia ter disparado! Isso não se faz!"

Fiquei admirado com a reação do asqueroso. Dan se encolheu, envolvendo as pernas dobradas com os braços. Waléria deu risada, mas seus olhos estavam perdidos, surpresos com a bronca do Noel.

"Decidiu falar, mudinho?", ela perguntou, levantando com uma surpreendente agilidade, o corpo largo, intimidador, diante da aparência frágil de Noel.

Mas ele não estava com medo.

"Vai se foder!", bradou. "Você acha que só por causa da sua situação pode falar assim comigo? A arma poderia ter disparado na Ritinha!"

Um silêncio incômodo se seguiu. Todos estavam esperando para ver quem daria o próximo passo.

"Sabe, Noel", começou Waléria, buscando um tom pacificador, "é muito bonito defender a Ritinha assim..."

Ele pareceu menos enfurecido.

"Mas ela não ama você, cara", Waléria sussurrou, arqueando as sobrancelhas. "Desiste..."

"Cala a boca!", ele mandou, ficando vermelho, os cachinhos balançando agitadamente na altura da testa, feito molas.

"Sabe... Vocês poderiam namorar, sair daqui para um passeio no jardim, ter filhos, ser felizes para sempre", Waléria comentou, como se narrasse uma historieta infantil. "Mas não, cara... Ela prefere meter uma bala na cabeça a ficar com você..."

"Vai à merda!", gritou Noel, jogando o corpo sobre Waléria. Ele a derrubou e se lançou sobre ela, aos pontapés.

Antes que a coisa ficasse mais feia, eu e o Lucas seguramos o coitado, que gemia de raiva.

Ritinha também se irritou:

"Quem você acha que é pra falar assim de mim, sua vagabunda?"

Waléria deu uma gargalhada, ainda caída no chão.

"Desculpa, santinha", murmurou, recuperando-se da ofensiva. "Mas por que você não atira logo? É sua vez..."

Ritinha agachou, desafiada pela Waléria. Pegou o revólver sem nenhum receio e o ergueu até os cabelos cor de fogo.

Observei o indicador brincar ao redor do gatilho, as pontas dos dedos avermelhadas contrastando com a brancura do resto, as unhas com esmalte escuro descascado.

"Não tenho frase", ela murmurou com seriedade, pronta para atirar.

A imagem congelou naquele segundo. Por um instante, pude vê-la pressionar o gatilho, a bala percorrer a trajetória até o cérebro e então seu lindo rostinho se despedaçar em fragmentos de pele, osso e sangue, os cabelos avermelhados transformados num chumaço gosmento e queimado.

Mas não.

Antes que tivesse tempo de atirar, um Noel revoltado saltou sobre ela, segurando seu braço com força. Com um movimento ágil, ele tomou o revólver de suas mãos e afastou Ritinha com um empurrão.

"Você não pode fazer isso", ele explicou, ofegante, segurando desajeitadamente a Taurus. Tirou o cabelo da testa, pondo os cachos atrás da orelha. "Não vou deixar você se matar... Não vou!"

"Droga, Noel, devolve o revólver para ela", brigou Zak, se aproximando.

"Fica longe!", ordenou Noel, apontando a arma. "Chega para lá... Fica longe de mim..."

Zak recuou com os braços levantados. Noel foi chegando para trás, observando o movimento de cada um de nós, os nervos à flor da pele.

"Ninguém mais vai morrer aqui hoje...", ele disse, encostado na parede, com a arma apontada para quem se aproximasse.

O silêncio voltou. Continuei onde estava, escrevendo no ca-

derno. Lucas, Dan e a João observavam estáticos, ainda sentados na roda, esperando sua vez de brincar de se matar.

"Ninguém mais vai morrer, entenderam?", ele repetiu, arfante.

"Eu quero morrer, Noel", murmurou Ritinha, distante dele. "Eu quero morrer... Droga, me deixa em paz!"

"Eu... Eu não posso deixar", resmungou ele, tropeçando em direção à porta. Noel girou a maçaneta, mas a porta não abria. Tentou com mais força. "Merda, cadê a chave?"

Ninguém respondeu.

"Cadê a chave?!", ele esbravejou, indo na direção do Zak e enfiando a arma na cabeça dele.

Relembrei a imagem do Lucas jogando a chave metálica no chão e chutando-a para fora da sala, pela fresta da porta. Só eu tinha visto aquilo... Só eu...

"Onde está a porcaria da chave?", Noel perguntou, com a voz calma, sentindo-se todo-poderoso por causa do revólver nas mãos.

"Vai se foder, Noel", murmurou Zak, jogando a cabeça levemente para a esquerda. Ele parecia não se importar de ter um maluco apontando uma arma para seu crânio. "Você está ameaçando pessoas que estão aqui para morrer, seu merda. Não adianta nada!"

Zak estava blefando, eu sabia. Ele sempre jogava a cabeça para a esquerda quando blefava. Apesar de tudo, de todos os seus motivos, ele não queria morrer ali, daquele jeito, com um babaca atirando nele.

A mentira funcionou.

Noel piscou, confuso, como se só agora tivesse se dado conta da contradição em ameaçar de morte um suicida.

Ficou em silêncio por alguns segundos, pensativo. E, então, foi abaixando a arma devagar. Franziu o cenho e chorou copiosamente. O mundo desabava ao seu redor.

"Droga, Ritinha... Você não pode..." Ele sacudiu o revólver no ar. "Por que você quer fazer isso? Por quê?"

Cansado, Noel desabou de joelhos.

Ela desencostou da pilastra, determinada. Aproximou seu rosto de Noel, sem expressar compaixão alguma, com os olhos inebriados de raiva e desprezo.

"Você não precisa entender, Noel", ela murmurou, deixando uma única lágrima escorrer pelas bochechas rosadas. "Ninguém precisa saber de nada."

A voz saiu rouca, sombria. Sem se deixar abalar, ela enxugou a lágrima teimosa na manga da blusa preta.

"A vida é minha!", continuou, batendo no peito. "Faço com ela o que eu quiser, quando eu quiser, como eu quiser e pelo que eu quiser, entendeu? Os motivos são meus, os problemas são meus e não... Não quero compartilhar com ninguém..."

O choro de Noel aumentou.

"Muito menos com você!", terminou ela, com um sorriso, feliz em desmoralizá-lo na frente de todo mundo. Ritinha ficou parada, esperando uma resposta, com os olhos fechados, tentando vencer a tontura depois dos vários cigarros de maconha, carreirinhas de cocaína e goladas de vodca.

"Ritinha, eu...", tentou Noel mais uma vez, mas parou. Seus olhos molhados estudavam o rosto de sua musa a poucos centímetros. Como um viajante que encontra o oásis no deserto, ele perpassou com os olhos aqueles cabelos ruivos entrelaçados, os lábios tensos, a pele alva, o pescoço convidativo, e terminou nos seios firmes, movendo-se no vaivém da respiração nervosa.

"Me entrega a arma, Noel", ordenou ela, estendendo a mão.

Aturdido, ele olhou para o revólver, depois para ela, e então para o revólver mais uma vez.

"Anda! Me entrega!", insistiu Ritinha, dessa vez mais alto.

"Nunca", ele respondeu. "Não consigo..."

Ela resolveu se valer de sua melhor arma. Estendeu as mãos e fechou-as ao redor das dele, acariciando os nós de seus dedos.

"Por favor", Ritinha pediu. Dessa vez, a voz saiu doce, quase virginal.

Mas Noel não se abalou. Firmou os dedos ao redor da empunhadura, sem ceder. Eu sabia o que ele estava pensando…

Quatro câmaras. Quatro pessoas.

Um quarto de chance. Não precisa ser bom em matemática para calcular…

Vinte e cinco por cento.

Para o fim de uma vida, é muito.

"Por favor", insistiu ela, se aproximando tentadoramente do rosto dele.

Se eu não soubesse do seu asco completo por Noel, poderia até achar que ela daria uma chance para ele.

"Eu…", Noel baixou a cabeça, com os lábios crispados e a mente funcionando a mil por hora.

Então, de repente, largou a arma no chão. Antes que alguém se abaixasse para pegá-la, agarrou Ritinha nos braços e tentou beijá-la. Com a mão em sua nuca, forçou o pescoço dela, a boca escancarando uma língua nojenta, ansiosa. Ritinha sacudiu o corpo, os braços presos, tentando escapar de um Noel enlouquecido.

"Me larga!", ela esperneou, chutando as pernas dele.

Lucas e a João partiram para cima de Noel, puxando-o com força pelos cachinhos sebosos e separando os dois.

"Seu nojento!", gritou Ritinha, recuando enquanto passava o braço pela boca, tentando se limpar de qualquer contato com ele. "Seu nojento desgraçado!"

Ela encostou o corpo na parede, chorando convulsivamente.

"Eu odeio você, seu tarado!", Ritinha berrou, as veias saltando do pescoço. "Odeio você, entendeu?"

Noel também chorou. Preso nos braços do Lucas, ele desabou como um bebê mimado enquanto ouvia os desaforos.

"Desculpa", soltou, entre soluços. "Desculpa…"

"Desculpa é o caralho!", ela disse, cortante. Era incrível como esculachar Noel fazia crescer a disposição dela.

Com um tremor nos lábios, Noel observou Ritinha caminhar lentamente em direção a ele e, a poucos metros de distância, agachar para pegar a Taurus caída no chão.

"Bem", ela disse, ajeitando os cabelos. "Vamos logo ao que viemos fazer aqui."

Sem dar tempo para nenhum de nós reagir, ela levou o revólver à cabeça. Não falou a frase, não demonstrou hesitação alguma.

Apenas puxou o gatilho.

Noel respirou aliviado quando o clique metálico invadiu a sala, mantendo intacta a linda cabecinha de sua musa.

"Mas que droga!", reclamou ela, frustrada.

Em seguida, entregou o revólver nas mãos de Lucas.

Lucas... O infeliz já tentara se matar um milhão de vezes... Devia estar acostumado.

"Vamos lá, então", disse, sem esperar. "Já estamos aqui há mais de quatro horas!"

A João levou as mãos ao rosto assim que o irmão ergueu o revólver. Ele passou a mão na barba, dando um sorriso largo, que contrastava com os olhos vermelhos e o cabelo desgrenhado, mas parecia sincero, espontâneo.

"Why so serious?", *murmurou ele, antes de puxar o gatilho. O tambor girou mais uma vez, acompanhado do clique vazio e esperançoso.*

A João abriu os olhos rapidamente, agarrando o irmão num abraço apertado. O medo de vê-lo morrer foi momentaneamente dissipado.

Duas câmaras.

Puta merda... João e Dan...

Qual deles?

Gosto dos dois.

A João com sua beleza rústica, a feminilidade contida...

Dan com sua espontaneidade infantil, sua inocência...

Qual deles?

Cinquenta por cento de chance para cada um.

"Minha vez", ela disse, abandonando os braços do irmão.

A João pegou a arma.

Antes de levá-la à cabeça, olhou fundo nos meus olhos. Pela primeira vez em muito tempo, senti algo como um companheirismo. Encarei-a, buscando passar firmeza.

"Vamos então", ela disse para si mesma, respirando fundo.

Antes de fechar meus olhos, a João levantava o revólver junto ao seu lindo rosto.

Mantive-me na escuridão, deixando os sons revelarem seu destino. Ouvi um chiado ao fundo, uma respiração hesitante pairando a roda e...

Um silêncio incômodo.

Demorado.

Clique.

Abri os olhos, perdido.

Ela estava novamente nos braços do irmão, com a arma caída ao lado.

"Estou viva", ela disse. "Caralho, estou viva..."

Seu peito se movia, ofegante, toda a excitação descarregada no corpinho bem cuidado.

Por um segundo, fiquei feliz por ela, vendo-a chorar feito uma criança emocionada.

Mas então...

O inevitável se apresentava diante de nós...

Restava uma câmara. Uma única câmara.

Cem por cento.

A probabilidade transformada em certeza.

Dan.

"Toma aí", Zak disse, entregando a arma nas mãos dele.

Dan a pegou sem pensar, por inércia, com um sorriso de agradecimento.

"Ei", eu disse, esticando as mãos para ele. "Isso é ridículo... Me entrega o revólver."

"É a vez dele, Alessandro", rebateu Ritinha, sem se importar com o fato de todos sabermos que o tiro explodiria a cabeça dele.

"Vamos girar o tambor de novo!", retruquei. "Por favor, isso é como cometer assassinato! Eu..."

Dan continuou imóvel, a arma envolta nas mãozinhas brancas.

"Me entrega o revólver, cara", eu disse, olhando-o com firmeza. Ele não sentia medo, não havia um traço de hesitação sequer no seu rosto. Segurava a arma displicentemente, com o ar de uma criança cheia de si, orgulhosa por provocar os pais.

Dan desviou o olhar. Ainda estava com raiva de mim por causa da cocaína...

Merda, merda, merda!

"Me entrega o revólver!", pedi, mais rispidamente.

Ele me ignorou, como se eu não estivesse ali. Não merecia mais sua confiança.

Levou a arma até os cabelos. Não tinha ideia do que estava fazendo, do que aquilo significava...

"Não, Dan...", implorei.

Mas ele não se deixou abalar. Deu um sorriso débil, percebendo que daquele jeito conseguiria se vingar de mim.

E então, com a arma ainda apontada para a cabeça, virou para Zak.

"Devo fazer isso?", perguntou, os olhos inocentes buscando apoio em quem ele ainda confiava.

Sem hesitar, Zak fez que sim.

19.

DAS ANOTAÇÕES DE ALESSANDRO PARENTONI DE CARVALHO
CASO CYRILLE'S HOUSE
IDENTIFICAÇÃO: 15634-0706-08
ENCONTRADO EM 10/9/2008, NO QUARTO DA VÍTIMA SUPRACITADA
OFICIAL RESPONSÁVEL: JOSÉ PEREIRA AQUINO, 12ª DP, COPACABANA

7 de junho de 2008, sábado

Existem algumas coisas que fazemos na vida e que só depois nos damos conta de que necessariamente acabariam em merda.

Talvez eu tenha algum tipo de ímã embutido que atraia a esse tipo de situação. Não duvido. Nem um tiquinho.

Rave.

Essa é a palavra que define meu sacrifício em um sábado de junho.

Já é domingo, mas minha cabeça continua em obras, com direito a marteladas, bigornas, tratores e britadeiras. Por sinal, não sei onde ela estava ontem quando acabei aceitando o convite do Zak.

Sim... Eu numa rave... Eu!

Não faz sentido! Um grupo de jovens bêbados metidos num descampado no fim do mundo dançando ao som de música bate-estaca barulhenta. O que há de bom nisso? Ainda assim, aceitei. Devo ter enlouquecido.

Quando chegamos, o lugar já estava lotado. Uma sequência de tendas brancas entre as árvores abrigava uma multidão, dançando ao som de uma música eletrônica que saía em alto volume das caixas espalhadas pelo cenário bucólico.

Logo na entrada, Zak encontrou outros dois amigos. Reconheci um deles: era Noel. O outro mais parecia um extraterrestre.

"Oi, Alê", Noel disse, com um aperto de mão chocho.

"Tudo certo?", retribuí, com a mesma emoção.

Ele anuiu com a cabeça.

"Vocês viram a parada da roleta-russa com os quatro caras nos Estados Unidos?", o garoto esquisito perguntou, a quem eu não tinha sido apresentado.

Eu, particularmente, não aguentava mais aquele assunto. Depois de "oi" e "bom dia", era o principal tópico de conversa entre desconhecidos. A sociedade norte-americana ficara horrorizada, governantes tinham ido à TV expressar seus pêsames aos familiares e houvera um estardalhaço tremendo por conta do depoimento de amigos, parentes e conhecidos dos quatro jovens nos jornais nos últimos sete dias. Nunca pensei que meter um tiro na cabeça chamasse tanta atenção. No dia em que eu quiser aparecer na mídia, é só pegar um revólver e estourar meu cérebro. Vou me lembrar disso.

"Vi", respondi, a contragosto.

"Sinistro, não?", continuou o esquisito.

Concordei, a música prestes a estourar meus tímpanos.

"Achei ridículo", sentenciou Zak, ganhando espaço entre as pessoas, aproveitando a multidão para passar a mão pelas cinturas e bundas femininas mais atraentes. "Tanta coisa boa na vida, e os caras vão fazer roleta-russa? Fala sério!"

Ele agarrou a primeira garota que apareceu pela frente e lhe tascou um beijo de língua, como um exemplo do que falava. Para Zak, tudo era perfeito: carro do ano, apartamento caríssimo, pais milionários, mulheres babando no colo dele. Realmente não fazia sentido cometer suicídio.

A garota era bonita: tinha olhos verdes, lábios finos e delicados, cintura fina... Não fosse o incômodo encontro das duas sobrancelhas...

Finalmente, Zak a largou.

"Por causa de belezuras como essa", ele explicou, "não faz sentido se matar."

Zak partiu para mais um beijo. Fiquei esperando.

"Preciso da sua ajuda", Noel disse ao pé do meu ouvido, como se fosse contar um segredo. "Quinta-feira é aniversário da Ritinha... e..." Ele franziu o cenho. "Eu gosto dela. Quero fazer uma surpresa."

"E daí?", perguntei.

"E daí que não sei o que..."

Pensei no que dizer, sentindo um pingo de pena.

"Assim, cara", comecei. "Se eu soubesse a receita, não estaria solteiro..."

Certo. Não era a resposta que ele esperava ouvir, mas era algum consolo, não? Ele pareceu desapontado e sumiu na multidão com seu amigo esquisito.

"Coisa linda", Zak disse, acariciando as bochechas da garota depois do beijo. Ela pareceu lisonjeada, mesmo que o hálito do meu amigo denunciasse que ele não estava no auge da sobriedade.

"Como você chama?", ele perguntou, enquanto me olhava de soslaio.

Dei um sorriso, percebendo aonde Zak queria chegar. Nas férias de julho do ano passado, nos limites da infantilidade, ele tinha apostado quinhentos reais comigo que conseguiria transar com todo o abecedário em um ano. Ou seja, se fosse para a cama com garotas com todas as iniciais do alfabeto, ganhava quinhentinhos; senão, eu ganhava. Ele tinha ficado com uma Zuleica e uma Xena logo no início do desafio, matando, de entrada, duas letras que, supus, seriam das mais difíceis de conseguir. Entre Anas, Brunas e Camilas, a questão era que faltava menos de um mês para a aposta acabar e ele não tinha uma única letra. Das piores: W. Que tipo de mãe em sã consciência começaria o nome da filha com W? A menina teria que se chamar Wanda. Ou talvez Wicca.

"Raysa", a garota respondeu, com um sorriso no rosto, doida para mais um beijo em meu amigo.

Tive vontade de rir. Há duas semanas, faltavam duas letras para ele: R e W. Na última quinta, ele tinha conseguido o R ao ir para o quarto com a Ritinha. E agora que ele se encontrava em uma caça desesperada a alguém com um W no início do nome lhe aparecia mais um R.

Meio irritado, como se a garota tivesse alguma culpa, Zak se afastou sem nem se despedir. Continuamos adentrando a multidão. Zak ia andando e, depois de lançar seu olhar mais arrebatador à primeira garota que via, perguntava seu nome. Kássia, Fabiane, Amanda, Natália, Emanuelle, Carol... Nenhum W. Para minha felicidade.

"Qual é seu nome?", ele perguntou, pela trigésima vez naquele dia, agarrando uma garota definitivamente horrenda: cabelos mal tingidos de vermelho, rosto redondo e queimado de sol, olhos incrustados sob um par de sobrancelhas grossas.

"Waléria", gritou ela, tentando vencer o som das caixas. Ela jogou o corpo pesado para trás, como se quisesse evitar que Zak agarrasse sua cintura.

Ele a soltou assim que ouviu o nome.

"Com W", explicou ela, quando ele fazia menção de se afastar.

"Hein?"

"Waléria com W", ela repetiu, prendendo os cabelos avermelhados.

Que tipo de garota diz por aí que seu nome começa com W?

Zak voltou para ela, sem perder tempo. Waléria jogou a cabeça para trás, como se ele não fosse bonito o suficiente. Com o movimento, os cabelos se soltaram, deixando-a com o aspecto de leoa despenteada. Zak se aproximou, sedutor.

"Sabia que você é linda?", ele murmurou ao ouvido dela.

"Sabia", ela disse, sorridente, como se ouvisse isso todos os dias.

"Seu nome é mesmo com W?", confirmou.

"*Oui*", ela disse, ainda se defendendo das investidas dele. "Waléria com W."

"Sabe... Sempre quis beijar alguém cujo nome começa com W... Principalmente falando francês... Assim como você."

Ela virou o rosto, sustentando um ar de pena pela lábia ineficiente do meu amigo.

"Tente beijar um Wilson... Talvez um Walter."

Zak riu do comentário.

"Nem curto o outro lado do muro."

"Então pode começar a procurar uma Wanderleia ou coisa assim, cara", insistiu, tirando as mãos do Zak da sua cintura. "Comigo não rola mesmo!"

Sinceramente, eu preferiria perder quinhentos reais, mil até, a beijar uma feiosa daquelas. Mas meu amigo sempre tinha sido capaz das maiores proezas relacionadas às mulheres.

"Puxa, Waléria com W, por que não me dá uma chance?", tentou Zak, usando sua voz mais sensual.

"Chance", começou ela, afastando-se bruscamente. "Gosto dessa palavra."

Como se estivesse fazendo a coisa mais natural do mundo, ela pegou uma moeda do bolso e sacudiu-a diante dos olhos perdidos do Zak. Tinha a expressão desafiadora e misteriosa.

"Você acredita em sorte?", ela perguntou.

"Às vezes é preciso."

"Mas você acredita?"

"Acredito."

"Então vamos ver como anda a sua hoje", sentenciou ela, balançando a moeda entre os dedos. "Se der cara, é seu dia de sorte e eu fico com você. Se der coroa..."

Zak pensou. Queria ter a certeza de que ganharia o desafio comigo. Aceitar a proposta era correr um risco. Mas era a única opção que lhe restava. Tudo ou nada.

"Fechado."

Observei a moeda girando no ar, uma situação inusitada no meio de várias pessoas inusitadas. Ela caiu na mão da gorducha, que a tapou com a outra, fazendo suspense.

"Vamos ver então."

Waléria retirou a mão.

Deu cara.

Antes que tivesse tempo de devolver a moeda ao bolso, foi agarrada por Zak. Vi meus quinhentos reais descerem pelo ralo, e lentamente a culpa de tudo aquilo se materializava naquela gorda da porra.

Cansado daquilo tudo, peguei um táxi e vim para casa.

Liguei hoje cedo para o Zak. Ninguém atendeu.

Getúlio e Maria Clara estão viajando. A empregada está de folga. E, pelo visto, Zak continua a curtir a gorducha dele.

20.

DIANA: "'*Devo fazer isso?*', *perguntou, os olhos inocentes buscando apoio em quem ele ainda confiava. Sem hesitar, Zak fez que sim.*" (*pausa*) É o fim do capítulo cinco. Algum detalhe ou comentário a acrescentar?

SÔNIA (*com a voz levemente chorosa e fraca*): Então foi o Zak... (*silêncio — quatro segundos*) Foi ele quem mandou meu filho atirar... Ele... (*soluços*)

OLÍVIA: As máscaras começam a cair... (*pausa*) Pensei que o Zak era o queridinho de vocês. O pobrezinho que perdeu os pais e decidiu morrer.

(*vozes exaltadas*)

DÉBORA: Cala a boca, Olívia!

OLÍVIA: E você veja lá como fala comigo.

DÉBORA: Esse... Esse não é o Zak que eu conheci. (*pausa*) Não é o Zak que eu vi crescer, que conviveu todos esses anos com o Alessandro, comigo...

SÔNIA: Eu...

(*ranger de cadeiras*)

DIANA: Não. Por favor, não chore, Sônia.

DÉBORA: Ela está pálida!

SÔNIA: Eu confiava nele... (*pausa*) Eu... Eu admirava o Zak, sabe? (*com a voz chorosa*) Não é fácil ter um filho deficiente... Eu amava o Dan como ele era, claro... Mas é tão difícil, sabe? Ver as pessoas olhando com pena, tratando você como se fosse uma pobre coitada que veio ao mundo para sofrer cuidando do próprio filho... (*soluços*) Meu marido foi embora assim que descobriu que o Danilo teria síndrome de Down. Não esperou nem o parto, nunca olhou na cara dele... (*silêncio — três segundos*) O médico comentou conosco a possibilidade de Danilo ser deficiente, a partir do exame genético, e isso foi o bastante. No dia seguinte, voltei do tribunal e meu ex-marido não estava mais lá. O desgraçado deixou uma carta dizendo que não tinha nascido para cuidar de um filho "doente". Que não estava preparado. Um procurador federal com trinta e sete anos na cara enfiou o rabo entre as pernas e correu para a casa da mãe ao menor sinal de perigo. (*riso seco*) Não estava preparado... (*pausa*) Vivi na pele, sozinha, a experiência de ver um filho com sete anos fazer cocô enquanto andava no shopping, as pessoas olhando enquanto eu tentava limpar, implorando que esperasse até chegar ao banheiro. Mas ele não podia. Não entendia por que as pessoas o olhavam torto, por que se espantavam com aquilo tudo, por que eu ficava nervosa. Para Danilo, nada daquilo fazia sentido... (*pausa*) Fui eu quem tive que escutar de três diretoras de colégio que meu filho não conseguia acompanhar o ritmo da escola. Tive que encarar que os anos passavam, mas meu filho não crescia, continuava requerendo os mesmos cuidados, os mesmos suportes, como um eterno bebê... (*pausa*) E não, não estou reclamando. (*silêncio — três segundos*) Mas... (*pausa*) É natural que eu tenha sentido inveja vez ou outra, não? (*pausa*) Eu vi o Zak crescer, poucos anos mais velho que o Danilo... (*pausa*) Eu o via chegando da escola, saindo com garotas, praticando esportes... (*pausa*) O Zak entrou em direito na Uerj. A faculdade que eu mesma fiz quando mais jovem. (*pausa*) Eu sabia que o Danilo nunca seria nada daquilo. Sabia que meu filho tinha muito mais a receber do que a oferecer... (*pausa*) Ah, sim, eu invejava a Maria Clara, o Getúlio. Não pelo dinheiro, mas pela família harmoniosa, que fazia viagens e esbanjava felicidade... (*pausa*) Pelo Zak. Chorei algumas noites... Perguntava muitas vezes a Deus por que meu filho não era igual a ele... Mas agora... (*pausa*) Agora eu vejo... Zak era um monstro. Um psicopata. (*choro intenso*) Danilo o admirava e ele o meteu em sua loucura! Ele... Ele usou a inocência do meu filho para satisfazer seus dramas, seus problemas... Isso é pior do que qualquer inveja! (*pausa*) É demoníaco!

OLÍVIA: O que...

DIANA: Deixa a Sônia falar... Deixa ela terminar de...

SÔNIA: Eu... Eu não sei o que dizer... (*com a voz chorosa*) Tenho nojo das pessoas... Não confio mais em ninguém.

DÉBORA: Esse não é o Zak que eu conheci. Essas atitudes...

SÔNIA: Tenho uma casa em frente à praia, um cargo público que as pessoas disputam a tapa e um carro do ano... Tudo isso para quê? (*pausa*) De que adianta toda essa merda? (*pausa*) De que adianta?

DIANA: Sônia, continue a falar do...

SÔNIA: Minha vida é como esta sala, delegada. (*pausa*) Paredes brancas, piso claro, bem iluminada, cadeiras acolchoadas ocupadas por mulheres distintas... À primeira vista, parece maravilhoso, mas, depois de um tempo, você percebe quão deprimente é. Aos olhos dos outros, você tem tudo, mas, por dentro, sabe que não tem nada. É vazio, é oco... (*pausa*) Perdi um marido, perdi um filho, e o Zak, que eu tanto admirava, até invejava, era um louco, um maníaco. Será mesmo que sou digna de julgar as pessoas? Estudei tanto para ser juíza, e a vida vem me provar que não sei julgar nada! Absolutamente nada! (*com a voz levemente chorosa*) Zak tirou a única coisa que me restava nesta vida, o que a fazia valer a pena. (*pausa*) A casa, o carro, o cargo... Nada disso importa. (*pausa*) Ele me tirou meu filho.

ROSA: Ele matou meu filho também... (*pausa*) Suicídios... (*riso seco*) Você deve estar brincando... (*pausa*) O que aconteceu naquela casa, delegada, foram assassinatos. Perpetuados por um psicopata! (*pausa*) Um criminoso, não um suicida!

SÔNIA: Assassinatos!

DIANA: Entendo que as senhoras tenham essa visão. É evidente que Zak estava alterado, sob profundo efeito de alucinógenos, sem medir seus atos, mas ainda assim...

DÉBORA: Esse não foi o Zak que eu conheci, meu Deus! (*pausa*) Apontando arma para as pessoas, torturando, matando e se divertindo com tudo isso... (*pausa*) Zak não era a pessoa mais doce do mundo, mas também não era esse monstro... Era um jovem como qualquer outro... Comum...

ROSA (*com a voz exaltada*): Jovens normais não arrancam os cílios dos outros por puro sadismo!

DÉBORA: O acidente... (*pausa*) O acidente dos pais dele... Ele mudou tanto... O Zak chegou ao fundo do poço...

SÔNIA: Mas meu filho não tinha nada a ver com isso! (*choro*) Meu filho era inocente, crédulo... Duvido até que soubesse que Zak o estava levando para cometer suicídio... Ele... Ele nem saberia o que é isso!

ROSA: Pessoas normais passam por dificuldades todos os dias! Nem por isso saem por aí participando de roletas-russas ou torturando seus amigos! (*pausa*) O nome disso é loucura. Psicose!

DÉBORA: Não estou tentando justificar nada... Mas... (*pausa*) Zak só podia estar fora de si! Ele... Ele discordou do meu filho. Raramente fazia isso. Muito raramente mesmo. (*pausa*) Alessandro implorou para que o Danilo não atirasse. Mas Zak ignorou tudo isso... (*atônita*) Ele simplesmente... Ignorou!

(*silêncio — seis segundos*)

DIANA: Podemos perceber que a maioria deles, quatro, na verdade, estava na dúvida se queria mesmo continuar participando da roleta-russa... (*pausa*) Apesar de dizer que está preparado para morrer, Alessandro se mostra bastante satisfeito com o fato de passar pela primeira rodada.

OLÍVIA: Ele queria ficar vivo o maior tempo possível para escrever o maldito livro!

DIANA: É verdade. (*pausa*) O suicídio não era a causa última, mas o meio para ele conseguir seu objetivo final: escrever o livro. (*pausa*) Além disso, ele era o único deles que estava sóbrio. Ao que consta, até mesmo Danilo havia ingerido uma quantidade significativa de álcool.

SÔNIA: Ele... Ele não poderia ter bebido... Danilo não podia beber!

(*ranger de cadeiras*)

DIANA: Alguém deve ter oferecido a bebida quando estavam na caçamba da Hilux. (*pausa*) De qualquer modo, voltando a Alessandro, eu diria que ele é o que estava em melhores condições para desistir de tudo aquilo. Estava sóbrio e conseguiria perceber que o que estavam fazendo era absurdo.

DÉBORA: Alessandro era muito determinado... (*pausa*) Ele não desistia facilmente das coisas e... (*choro*) Acho que a sobriedade dele só serviu para confirmar sua vontade de continuar na roleta-russa.

(*silêncio — quatro segundos*)

DIANA: Danilo foi conduzido para Cyrille's House, e sou obrigada a concordar que provavelmente não sabia o que iam fazer ali. Nossa equipe de psicopatologia teve acesso aos comentários do dr. Saulo Firmen, médico e pedagogo responsável pelo Danilo desde o nascimento.

SÔNIA: Sim. (*choro intenso*)

DIANA: Seu coeficiente intelectual foi estimado em cinquenta e cinco. Existem registros de instabilidade emocional, impulsividade e antissociabilidade. Isso explica a raiva repentina contra Alessandro. (*pausa*) Considerando a bebida, é bem possível que Danilo tenha se suicidado sem nem saber o que estava fazendo.

SÔNIA: A morte da Maria Clara e do Getúlio não pode servir para justificar tudo isso! É um absurdo sermos coniventes a ponto de dizer que se tratou de suicídio! Zak matou meu filho! Foi Danilo quem apertou o gatilho, mas está claro quem foi o responsável! (*choro*) Vocês não veem isso?

OLÍVIA: Nós vemos... (*pausa*) A delegada é que parece não enxergar muito bem...

(*silêncio — cinco segundos*)

DIANA (*com a voz calma*): Waléria também pareceu indecisa, temerosa. (*pausa*) E, obviamente, Noel, que chegou a tentar impedir que a roleta-russa continuasse.

OLÍVIA: Meu filho só foi se meter nessa história toda por causa daquela piranha da Ritinha...

VÂNIA: Veja lá como fala! Minha fi...

OLÍVIA (*com a voz exaltada*): Com tantas mulheres no mundo, foi se meter logo com uma maluca suicida!

VÂNIA: Cala a... (*gritos*)

DIANA: Senhoras, por favor!

OLÍVIA: Uma piranha! Piranha, sim!

DIANA (*com a voz ríspida*): Olívia, por favor! Pare de causar confusão! É a terceira briga que você inicia!

OLÍVIA: Eu só falo a verdade...

DIANA: Estamos aqui para buscar informações úteis. Úteis!

OLÍVIA: Só poderia ter puxado mesmo ao pai... (*pausa*) O Noel era meu filho, mas era um tonto... Um cego...

SÔNIA: Como uma mãe pode falar assim de um filho? (*pausa*) Olívia, você não tem coração!

OLÍVIA: Hipócritas! (*gritando*) Vocês são todas hipócritas! (*pausa*) Só digo o que todas vocês não têm coragem de dizer. (*pausa*) Ou vão falar que têm orgulho dos seus filhos suicidas? (*riso seco*) Suponho que seja a primeira coisa que contam para as pessoas… "Meu filho se suicidou. Tenho muito orgulho dele." Faça-me o favor! Não sejam patéticas!

SÔNIA: Você só fala asneiras…

OLÍVIA: Somos umas fracassadas! Essa é a verdade! (*choro*) Se nossos filhos não estão aqui hoje, é porque nós falhamos! Não fomos mães boas o suficiente para que permanecessem vivos!

DÉBORA: Isso é um absur…

SÔNIA: Você não pode…

(*vozes exaltadas*)

OLÍVIA: Sei que fiz tudo o que podia… Eu fiz! O Noel é que era fraco!

DÉBORA: Não duvido nada que ele tivesse bons motivos! Com uma mãe dessas em casa…

DIANA: Por favor! Parem com isso! (*com a voz ríspida*) Precisamos prosseguir com a leitura… Por favor!

(*silêncio — quatro segundos*)

(*ranger de cadeiras*)

DIANA: Zak, como sabemos, estava determinado a continuar na roleta-russa; nem por um segundo encontramos qualquer sinal de hesitação ou arrependimento dele. (*pausa*) Ritinha também parecia certa do que estava fazendo… Alessandro até se espantou com a confiança que ela passava.

VÂNIA: Minha filha era maravilhosa… (*choro*) Mas ela se sentiu tão fraca com… (*choro*) Eu teria ajudado… Não ia brigar com ela… Nunca!

DIANA: Lucas também não parecia temer nada. Ele já havia tentado cometer suicídio em cinco ocasiões anteriores. A primeira em 6 de agosto de 2005. Foi aí que começou a frequentar o psiquiatra, o dr. Gusmão Alvarenga, certo?

AMÉLIA: Isso mesmo.

DIANA: Tivemos acesso aos relatórios dele. (*pausa*) Foram mais duas tentativas de suicídio em 2006, em 3 de janeiro e 5 de outubro.

AMÉLIA: Meu filho às vezes entrava em uma depressão profunda. Eram fases difíceis, que procurávamos passar em casa... (*choro*) Por trás dos piercings, das roupas pretas e dos olhos pintados, Lucas era muito frágil. A avó dele, minha mãe, faleceu no fim de 2005, e ele ficou arrasado. Por isso, tentou cortar os pulsos no dia 3 de janeiro...

DIANA: E em outubro? O que houve?

AMÉLIA: Eu... (*pausa*) Em outubro, não aconteceu nada... Nada que justificasse... (*choro*) A gente... A gente tentou levar Lucas a vários médicos... Não sei qual era o motivo...

DIANA: E durante o início do ano de 2007 parece ter dado certo. (*pausa*) As duas últimas tentativas do Lucas foram sequenciais, em dezembro de 2007. Dias 9 e 12.

AMÉLIA: Eu e o pai dele estávamos nos separando. (*pausa*) Brigávamos muito... Nenhum de nós aguentava mais. (*com a voz chorosa*) Meu marido batia em mim.

(*silêncio — dois segundos*)

DIANA: E, por isso, no dia 9 de dezembro de 2007, domingo, o Lucas entrou num site ilegal da internet que incentiva o suicídio e tentou se matar em casa, com uma corda, enquanto a webcam filmava tudo.

AMÉLIA: Sim... (*choro*) É isso mesmo...

DIANA: Por sorte, sua irmã, Maria João, chegou em casa antes que ele fosse bem-sucedido... (*pausa*) No entanto, o vídeo foi lançado na internet, de modo que...

AMÉLIA: O Lucas ficou desesperado! Todos na faculdade souberam da história... (*pausa*) A Maria João era a única que o entendia. Eles se gostavam tanto! Eram mais do que irmãos, eram amigos...

(*silêncio — cinco segundos*)

(*farfalhar de papéis*)

DIANA: Você agora tocou num ponto interessante, Amélia. (*pausa*) O motivo da Maria João. (*pausa*) Durante toda a investigação, nos pareceu estranho que ela tivesse mudado de lado tão rapidamente. (*pausa*) Antes, ela fiscalizava o irmão, impedindo que tomasse atitudes perigosas quando estava deprimido; depois, por um motivo qualquer, ela não só permite que o irmão participe de uma roleta-russa como também vai, para morrer.

AMÉLIA: Eu não sei. (*pausa*) Até hoje não entendo por que ela fez isso. Não sei! (*choro*) Não faz o menor sentido.

DIANA: Acreditamos que a Maria João sabia mais do que aparentava. (*pausa*) Alguma coisa aconteceu e fez com que mudasse completamente.

AMÉLIA: Como assim? O que ela poderia saber?

DIANA: Em breve, chegaremos a esse ponto. Vocês vão entender melhor do que estou falando.

(*silêncio — três segundos*)

DIANA: Podemos continuar?

OLÍVIA: Vamos logo com isso então. Leia.

(*farfalhar de papéis*)

(*silêncio — quatro segundos*)

DIANA: "*Capítulo seis. Acredito que existe uma força oculta que nos empurra em direção ao precipício. Uma hora você chega à beirada e percebe que precisa enfrentá-la, apesar das dificuldades... Mas alguns não conseguem, e preferem se jogar...*"

21.

DAS ANOTAÇÕES DE ALESSANDRO PARENTONI DE CARVALHO
CASO CYRILLE'S HOUSE
IDENTIFICAÇÃO: 15634-2208-08
ENCONTRADO EM 10/9/2008, NO QUARTO DA VÍTIMA SUPRACITADA
OFICIAL RESPONSÁVEL: JOSÉ PEREIRA AQUINO, 12ª DP, COPACABANA

22 de agosto de 2008, sexta-feira

Saber jogar pôquer é uma arte. Sempre digo isso e, se não me engano, já até escrevi aqui. De qualquer modo, não custa repetir: saber jogar pôquer é uma arte. Li essa frase em algum site, e ela me vem à cabeça sempre que estou com as cartas nas mãos, apostando a mesada, tentando duplicá-la para comprar mais livros e discos de vinil no sebo.

"Saio", Ritinha disse, entregando as cartas para mim, o dealer.

"Levei!", gritou a João, comemorando por ganhar a mesa sem ter que mostrar a mão.

Ainda não tinha descoberto o tique dela no blefe. Sentada diante de mim, com o rostinho inocente coberto por uma franja de menina de quinze anos, não revelava uma emoção sequer, nem um pingo de hesitação.

"Você continua naquele circo, João?", perguntei, tentando descontrair a mesa enquanto distribuía as cartas.

Lucas me olhou com reprovação: odiava conversar durante o jogo. Zak pareceu não se importar, mais interessado nos copos de uísque do que nos cinquenta reais que já tinha perdido desde que começáramos, às sete.

"Não é um circo. É uma escola circense", explicou ela, com rispidez. A João estudou as cartas que tinha recebido e só então me lançou seu olhar vazio.

"Desculpa", eu disse.

"E, sim, continuo na escola circense. Faço malabarismo. E tenho aula com um dos melhores palhaços que este mundo já conheceu."

"Também tenho aula com os melhores palhaços do mundo", respondi. "Lá na Uerj... Só que os meus usam terno e não pintam o nariz de vermelho."

Todos riram da minha piadinha ácida, exceto a João.

Se eu tivesse uma Ferrari na garagem e uma conta bancária numa ilha caribenha, ela riria até se eu contasse os detalhes do Holocausto. Desde que descobriu que foi enganada e que eu não sou nenhum príncipe encantado, a João me trata como um empregadinho com quem é obrigada a conviver. Puta.

Zak pareceu ler meus pensamentos:

"Malabarismo... Isso não costuma dar muito dinheiro. E você gosta de dinheiro", ele provocou.

Ela olhou para ele sem dizer uma palavra, digerindo o comentário. Deu um soquinho no feltro verde, pedindo mesa, e fechou as cartas na palma da mão.

"Pretendo casar com um cara rico", ela explicou, sem a menor cerimônia.

Puta de luxo.

"Na verdade, todas pretendemos, certo, Ritinha?"

"É", a outra respondeu, com a voz baixa, como se não prestasse atenção.

Nunca fui bom em perceber como as pessoas estão se sentindo. Mas poderia apostar que havia algo de errado com a Ritinha. Seu olhar se mantinha fixo nas cartas, mas sem precisão alguma, a cabeça bem longe do pôquer. Normalmente, adoro jogar com pessoas assim. Quanto mais avoadas, melhor.

A empregada entrou e perguntou se queríamos alguma coisa. Usava vestido azul-marinho e avental branco. Zak pediu que ela trouxesse mais uma garrafa do uísque que ele e Lucas estavam tomando. Eu e Ritinha pedimos água, e a João disse que não estava com sede.

Fizemos nossos lances e levei a mesa. Pouca grana.

"Eu tinha medo de palhaço", Zak disse.

"Hein?", perguntei.

"A João disse que tem aula com o melhor palhaço e tal... Eu tinha medo de palhaço."

Eu já havia até me esquecido do assunto.

"Tipo palhaço assassino, sabe?", ele continuou, tentando justificar seus temores da infância.

"John Gacy", murmurou Lucas, desinteressado, como um aluno obrigado a responder à pergunta da professorinha implicante.

"Hein?", espantou-se a João.

"John Gacy, o serial killer", repetiu, retirando os olhos das cartas. Ele levantou as sobrancelhas, o rosto triangular exibindo um sorriso pouco condizente com o assunto. "Quando foi preso, encontraram mais de trinta corpos no porão da casa dele. Na maioria, de crianças. Estupradas, sodomizadas... Além de vários brinquedos sexuais... Algemas... Garrote..."

"Filho da puta", murmurei. Sempre escrevi histórias policiais, mas elas só têm graça, para mim, no campo da ficção. A realidade pode ser muito dolorosa.

"Quase dez corpos ficaram sem identificação", acrescentou Lucas, percebendo que tinha conseguido a atenção da mesa com aquela curiosidade indigesta.

"E o que isso tem a ver?", perguntou a João. Sua função como irmã de um maluco suicida se resumia a evitar deixá-lo falar de assuntos macabros ou depressivos. Missão impossível.

"Ele era o palhaço da cidade", Lucas respondeu, alargando o sorriso. "Fazia festinhas e eventos de caridade com o nome de Pogo. Gostava tanto de crianças que, dependendo do seu humor, as levava para casa para uma brincadeirinha especial."

Ele contava a história do assassino em série como quem narra a biografia de um ídolo, destacando cada detalhe particularmente sórdido. Ridículo.

"Ele ficou catorze anos no corredor da morte antes de ser executado com uma injeção letal, em maio de 1994." Percebi um pingo de melancolia no olhar de Lucas. Apenas um tremor nas pálpebras, suficiente para revelar que ele lamentava a morte do assassino.

"É pouco", comecei. "Uma injeção para um filho da puta desse é pouco. Muito pouco. Uma agulhada e pronto. Sem dor nenhuma. Está longe do sofrimento que causou aos outros."

"A pena de morte não é uma vingança", replicou Lucas.

"Acho que deveria ter pena de morte no Brasil", sentenciou Maria João.

"Ele não era compreendido", defendeu Lucas. "Estava além do seu tempo."

"Você está dizendo que o futuro da humanidade vai envolver palhaços matando criancinhas?"

Ele engoliu em seco. Pelos olhares, percebi que Zak e a João estavam do meu lado. Ritinha parecia em transe, ignorando o assunto. Vez ou outra, franzia o cenho, com os olhos perdidos no feltro da mesa, as mãos esbranquiçadas brincando nervosamente com as cartas.

"Estou dizendo que fazia sentido na cabeça dele", explicou Lucas. "Para o cara, não foram crimes. Era algo mais forte."

"Isso tem nome", respondi. "Loucura."

"Muitos gênios são loucos."

"Puta merda!", bradei, aproveitando para recuperar a atenção da pequena plateia. "Então agora o cara é um gênio?"

Sobre a mesa, além das cartas, estavam duas garrafas vazias de uísque. Percebi que havia um restinho — dois goles, no máximo — no copo do Lucas. Peguei o copo sem pedir permissão e o levei à boca, esvaziando-o. Senti o gosto amargo descendo pela garganta, mas tentei não demonstrar nenhuma reação.

"Sabe o que eu queria?", prossegui, pousando de modo teatral o copo de vidro na mesa. "Queria que fosse sua mãe. Se ele tivesse fodido sua mãe e enterrado no porão, você não ia gostar tanto assim."

Voltamos ao silêncio. Ritinha, alheia a tudo, começou a batucar as unhas compridas na mesa, fazendo um barulhinho irritante. Uma atmosfera desconcertante pairava sobre a mesa desde que o assunto havia sido iniciado.

"Eu entenderia", Lucas disse.

"O quê?", perguntei, em choque.

"Se ele pegasse minha mãe... Eu entenderia."

Maluco. Pirado. Doido. Ninguém normal diz esse tipo de coisa.

"Também acho que pena de morte é pouco. Gente assim merece tortura", Zak disse com os olhos caídos, evidenciando que sua sobriedade estava indo embora.

"Pena de morte não é o caminho", respondi.

"Ah, sim! Educação, mudar a base para construir uma sociedade melhor, com menos desigualdade social... O que mais?

Ursinhos Carinhosos e Papai Noel?", gritou a João. "Bandido não é ser humano. É animal. Deve ser tratado como animal. Essa merda de direitos humanos só vem para amenizar o lado deles. Mas não é bem assim quando estão com um fuzil apontado pra nossa cara."

O velho discurso de que "direitos humanos não são pra bandido". Eu realmente não tinha mais saco. Estava preparado para soltar o verbo em cima dela, explicar que "olho por olho, dente por dente" é primitivismo e mostrar estatísticas que atestavam que a pena de morte não dera muito certo onde fora aplicada. A grande verdade era que eu não tinha nada a perder... Desde nossa primeira (e única) noite, Maria João não me dava mais mole. A lição de moral seria uma ótima maneira de chamar a atenção, ainda que de forma negativa.

"Que tal pedir uma pizza?", Lucas propôs, mudando bruscamente de assunto.

"Pepperoni!", Zak animou-se.

"Não como pepperoni", disse a João em tom repreensivo. "Pede quatro queijos ou marguerita. Nada com carne."

"Vegetarianos são uma merda!", Zak explodiu em riso. "Vocês não sabem o que estão perdendo!"

Antes que pudéssemos continuar a discussão, a empregada voltou com as bebidas. Ela deixou a jarra de água com dois copos longos sobre a mesa. Como estava do meu lado, pude perceber seu rosto apático à luz dos abajures da sala. Provavelmente era só dois ou três anos mais velha que eu e meus amigos — os playboys da zona sul que jogavam cartas a dinheiro numa sexta-feira à noite.

"Meu uísque, Yara", Zak pediu, vendo que me servia.

"Sim", ela respondeu, apoiando a jarra na mesa imediatamente, quase com medo, e pegando o copo do Zak para enchê-lo com a terceira garrafa do uísque doze anos.

Zak soltou uma gargalhada, pegando o copo entre os dedos ágeis. Passou-o da mão esquerda para a direita e gritou, batendo na mesa:

"Yara, Yara! A empregada mais gostosa do Brasil!"

Era sua maneira de dizer "obrigado".

A jovem de avental, que estava longe de ser uma princesa, baixou a cabeça, sem saber o que fazer. Terminou de servir a água da Ritinha e pegou o copo do Lucas para servir o uísque.

"Vamos logo", brigou a João.

Sabe o que é pior do que ricos metidos? Pobres esnobes tentando parecer ricos metidos. A João pertence a essa laia.

"Espera", Lucas disse, segurando o copo e bebendo um gole. "Eu saio."

A empregada pegou a bandeja e já sumia pelo corredor quando a campainha tocou. Voltou apressada para atender a porta.

Como estava de frente, pude ver a figura obesa entrando decidida pela sala. Inicialmente, ela ficou parada, os olhos admirados percorrendo cada centímetro da sala enorme do apartamento do Zak. Pela reação, deduzi que era a primeira vez que ela aparecia ali. Apesar de não vê-la fazia um ou dois meses, seu nome me veio sem dificuldades. Eu não tinha como esquecer. Graças ao nome dela, perdi quinhentos reais.

"Zak!", gritou, passada a surpresa.

Ele desceu as cartas na mesa, mas não virou. Esticou o tronco no espaldar da cadeira, sem se dignar a encarar Waléria.

"Liguei a semana toda, porra!", gritou ela mais uma vez, dando um empurrão no ombro dele para chamar sua atenção.

Zak não se alterou. Pegou as cartas, abrindo-as em leque. Observou-as com cuidado e respondeu:

"E eu não atendi nenhuma das trezentas ligações… Pensei que tivesse percebido que não quero mais falar com você."

"Mas eu quero falar, merda!", ela disse, largando sobre a mesa sua bolsa prateada.

Zak baixou o rosto, fechando os olhos e rindo por um segundo daquilo tudo.

"Vai embora, Waléria!", ele retrucou, dando um soco na mesa. "Vai embora, merda!"

"Eu..."

"Porra, não quero falar com você!"

"Ei, ei, gente! Vamos com calma aí!", apaziguou a João, com seu jeitinho masculino. Ela levantou da cadeira e se aproximou da confusão.

"Você não pode falar assim comigo!", Waléria retrucou, sacando um chiclete do bolso e começando a mascá-lo com ansiedade. "Não tem esse direito, seu babaca!"

"Tenho todo o direito de falar como quiser... Você está na minha casa! Enchendo meu saco! Atrapalhando meu jogo! Eu podia tirar você daqui a tiros..."

"Zak...", começou ela, com a voz mais tranquila, como se estivesse partindo para um plano B. "O que aconteceu aquele dia..."

Ritinha desceu as cartas na mesa, com toda a atenção voltada para Waléria.

"O que aconteceu naquela rave ficou lá... Não tem um depois, Waléria! Eu estava bêbado, carente e sei lá mais o quê! Rolou e acabou!"

"Não, cara, não é assim tão simples!", ela disse, inquieta.

"Vai embora, Waléria", pediu ele, sem gritar. "Por favor."

Ela balançou a cabeça em negativa, o cabelo mal pintado se agitando no ar como uma juba.

"Vamos conversar, Zak, só nós dois. Cinco minutos."

"Nem meio minuto, Waléria. Só quero curtir a sexta-feira com meus amigos... Posso?"

"O destino, Zak. Lembra daquele papo de sorte de que falamos?", tentou ela, provavelmente acionando um plano C. Waléria caminhou em direção à mesa de carteado, mexendo nervosamente nos bolsos. Quando encontrou o que queria, escondeu nas mãos rechonchudas. "Isso aqui, Zak... Isso aqui selou nosso destino. Isso nos uniu!", ela explicou, sacudindo o punho fechado diante dos olhos atônitos dele.

Definitivamente, a situação era ridícula. Uma mulher daquelas invade sua casa e noticia, diante dos seus amigos, que vocês transaram e que ela quer mais. Que uma vez não foi suficiente. Eu não saberia onde enfiar a cara.

"Você bebeu, Waléria?"

"Isso aqui, Zak, mudou nossa vida!"

Cansada de sacudir o braço no ar, ela bateu a palma da mão contra a mesa, deixando o objeto sobre o feltro verde: uma moeda.

"Cara ou coroa. Lembra, Zak? Deu cara, e a gente... A gente fez amor."

Ele baixou a cabeça, saturado do teatro dela. Na verdade, estávamos todos cansados daquilo. Lucas continuava com as cartas nas mãos, analisando a próxima jogada. Ritinha acompanhava a conversa com sincera curiosidade. Até perdera a palidez. A João tinha encontrado um recanto na poltrona confortável da antessala e roía as unhas, atenta à discussão.

"Cinco minutos, Zak", repetia, o olhar expressando uma piedade forçada. "Não quero falar na frente deles."

"Pode falar! Vamos, segue em frente!", gritou Zak, abrindo os braços e caminhando ameaçadoramente em direção a ela. "Sem mentiras. Sem medo. Não tenho nada para esconder dos meus amigos. Fala, Waléria!"

Ela recuou. Por um instante, pareceu murchar, indefesa. Arregalou os olhos e crispou os lábios, sem saber ao certo o que fazer. Falar na frente de todos, fosse o que fosse, não estava nos planos.

"É melhor não, Zak", ela murmurou.

"Então, por favor, vai embora!" Ele foi até a porta e a abriu.

"Zak, eu..."

"Deus do céu, o que fiz para merecer isso?" Zak bateu a porta com raiva e caminhou até Waléria. "Não consigo ter paz! Você me liga todo dia, já foi à faculdade atrás de mim, vive me mandando mensagens... Será que pode parar de me perseguir?"

O silêncio cobriu a sala. Waléria engoliu em seco. Parecia desnorteada e se apoiou no espaldar de uma cadeira.

"Estou grávida", disse, olhando para o chão. A voz saiu fraca, mas todos escutamos.

Se ela tirasse a roupa ou revelasse ser uma extraterrestre, talvez o choque fosse menor.

O corpo do Zak mudou de repente: os ombros se curvaram, os olhos se perderam, atônitos.

"O quê?", ele perguntou, boquiaberto.

Agora ela estava satisfeita. Parecia se alimentar da surpresa no rosto das pessoas. Seu porte cresceu diante dos nossos olhos. Ela jogou a cabeleira para trás e abriu os braços com aquele ar de "Está dito, garotão".

"Você está mentindo!", foi tudo o que Zak conseguiu dizer. Mas seu semblante indicava que ele acreditava em cada palavra dela.

"Acha que passei esse tempo todo procurando você por quê? Pensa que me apaixonei, que é tão bom de cama assim? Você até dá para o gasto, Zak, mas não merece tanto..."

"Waléria, eu..."

"Parabéns! Você vai ser papai!", concluiu ela, batendo palmas, cada uma pesando na conversa.

"Quem disse que o pai sou eu?"

"Eu sei quem é o pai do meu filho, Zak. É você. A gente não precisa ficar aqui discutindo isso..."

"Grávida!", ele murmurou, em choque. "Mas e..."

"Não quero dar o golpe da barriga no filhinho de papai ricaço... Só aconteceu, Zak. Temos que aceitar. Posso fazer o exame de DNA, para que não haja..."

"Vai se foder!", ele explodiu. Zak caminhou na direção dela e, por um segundo, eu podia jurar que lhe daria um tabefe na cara, mas ele só repetiu o "Vai se foder" mais umas três ou quatro vezes.

Como se não fosse suficiente, ouvi as chaves girarem na fechadura. Num instante, a figura carrancuda de Getúlio Vasconcellos entrou na sala. O circo estava armado.

"O que está acontecendo aqui, Zak?", ele perguntou, atordoado. Era impressionante o impacto que aquele homem de pouco mais de um metro e meio causava nas pessoas. Eu mesmo, que já estava razoavelmente acostumado, ainda sentia meus pelos se eriçarem perante o olhar severo do Getúlio.

Meu amigo congelou onde estava, ao lado da Waléria.

"Seu Getúlio, eu...", começou ela, diante do silêncio.

"Não estou falando com você, menina...", cortou ele. "E então, Zak? Do elevador, ouvi você batendo a porta. Depois, uma série de palavrões... Pode me explicar qual é o problema? Quem são essas pessoas todas?"

"Pai, a gente...", tentou Zak. "A gente estava jogando pôquer e..."

As palavras morreram no ar.

"Continua, Zak!"

Nada.

"Você vai ser vovô", Waléria disse, sem o menor pudor. "Estou esperando um filho do Zak."

Getúlio Vasconcellos, o homem que construiu um império, que lutou contra os concorrentes, que pisou nos inimigos e brincava de Deus em pleno Rio de Janeiro... *Ele* titubeou. Olhou para Waléria e depois para o filho, esperando que alguém negasse aquele absurdo.

"É a mais pura verdade... Eu não teria por que..."

"Cala a boca, menina! Fica quieta!" Ele agitou o indicador na direção dela em tom severo. Seus olhos brilhavam de raiva, o pescoço vermelho como se o colarinho o enforcasse. "Esta é uma conversa entre mim e meu filho!"

"Quem o senhor acha que é para falar assim comigo?", Waléria perguntou, partindo para a briga. Parecia capaz de derrubá-lo com um único soco.

"Menina, você está no meu apartamento, falando do meu filho, arrumando mais problemas pra mim, como se não bastassem os que já tenho... Por que não vai pra sua casa e pensa no que está fazendo?"

"Eu...", tentou ela, mas perdeu as palavras. O "efeito Getúlio" começava a se alastrar.

"Zak, o que essa menina está dizendo é verdade?"

Ele não respondeu. Apenas cerrou os olhos.

"É a mais pura verdade!", defendeu-se Waléria, caminhando apressada até a mesa de pôquer e pegando a moeda sobre a mesa. "Esta é minha moeda da sorte... Se der cara, estou falando a verdade... Se der coroa, é mentira..."

"O quê...?"

Antes que houvesse tempo de alguém dizer algo, Waléria lançou a moeda no ar e esticou a palma da mão, mostrando o resultado: cara.

Getúlio estava pasmo, com os punhos cerrados, buscando no olhar da Waléria qualquer sinal de que aquilo tudo era uma brincadeira de mau gosto. Não é todo dia que se encontra em casa uma garota dizendo que está grávida do seu filho e lançando uma moeda no ar como comprovação.

"Satisfeito?", ela perguntou, um tanto decepcionada com a falta de reação do Getúlio.

"Saia daqui!", gritou o pai de Zak, dando um tapa na mão dela. A moeda voou longe, rolando pelo piso de tábua corrida. "Vamos, saia daqui!" Ele deu mais dois tapas no ar para enxotá-la.

Waléria arregalou os olhos, surpresa, prestes a desabar em lágrimas. Então explodiu:

"Nunca mais encoste um dedo em mim, seu velho filho da puta!", ela bradou, correndo em direção à poltrona onde Maria João estava sentada. Waléria se agachou com dificuldade e pegou a moeda, caída próximo ao pé da mesinha de centro. "Nunca mais, ouviu, seu filho da puta?"

Ela repetiu o "filho da puta", soletrando enfaticamente cada sílaba do palavrão.

Getúlio permaneceu estático, olhando Waléria dar seu show. Ele esperou que ela se cansasse de espernear para dizer, com um sorriso no rosto:

"Saia da minha casa, menina. Para o seu bem..."

"Sei muito bem o que devo fazer, seu velho idiota!", ela respondeu. Ergueu a moeda novamente, sacudindo-a diante dos olhos dele. "Esta é a minha moeda da sorte. Você não deveria duvidar dela... E não deveria falar assim comigo... Por um segundo, pensei que ela ia dizer todas as frases de efeito de filmes policiais baratos ao Getúlio."

Mas ele se cansou daquilo tudo. Com rapidez, tomou a moeda da Waléria e brincou com ela entre as mãos. A menina desmontou quando viu seu amuleto da sorte em posse do inimigo.

"Me devolve! Me dá minha moeda! Você não sabe com quem está se metendo...", ela gritou, hesitando em partir para cima dele.

"Sei. Eu sei muito bem com quem estou falando, menina", Getúlio disse, sem alterar o tom de voz. "Com uma piranhazinha desqualificada que acha que pode me enganar com uma moeda vagabunda..."

"Não!", protestou ela.

A voz serena do Getúlio cortou o ar, implacável.

"Você cria sua própria sorte. Essa moeda tem duas faces iguais! Duas caras. Você achou mesmo que podia me enganar?

Uma putinha universitária querendo roubar meu dinheiro... Você ainda tem que aprender muito, menina!"

"Puta é sua mãe!"

Sem pestanejar, Getúlio ergueu a mão e deu um tapa no rosto da Waléria. Ao estampido seco e agudo do tabefe se seguiu o estrondo do corpo dela caindo no chão, ao lado da poltrona. Waléria levou a mão ao rosto, sem reação. A João saiu do camarote de onde assistia a tudo para ajudá-la a se recompor. Sempre foi defensora dos fracos e oprimidos... Mulheres grávidas, ainda que escrotas, estavam no seu rol de protegidas.

"Ei! Você não pode fazer isso!", a João gritou, revoltada, enquanto perguntava a Waléria se estava tudo bem. "Ela está esperando um bebê!"

Getúlio continuou falando com Waléria: "Escuta aqui, menina! Meça bem suas palavras ao falar de qualquer um da minha família. Não quero que apareça mais aqui. Vai ser melhor para todo mundo... Se Zak fez besteira, ele vai assumir... Mas não eu, você não vai ter meu dinheiro... Não trabalhei a vida inteira para sustentar gente baixa como você..."

Inevitavelmente, lembrei-me dos momentos claustrofóbicos em Cyrille's House, da tentativa de invadir o porão e do esporro frio do Getúlio, impondo suas palavras e fazendo-as ressoar por muito tempo no fundo do meu cérebro.

"Conheço seu tipo", ele emendou. "E é bom que saiba: odeio gente assim. Gente como você não vai para a frente, não tem futuro... Secam a sorte de todos os que estão ao redor... Por isso mesmo, é bom que desapareça da minha frente... Da minha vida, menina. Já tenho muitas dores de cabeça... E, acredite, você é a menor delas... Se torrar minha paciência, se vier fazer escândalo na minha casa mais uma vez, vai ser seu fim. Num piscar de olhos, seus pais vão perder o emprego, sejam eles funcionários públicos, vendedores de cachorro-quente ou empresários.

Não me interessa. Com uns poucos telefonemas, eu transformo sua vida num inferno. Então, suma daqui!"

Waléria permanecia no chão, com a respiração arfante e os cabelos desgrenhados sobre os ombros. Então, as palavras do Getúlio pareceram surtir algum efeito. Mas um efeito contrário ao que o pai de Zak esperava: ela levantou com uma agilidade improvável para seu peso e partiu para cima dele.

"Eu te mato, seu desgraçado!", ela gritou, retribuindo o tapa. "Se você tirar o emprego do meu pai, eu te mato! Acha que pode controlar a vida dos outros assim? Fazer o que bem entende? Se mete comigo e eu te mato! Vou até o inferno para acabar com sua vida, seu filho da puta metido!"

Eu e Lucas tentamos separar a briga. Waléria segurava com firmeza a mão do Getúlio, tentando pegar sua moeda de volta. Quando conseguiu, afastou-se com raiva.

"Você não deveria ter feito isso, menina", murmurou o milionário, com uma calma surpreendente para quem acabara de levar um murro na cara.

"Pode fazer o que quiser, seu velho babaca! Pode telefonar, usar e abusar das suas influências", gritou Waléria, pegando a bolsa que havia deixado sobre a mesa de pôquer. "Mas, se você me prejudicar, eu te mato sem pensar duas vezes. Acabo com sua vida, e não sobra ninguém para contar a história, escutou? Nenhum dinheiro compra isso. Nem o seu!"

Ela caminhou na direção da porta e abriu-a com raiva. Saiu de vista, mas retornou para terminar seu discurso, encarando Getúlio:

"Daqui a alguns meses, eu volto. Com a barriga grande. E podemos fazer o exame de DNA. Quero ver onde você vai enfiar essa sua cara de filho da puta!"

Ela saiu batendo a porta.

Ficamos mudos, olhando envergonhados uns para os outros. Não poderíamos simplesmente passar uma borracha em tudo e continuar com o jogo de pôquer. O som da porta batida com brutalidade ainda ressoava, como se nos tivesse entorpecido.

"Vou tomar banho", Getúlio disse. "Espero não encontrar mais ninguém aqui quando voltar."

Com uma mesura seca, ele sumiu pelo corredor em direção aos quartos.

"Vocês ouviram, pessoal", reiterou a João. "Estamos sendo enxotados."

Ela levantou da poltrona e pegou sua mochila cheia de rabiscos feitos com canetas esferográficas coloridas. Puxou o irmão pelo braço e saiu com um "Tchau, galera". Ritinha foi atrás, caminhando hipnotizada para a saída.

Ficamos eu e Zak. Naquela sala enorme. Um muro de angústia silenciosa erguido entre nós. Aquele era o momento em que eu deveria confortá-lo, dizer palavras bonitas, passar tranquilidade.

"Firma o pé, Zak. Diz pro seu pai que vai assumir o filho. E que vai dar um jeito de sustentar o moleque", eu disse. "Mostrar confiança nessas horas é a melhor opção."

"Obrigado, Alê", ele agradeceu, mais por conveniência do que por ter me escutado. Com a cabeça baixa e os braços cruzados, ele andava de um lado para o outro.

Talvez eu devesse tê-lo abraçado ou afirmado que estaria a seu lado para o que precisasse. Mas não sabia fazer aquelas coisas. Sem mais nada a dizer, saí pela porta, calado, deixando-o sozinho com seus problemas.

22.

Capítulo 6

Acredito que existe uma força oculta que nos empurra em direção ao precipício. Uma hora você chega à beirada e percebe que precisa enfrentá-la, apesar das dificuldades...

Mas alguns não conseguem, e preferem se jogar...

Eu preferi me jogar. Analisando as opções, antevendo as perspectivas, percebi que nada mais fazia sentido: estava fadado a um funcionalismo público de merda, esquecido entre papéis, processos e regras de conduta. Não quero isso pra mim. É uma opção. Talvez a morte traga algo que a vida não me proporcionou: reconhecimento, fama, respeito...

Dan nunca teve opções. Nunca fez escolhas. Quando sua cabeça tombou para trás, batendo no chão, esguichando sangue nas pilastras, foi como uma máquina sendo desligada. Um brinquedo desmontado, sem pilhas.

Mas ele era mais que aquilo. Danilo era humano. A porra de um humano empurrado pela força oculta na direção do precipício.

A porra de um humano que, à beira do abismo, sem saber que escolha fazer, pediu ajuda a seus amigos... E nós, nós o empurramos para o fim.

Merda! Quando no início da semana começamos a preparar tudo, ficou decidido que ninguém seria obrigado a nada! Trazer Danilo conosco foi um grande erro. Cometer suicídio nunca foi uma escolha dele, mas uma ordem nossa. Merda!

Por um segundo, tudo o que eu queria era dar uma porrada no Zak. Mesmo sabendo que não teria nenhuma chance de vitória numa briga, queria mostrar a besteira que ele estava fazendo e que seus olhos inebriados pareciam ignorar! Que sentido há em acabar com a vida de uma pessoa inocente? Eu mandava na minha vida. Podia escolher se queria acabar com ela ou não. Mas Dan...

Merda, merda, merda!

No entanto, para Zak, o tiro nada mais tinha sido que o destino. Desde que tudo acontecera — a morte de Maria Clara e Getúlio no acidente —, ele havia perdido a noção de humanidade, a sensibilidade diante da morte. Zak congelara por dentro.

Sem esboçar nenhuma emoção, ele segurou as pernas curtas do Dan, cujas barras da calça estavam manchadas pela poça de sangue que se formava ao redor, e puxou o corpo até a parede à direita sem dificuldade, deixando um rastro vermelho pelo piso de madeira.

"Mas que droga!", Zak disse quando percebeu a sujeira que tinha feito. Porções de uma massa pastosa se espalhavam pelo caminho por onde passara o corpo. A cabeça do Dan se desfizera em algo desumano, irreconhecível.

Senti um peso no estômago, uma leve tontura e então uma bola líquida e requentada sair pela garganta, contribuindo para a sujeira no chão. Abri os olhos para rever meu almoço, agora transformado em uma mistura amarelada.

"Ei, Alê, a grávida aqui sou eu", Waléria disse atrás de mim.

"Fica quieta", respondi, com raiva, tentando tirar o gosto ruim da boca.

"Quem vai limpar essa sujeira?", Lucas perguntou, apontando apaticamente para o espetáculo escarlate.

"E agora o vômito. Essa porra toda vai começar a feder feio", reclamou a João, encostada em uma das poucas pilastras sem manchas de sangue.

"Tem vassoura aí?", Ritinha perguntou, mais prática. Ela pegou o elástico que tinha no pulso e enrolou os cabelos num coque. "Limpo isso rapidinho."

Puta merda! Eles falavam como se fossem cacos de vidro ou suco derramado! Nem por um segundo pareciam sentir qualquer coisa que não fosse desprezo. "Limpo isso rapidinho"?

"Foda-se o cheiro. Vamos acabar com tudo logo", defendeu Zak, enxugando a testa após ajeitar o corpo do Dan contra a parede.

Ele retirou a camisa com habilidade, exibindo os músculos trabalhados na academia. Ritinha fingiu não se abalar com seu peito nu, mas seu olhar tímido e ligeiro confirmou que ainda se lembrava dos momentos que haviam passado juntos. Waléria pareceu não ligar, mais interessada no sangue vibrante a poucos metros dos seus olhos.

Com a destreza de uma dona de casa que odeia bagunça, Zak jogou a camisa sobre o sangue, tentando empurrar as partes sólidas para um canto. Ele esfregou a blusa feito um pano de chão, empapando-a com o líquido vermelho.

"Você não vai vestir isso de novo, vai?", Waléria perguntou.

"Vou ficar assim mesmo. Está quente aqui", Zak respondeu, com calma.

Considerei tirar a camisa também. A mistura embaçada de fumaça e pessoas enfurnadas num porão claustrofóbico não tornava o lugar adequado a uma permanência tão longa. No entanto, nunca gostei de ficar sem camisa na frente dos outros. Principal-

mente de mulheres. Ao contrário da barriga do Zak, a minha não costuma receber olhares furtivos.

Inevitavelmente, olhei mais uma vez para o corpo do Dan, encostado à parede, inerte. A raiva do Zak voltou. E de mim mesmo. Eu não podia ter sido tão covarde. Tão complacente.

"Acha que agiu certo?", perguntei em tom baixo, ao pé do ouvido, enquanto segurava Zak pelo braço. Não queria que os outros escutassem. Não queria confusão.

"O que eu fiz?", retrucou ele, como se realmente não soubesse do que estávamos falando.

"Não finja que não sabe."

"Eu não sei", ele respondeu, movendo o braço com violência para escapar de mim. Zak deu dois passos trôpegos, parando logo depois. Enfiou a mão nos bolsos da calça jeans, sacou um cigarrinho de maconha e acendeu.

"Para com isso", prossegui, retirando o cigarro dos seus lábios. "Se quer mesmo se matar, é bom que esteja consciente até lá, não acha?"

"Vai se foder, Alê."

Com o palavrão, percebi que as atenções tinham se voltado para nós. A discrição acabara.

"Pensa um pouco, Zak! Só um pouco!" Joguei o cigarro no chão e o amassei. "Olha só as merdas que você está fazendo..."

"Você é um chato, Alê. Muito certinho. Muito preocupado com tudo... Eu não..."

"Você atirou na cabeça do Otto. Deixou que Danilo, que confiava tanto em você, se suicidasse. E agora mandou seu melhor amigo se foder. Tem certeza de que o errado aqui sou eu, Zak?"

Ele se calou, apoiado em mim, com dificuldade de ficar em pé. Pareceu fazer um esforço enorme para assimilar minhas palavras.

"O problema, Alê, é que você acha que é o dono da verdade. Vou te dizer uma coisa, cara: você não é! Tenta fingir que..."

"Não sou o dono de nada!", respondi, com mais rispidez. Era a única maneira de manter viva a atenção dele. "Mas não é possível que você não veja as merdas que está fazendo. É nisso que você se transforma depois de cheirar, fumar e beber? Não é possível que não reste nada do Zak que eu conheço. Do meu amigo!"

Ficamos ali parados. Senti os olhares dos outros cravados nas minhas costas, mas não virei. Permaneci onde estava, esperando que Zak reagisse, que minhas palavras surtissem algum efeito sobre ele.

"Você se faz de santo, Alê", ele disse, decidido a atirar pedras em mim, "mas não me engana... Nós trouxemos o Dan. Nós! Não venha me falar que sou o culpado pela morte dele..."

"Eu disse que era um absurdo! Pedi para girar o tambor mais uma vez! Você autorizou que ele atirasse!"

"E isso me torna um assassino?", Zak retrucou, sua voz esganiçada como se ele fosse chorar. "Fala sério, Alê! Estamos aqui pra quê? Pra falar da vida? Para ter pena dos outros?!"

Não respondi.

"Suicidas, Alê. É isso que somos. Suicidas! Covardes demais para enfrentar a merda do mundo. Covardes demais para acabar com nossa própria vida sozinhos. Precisamos disto aqui, sabe? Desta merda toda. Deste porão, desta bosta de cerveja quente, da companhia de pessoas tão fodidas quanto nós... Nem para meter uma bala na cabeça temos coragem. Não vem... Não vem dar uma de sábio... Danilo morreu porque tinha que morrer... Na verdade, ele nunca teve uma vida. Não vem querer que eu me arrependa. Não me arrependo de nada... Nada!"

"Por que você está aqui, Zak?", perguntei, tentando vencê-lo pelas suas próprias emoções. "Pelos seus pais, não é?"

Por um segundo ele pareceu que ia se render, concordar, cair em lágrimas.

"Não interessa."

"Imagina como seu pai ficaria. Ele te ensinou tantas coisas... Não ia gostar de ver você assim."

"Eles estão mortos", Zak soltou, com um esgar.

"E o fato de não estarem mais aqui permite que faça o que quiser? É isso que você faz depois de tudo o que aprendeu com eles?"

"Não aprendi nada, Alê! Não me interessa isso. Quem é você pra me dizer o que é certo ou errado? Pra julgar o que estou fazendo? Com quem você aprendeu suas certezas? Com sua família problemática?"

Zak soltou uma gargalhada, cuspindo ácido na minha ferida aberta. Ele estava jogando sujo.

"Não fala da minha família. Você sabe que..." Tentei manter a calma, para não enfiar um soco na cara dele.

"Um avô que batia na mulher e na filha! Uma avó que, de tanto apanhar, ficou maluca. Uma mãe que cresceu sendo saco de pancadas e depois virou uma corna frustrada. Um pai que nunca ligou para o filho... Quem é você pra me dar lição de moral, Alê?"

"Você não pode falar assim, Zak! Merda, isso não está certo! Sou seu amigo..."

"Você é um chato, Alê! Um chato! 'O Getúlio disse isso. O Getúlio te ensinou aquilo!' Não me enche! Cuida da sua vida!"

"Sou seu amigo, Zak. Tenho a obrigação de..."

"Me larga", reclamou ele, mais uma vez. Então se aproximou de onde estivera o corpo do Dan. Recolheu do chão a Taurus suja de sangue e a limpou na barra da bermuda.

"Ele está certo. O Alê está certo", comentou Ritinha, saindo de um dos cantos escuros do porão. Ela se recostou na pilastra mais próxima, com os braços cruzados. "Você não pode continuar agindo assim."

"Vocês devem estar de sacanagem!", explodiu Zak. "Pensam que mandam em mim? Porra nenhuma!"

"Quem vai ser o próximo, Zak?", desafiou Ritinha. "Eu? Porque estou aqui contrariando você? Ou talvez o Alê? Acha que as

coisas são simples assim? A pessoa te irrita e você mete uma bala na cabeça dela?"

"O Danilo não me irritava."

"E o Otto? Ele irritava você?"

"O Otto era um filho da puta!"

"Ele te amava, Zak. E Deus sabe como é difícil eu dizer isso, mas não duvido que você também gostasse dele!"

"Não quero falar desse assunto!"

"O mundo não funciona do jeito que você quer, Zak!", continuou ela. "Você não pode escolher do que quer ou não falar, não pode deletar as pessoas, as opiniões, só porque não são o que deseja!"

Zak se encolheu, acuado, a arma descarregada, o rosto perdido. Ele estava embriagado e tentava achar argumentos num mar de acusações esfumaçadas. Caminhou tropegamente na direção do montinho de sete balas agrupadas no saco plástico.

Ritinha se adiantou, pegando-as e fechando-as no punho direito.

"Eu carrego a arma dessa vez", disse, esticando o braço para pegar o revólver da mão dele.

Zak recuou. Manteve o revólver junto à cintura.

"Vamos, me entrega a arma!", insistiu Ritinha, nem um pouco disposta a abrir mão de carregar a Taurus.

Zak estacou por alguns segundos. Seu corpo cambaleava enquanto tentava encontrar algo convincente para dizer.

"Só eu posso carregar o revólver aqui", ele disse, com os olhos caídos e vacilantes.

"Não... isso não está certo! Quero pôr a bala na merda da arma!", reclamou ela.

"Dane-se o que você quer! Vocês são todos uns chatos! Babacas!", bradou ele, tentando nos intimidar com a arma descarregada. "Eu trouxe o revólver, porra. Não enche meu saco e me deixa carregar essa merda..."

"Você é idiota, Zak? Não vê que está na linha de fogo? Estamos todos desconfiados de você! Todos! Eu, o Lucas, a Waléria e até seu amiguinho Alê. Todos."

Momentaneamente, as palavras da Ritinha o perturbaram. Ela falava com clareza e uma rispidez doce, quase maternal.

"O que você está dizendo?", ele perguntou, o cenho franzido.

"Estou dizendo que tudo isso é muito suspeito. Como você bem disse, estamos na sua casa, usando o seu revólver. Isso quer dizer que você teve a oportunidade de armar o que quisesse..."

"Armar o que eu quisesse?", Zak pareceu indignado, os olhos afundando no rosto abatido. "O que acha que estou armando?"

"Não sei. Só ando observando. Escutando. Juntando as peças..."

"Que peças?!"

A cada frase, Zak gritava mais alto.

"Primeiro o Otto. Morreu na hora mais conveniente pra você. Ele estava contando pra todo mundo seus podres, e a bala saiu quando você atirou. Depois o Dan. Um pobre coitado. O único que puxaria o gatilho sabendo que o revólver ia disparar..."

"Cala a merda dessa boca, Ritinha. Eu também puxaria o gatilho. Por isso, mandei Dan atirar. Eu atiraria! Ou você esquece que estamos aqui para morrer?", ele gritou.

Ritinha hesitou, mas logo ganhou coragem:

"Sim! Estamos aqui para morrer! Mas não desse jeito! Não sob as suas ordens! Não somos seus bichinhos de estimação, merda!"

"Mas..."

"Eu estive pensando, Zak", interrompeu ela. "Estive pensando naquela coisa toda que você disse quando chegamos. As regras da roleta-russa. O último pode escolher entre morrer com os outros ou viver..."

"Sim", concordou ele, como se fosse a coisa mais óbvia do mundo. "Ninguém vai estar aqui para obrigar a última pessoa a se matar..."

"Claro, eu entendi", ela disse, sem se abalar. "Mas é justamente nisso que eu estava pensando... Não sei... É apenas uma ideia..."

"Aonde você quer chegar?", ele perguntou.

Eu também queria saber.

"Calma... Vou explicar...", prosseguiu Ritinha. "É que... estou achando que você vai ser o último, Zak. Quer dizer, de alguma forma, você está nos controlando, matando um por um, pra ficar sozinho no final e..."

"Puta merda, do que você está falando?!"

"Para ficar sozinho no final e..."

"E o quê?!", berrou meu amigo, irritado.

"Não sei", desistiu Ritinha. "Realmente não faz sentido... Foi apenas uma sensação estranha..."

"Você acha que estou matando vocês?! Ritinha, eu não sou Deus! Otto e Dan deram azar! A culpa não é minha! Se eu quisesse matar vocês, seria muito fácil... Esqueceu que eu estou com o revólver?"

"É... Mas as balas estão comigo agora... E eu quero a arma — ela disse, voltando ao tom desafiador."

"Você está bêbada, drogada e sei lá mais o quê!", Zak desdenhou, apontando a arma para Ritinha, os dedos enlaçados no cabo com firmeza.

"Talvez eu esteja bêbada... Talvez tudo isso que eu disse seja uma grande besteira e você seja um pobre injustiçado... Mas não sei. A sensação esquisita continua. Por isso, só por via das dúvidas, eu quero carregar a arma dessa vez."

"Merda, eu já disse que não! Entendeu? Não!", Zak gritou.

"Vocês vão ficar nessa discussão até amanhecer e não vamos chegar a lugar nenhum!", reclamou a João.

"Isso mesmo", concordou Lucas.

"Zak realmente se excedeu com eles dois", continuou a João, apontando para o que restava do Otto e do Dan. "Mas não acho

que ele esteja armando nada. Não acho que queira nos matar. E acho que ele deve continuar carregando o revólver."

"Vocês só podem estar cegos! Ele vai nos eliminar um por um!", protestou Ritinha.

"Concordo com minha irmã. Zak trouxe a arma. Ele a carregou até agora. E deve continuar fazendo isso", comentou Lucas.

"Também acho", eu disse, sem querer me envolver muito.

"E você, Waléria? O que acha?", perguntou a João.

"Pra mim tanto faz, merda. Não me interessa quem vai carregar a arma."

"Eu apoio a Ritinha!", gritou Noel, com a voz fraca. "Acho que o que ela disse do Zak faz sentido."

"Cala a boca, seu babaca. Você gosta dela! Seu voto é tendencioso!", brigou Zak, enfurecido, as gotas de suor pingando do rosto.

"Qual voto aqui não é tendencioso?!", retrucou Ritinha. "Eles são seus amigos, Zak! Eles estão do seu lado porque são seus amigos!"

"Nós ganhamos, Ritinha", argumentou a João. "Quatro a dois. Entrega as balas para o Zak."

"Droga, isso é um absurdo!", reclamou ela, sem ceder, o punho segurando firmemente a munição.

"Isso é democracia", Lucas respondeu. "Vai reclamar com os filósofos políticos no outro plano."

"Merda!", chiou Ritinha, jogando as balas no chão. Elas tilintaram, rolando pelo assoalho.

Zak soltou alguns palavrões. Recolheu as balas depressa, sem grandes problemas, já que elas não tinham se afastado muito. Guardou-as no bolso da bermuda, deixando uma única na mão. Ritinha se aproximou para conferir o que ele faria. Sem se incomodar, Zak introduziu a bala no tambor e o girou com rapidez.

"Satisfeita?", ele perguntou, fechando a arma.

Ela não respondeu. Apenas se afastou, mantendo o ar de desconfiança e se sentando na parte menos suja do porão. Noel e Waléria se sentaram a seu lado.

"Não vou formar mais merda de roda nenhuma. Não somos crianças retardadas para ficar sentando assim", Zak disse.

"Concordo", apoiou Lucas. "Eu começo."

Ele pegou o revólver das mãos do Zak sem exibir nenhuma preocupação. Parou no meio de nós e, com os olhos fechados, levou a arma à cabeça.

"Sem frase dessa vez", murmurou, puxando o gatilho.

O estampido seco ecoou pelo porão. O tambor fez seu giro inócuo, esperando desafiadoramente o próximo.

"Posso ir, Zak?", perguntou a João.

Ele concordou.

"Então aqui vou eu", murmurou ela, meio vacilante, tomando o revólver das mãos do irmão. A João segurou a arma com seu jeito másculo, seus braços troncudos e brutos. Assim como Lucas, não pestanejou. Direcionou o cano para a própria têmpora e puxou o gatilho.

Clique.

Novo giro.

Ela baixou o braço, arfante. Buscou apoio nos ombros do irmão. Os cabelos curtos emolduravam o misto de alívio e medo estampado no rosto.

"Uau!", ela gritou, sentindo a adrenalina nas veias.

"Me dá o revólver", pediu Zak.

A grande verdade é que estávamos desgastados. A cada tiro, morria a própria vontade de morrer. Vinha o desejo de deixar toda aquela merda para trás, de dar mais uma chance ao mundo, de tentar mais uma vez.

Mas eu não queria tentar mais uma vez.

Nem Zak.

Ele se apoiou em uma das pilastras com a perna esquerda dobrada, dificultando o equilíbrio. Levantou a arma ao mesmo tempo que fechei os olhos. Não queria guardar a imagem do Zak morrendo, sua cabeça transformada numa massa orgânica. Preferi a escuridão. E os sons.

Silêncio.

Clique.

Silêncio.

Abri os olhos para deparar com um Zak descrente, cabisbaixo. Olhei-o nos olhos, tentando mostrar que eu continuava ali para o que precisasse, que nossa briga não tinha mudado em nada a amizade. Mas ele não percebeu. Sua mente esfumaçada não nos via mais com nitidez. Éramos sombras escuras, seres vagando pelo porão abafado.

"Ritinha!", sentenciou ele, passando a arma.

Noel fez que ia impedi-la de novo, mas se deteve. Não adiantaria. Ela queria morrer.

Ela pegou o revólver exalando coragem e determinação. Lançou um olhar superior ao Zak, escondendo a hesitação sob o véu do ar esnobe. Demorou a erguer a arma. Caminhou pelo porão, parando num canto escuro, como se fugisse da atenção de todos. Então, levou o revólver à cabeça, o cano se perdendo entre os fios de cabelo avermelhados. Ela olhou para cada um de nós enquanto o indicador pálido alisava o gatilho. Quando passou por mim, desviei o olhar. Não conseguiria vê-la morrer. Não conseguiria ver ninguém ali morrer. A imagem do Dan se desfazendo ao meu lado, pouco depois de me encarar com um ar desafiador, ainda martelava na minha cabeça. Insistentemente.

Fechei os olhos.

Silêncio.

A curiosidade me venceu, e abri uma fresta para ver o que acontecia, como a criança que esconde o rosto na cena de terror, mas aca-

ba dando um jeito de assistir ao monstro em ação. Ainda tive tempo de ver Ritinha encostada na parede, a pele branca em destaque no canto escuro. E então, como se meu olhar acionasse o gatilho, ela atirou. Daquela vez, não ouvi o clique. Tampouco houve silêncio.

Pow!

Numa fração de segundo, a arma abandonou a mão dela, caindo no chão. O corpo foi lançado para a esquerda, enquanto um esguicho de sangue saiu da cabeça e tingiu a parede de escarlate. Ela caiu de bruços, os cabelos desgrenhados, empapados de sangue, cobrindo o rosto. As pernas tortas registravam o impacto da queda.

"Ritinha!", gritou Noel, acordando de sua letargia. "Ritinha!"

Ele correu na direção do corpo, como se pudesse reavivá-lo, rebobinar a fita e evitar que tudo aquilo acontecesse. Acariciou os cabelos dela, as mãos trêmulas se tingindo de sangue, e começou a chorar. Não um choro seco, particular. Esperneou feito uma criança que vê o cachorrinho ser atropelado por um caminhão. Soluços. Gritos. Carícias.

"Foi você, seu filho da puta!", Noel berrou, largando o cadáver e partindo para cima do Zak, sem temer. "Seu filho da puta!"

Zak recuou, erguendo os braços num tom apaziguador. Vi em seus olhos que estava chocado com o que tinha acabado de presenciar.

"Eu não..."

"Ritinha estava certa! Ela te desmascarou!", continuou Noel. "Você carregou a arma. Você passou a arma para ela, seu desgraçado!"

Noel não sabia se chorava ou se lutava. Estava enfraquecido, como se fosse seu sangue se espalhando pelo chão de madeira. Ele respirou fundo, tentando se recuperar. Voltou a investir contra Zak, dando chutes ao léu. Lucas o impediu, segurando-o pelas costas.

"Seu filho da puta! A culpa é toda sua! Toda sua!"

"Minha culpa?!", Zak respondeu, irritado. "Você sempre gostou da Ritinha, mas ela o ignorava! Nunca ligou para você! Ela

não choraria uma lágrima sequer por sua morte... E você vem dizer que a culpa é minha?"

Zak apanhou a camisa no chão e caminhou na direção do corpo. Jogou o pano sobre a cabeça dela, escondendo o rosto desfigurado pelo tiro.

"Seu filho da puta!", repetiu Noel, livre das garras do Lucas, mas ainda no mesmo lugar, entorpecido. "Seu filho da puta!"

"Fica quieto, Noel! Você não vê que a vida te deu uma bela oportunidade? A Ritinha está morta. Morreu antes de você... Esta é sua chance!", gritou Zak, com o rosto vermelho, suado. Com agilidade, ele enfiou as mãos na blusa da Ritinha e, fazendo força, rasgou-a, revelando os seios brancos e rígidos. "Fode com ela, Noel! Não é isso que você sempre quis? Fode com a Ritinha! Dessa vez, ela não vai poder te impedir..."

23.

VÂNIA (*com a voz chorosa*): Meu Deus, ele não pode... Como... (*choro*) Como alguém pode ser capaz de propor isso? (*soluços*) O que minha filha fez pra ele?

SÔNIA: Monstruoso! Nojento! Desumano! (*pausa*) Eu... Eu não sei onde isso tudo vai parar! Não sei mais o que esperar do Zak... Ele parece capaz de tudo! De tudo!

DIANA: Esse é o final do capítulo seis. Algum...

VÂNIA: Não vamos ficar aqui sentadas ouvindo essas coisas... Será que não se pode sequer sofrer sozinha a perda de uma filha? (*choro intenso*) É preciso isso tudo?

DIANA: Já falamos sobre isso, Vânia. É necessário que...

VÂNIA: Não me interessa o que é necessário, merda! (*pausa*) Isso é muito errado! O que Zak pretendia? Todas essas atitudes... Essa violência gratuita... (*pausa*) Nunca convivi com ele, claro... Mas como é possível que alguém possa esconder essa maldade por tanto tempo? Como é possível que o Alessandro nunca tenha percebido nada?

OLÍVIA: Talvez ele soubesse... mas não tenha contado para ninguém...

DÉBORA: Meu filho cresceu com Zak. Eram amigos desde pequenos. Eu mesma conhecia o Zak muito bem. Ele não era assim...

VÂNIA: E como você explica todas essas barbaridades? (*com a voz exaltada*) Você... Você viu o que ele propôs ao Noel?!

DÉBORA: Não sei explicar.

DIANA: Zak estava acuado, sendo acusado por todos, inclusive pelo seu melhor amigo. (*pausa*) Toda essa violência desenfreada é um mecanismo de defesa. Ele ataca, fere e mata, com medo do que possa acontecer caso fique passivo.

VÂNIA: Minha filha tinha acabado de morrer, e ele propôs que o Noel fizesse sexo com ela! Isso não é uma defesa! (*soluços*) É uma monstruosidade!

DIANA: Não estou querendo justificar nada. (*pausa*) Estavam todos bêbados, alienados pelas drogas, mais violentos do que normalmente... Zak se sentiu ameaçado, todos o confrontavam com perguntas e desconfianças... Em vez de recuar, ele atacou. Não me parece uma demonstração de loucura, e, sim, de medo. Medo de sofrer mais um choque, como o da semana anterior.

REBECCA: Mais uma vez essa merda de acidente servindo como motivo para ele cometer suas atrocidades... (*com a voz exaltada*) A morte dos pais dele não pode justificar essa violência! É um absurdo!

DIANA: Alessandro em nenhum momento narra que Zak carregou a arma e entregou a Ritinha propositadamente. Ao contrário, diz que ele ficou chocado quando o revólver disparou... (*pausa*) É possível que ela tenha morrido por acaso. Não podemos afirmar nada.

VÂNIA: Ah, delegada, se acha que somos idiotas, por que não diz logo? (*pausa*) Zak atirou no Otto de propósito assim que ele começou a falar algumas verdades. Depois, morreu o Danilo. Como disse minha filha, só ele ia aceitar atirar naquele momento. E então, depois de falar tudo isso na cara do Zak, minha filha morre ao apertar o gatilho de uma arma que o desgraçado entregou nas mãos dela. (*pausa*) O que mais você quer?!

DIANA: Eu só disse que não temos certeza.

VÂNIA: Basta acompanhar os fatos!

DÉBORA: Não quero ouvir mais nada. (*pausa*) Posso ir embora?

DIANA: Débora, por favor, fique...

DÉBORA: Vi o Zak crescer, delegada. Eu o segurei no colo, coloquei para dormir... Não é possível que eu seja tão cega. (*pausa*) Elas estão certas... Ele agrediu nossos filhos. Se estão mortos, a culpa é do Zak. Mas eu simplesmente não consigo! (*pausa*) Não consigo ficar ouvindo essas coisas e pensar que pode ser verdade! Que eu convivi com alguém assim por tanto tempo! Que meu filho foi amigo de alguém tão obsceno e podre! (*choro*) Eu não... não quero estar aqui quando esse livro acabar... Quando Zak atirar no meu filho... Puta merda, eles eram melhores amigos!

DIANA: Débora... (*pausa*) Não podemos obrigar você a ficar aqui. Esta é uma reunião informal, não compulsória. (*pausa*) No entanto, peço que reflita bem antes de ir. Como mãe do Alessandro, sua presença é chave para uma possível solução. Você conhecia Zak melhor do que todas nós. E era grande amiga do casal Vasconcellos.

DÉBORA: O que a Maria Clara e o Getúlio têm a ver com isso?!

(*silêncio — quatro segundos*)

DIANA: Foi só um comentário. (*pausa*) Estou tentando mostrar como sua presença é importante nesta reunião. Você era íntima de grande parte dos envolvidos. Pode perceber algum detalhe que deixaríamos passar...

DÉBORA: Vocês querem entender como as coisas podem ter terminado daquele jeito, não é? Não é pra isso que estamos aqui? (*pausa*) Pois preste atenção, delegada. Não conheço esse Zak que está fazendo todas essas coisas! Nem esse Alessandro! Meu próprio filho! Não interessa quantos anos tenha convivido com eles, simplesmente não os reconheço… Meu filho nunca aceitaria passivamente essas atitudes do Zak. Mas ele deixou que atirasse no Otto… (*pausa*) Não sei quem ele é! Não posso dizer nada sobre nenhum deles… Minha presença aqui é totalmente inútil.

DIANA: Mas…

DÉBORA: Me deixe terminar, delegada. (*pausa*) Você sabe o que vai acontecer no final? Não vamos descobrir nada! Absolutamente nada! Teremos passado essa maldita tarde aqui, vendo nossos filhos morrerem um a um, inutilmente… (*choro*) Vocês querem um motivo racional para aquilo. Querem entender por que os corpos foram encontrados naquele estado… Mas não há motivo. Não há lógica. Não há nada de racional ou humano nisso tudo. E não estou falando só do Zak. Estou falando do meu filho também. E dos filhos de todas vocês.

OLÍVIA: Uau! (*riso seco*) Foi um belo discurso, Débora.

DÉBORA: Não me provoque…

OLÍVIA: Por que esse surto repentino? Ficou incomodada com alguma coisa no texto do seu filhote? (*pausa*) Talvez porque o Zak tenha falado do seu pai… Ou por ter chamado você de corna… Como ele disse mesmo? Corna frustrada?

DÉBORA: Sua cretina, não admito que fique falan…

OLÍVIA: Não precisa me ofender, querida. (*pausa*) Só acho importante esclarecer esses pontos sobre seu passado… Afinal, quem falou deles foi Zak, e não eu…

SÔNIA: Olívia, você parece gostar de espalhar a discórdia!

OLÍVIA: Eu…

DIANA: Débora, não precisa responder. (*pausa*) Não achamos que esses fatos tenham qualquer relação…

DÉBORA: Meu pai era um monstro. (*com a voz chorosa*) Um militar rigoroso, violento. Batia na minha mãe, batia em mim. Depois que casei e tive Alessandro, batia nele também. Ninguém conseguia impedir. Meu pai se meteu com política nos anos 1980 e virou deputado estadual... Um infeliz intocável. Com ele, a lei não funcionava. (*pausa*) Morreu quando Alessandro tinha doze anos. Um ataque cardíaco durante o café da manhã... (*com a voz levemente chorosa*) Aquele foi o dia mais feliz da minha vida. Era a pessoa mais cruel que conheci até hoje, e a velhice não o mudou. Meu próprio pai. (*pausa*) Minha mãe enlouqueceu pouco depois, sonhando que ele voltava durante as noites para violentá-la. Teve que ser internada numa casa de repouso. (*pausa*) Também casei com um canalha que me trocou por uma piranhazinha mais nova. (*pausa*) Definitivamente, não tive uma vida de contos de fadas... Mas não vou ficar reclamando. (*pausa*) Satisfeita, Olívia?

(*silêncio — três segundos*)

DIANA: Débora, você não precisava...

DÉBORA: Falei porque quis. Para tirar esse ar de superioridade com que ela olha pra todas nós...

OLÍVIA: Não olho com ar nenhum pra vocês. (*com a voz confusa*) É que...

DÉBORA: Não precisa se justificar, Olívia. (*com a voz ríspida*) Eu já disse tudo. Meu pai era violento, minha mãe enlouqueceu, meu marido era um canalha, um câncer quase me matou e meu filho era um suicida. Parece muita desgraça pra uma pessoa só, não é? (*silêncio — três segundos*) Mas estou aqui. Bem menos ranzinza e infeliz do que você. Bem menos.

DIANA: Por favor, não vamos entrar em mais uma discussão...

OLÍVIA: Eu não quis ser grosseira. Só achei que... (*pausa*) Alessandro ficou bastante chocado quando Zak falou isso na frente de todos. Achei que pudesse ter alguma relevância ou... (*pausa*) Peço desculpas se ofendi você.

DÉBORA: Você não me ofendeu, Olívia. Fique tranquila. Não se preocupe comigo. É só que... (*pausa*) Isso tudo já ultrapassou o aceitável. Fiquei aqui sentada, escutando, quase literalmente vendo Zak matar esses jovens, falar mal da minha família. Para mim, é o suficiente. Cansei.

(*ranger de cadeiras*)

(*passos agitados*)

DIANA: Espere, Débora, por favor. Repense tudo o que discutimos. Sair agora é minar o sucesso desta reunião.

DÉBORA: Esta reunião está fadada ao fracasso. Você é delegada. Sabe disso.

DIANA: Débora, uma mulher que passou por tudo o que você passou não pode desistir assim! Se já começarmos pensando em fracasso, não vamos conseguir nada, não acha?

OLÍVIA: Isso é psicologia barata.

DIANA: Não seja precipi…

DÉBORA: Estou passando mal, delegada. Minha cabeça está latejando. Preciso espairecer um pouco… (*passos*) Continuem sem mim. Eu volto.

DIANA: É preciso da presença de todas para que…

DÉBORA: Mas que droga! Não tenho nem o direito de não querer escutar o garoto transando com uma menina morta?! (*com a voz exaltada*) Não quero estar aqui para isso!

(*vozes exaltadas*)

DIANA: Por favor, fiquem calmas!

VÂNIA: Também vou sair.

OLÍVIA: Então saia! Se não quer escutar, saia! (*pausa*) A delegada mesma disse: é uma reunião informal. Fique lá fora esperando com a Débora. Acampem no corredor… Não me interessa! Vou ficar sentadinha aqui. Quero escutar todos os detalhes…

(*passos agitados*)

(*ranger de cadeiras*)

DÉBORA: Você é uma sádica!

OLÍVIA: Pouco importa. Estou no meu direito de sádica. (*pausa*) E a sádica quer escutar o próximo capítulo.

ROSA: Não acho que…

OLÍVIA: Não sejam ridículas! Rosa ouviu Otto ser torturado e assassinado. Sônia não fugiu quando Alessandro narrou a morte do filho dela. Por que iríamos pular um capítulo agora? Só porque a vítima é uma mulher? (*pausa*) Não é à toa que nos consideram inferiores…

ROSA: Concordo com a Olívia.

VÂNIA: Cansei disso tudo. Adeus pra vocês! (*passos apressados*) Quando o nível melhorar um pouco, me chamem no corredor.

(*porta batendo*)

DÉBORA: Também vou. Preciso de um pouco de ar.

DIANA: Então… quando passarmos essa parte, chamo vocês duas.

SÔNIA: Eu realmente entendo a posição da Olívia. De querer ouvir, digo… (*pausa*) Mas já que tenho a opção… também prefiro me retirar.

(*passos*)

(*porta batendo*)

DIANA: Vocês quatro vão ficar?

(*silêncio — oito segundos*)

(*farfalhar de papéis*)

DIANA: Tudo bem então. Vamos ao capítulo sete…

24.

DAS ANOTAÇÕES DE ALESSANDRO PARENTONI DE CARVALHO
CASO CYRILLE'S HOUSE
IDENTIFICAÇÃO: 15634-1206-08
ENCONTRADO EM 10/9/2008, NO QUARTO DA VÍTIMA SUPRACITADA
OFICIAL RESPONSÁVEL: JOSÉ PEREIRA AQUINO, 12ª DP, COPACABANA

12 de junho de 2008, quinta-feira

O amor não tem limites.

Esta é uma verdade estampada no para-choque de caminhões pelo Brasil afora.

Nunca fui tão abertamente romântico. Talvez pela discrição correndo nas veias, herdada dos ascendentes mineiros do meu pai. Talvez porque nunca amei ninguém de verdade. Quer dizer, amo minha mãe, minha avó... Mas esse amor está implícito, não? O amor declarado tem um quê de físico, de carnal. E esse amor, carregado de sexualidade, só senti uma vez. Não posso realmente dizer que estive apaixonado, mas foi algo diferente. Por mais piegas que possa parecer, perdi algumas noites de sono e ganhei uma boa dose de receio para as paixões seguintes. Típico dos amores frustrados.

Eu tinha treze anos e ela, quinze. Seus olhos verdes brilhavam diante dos adolescentes de dezoito. Ela nem pensava em olhar para mim, um pirralho. Acho que nunca soube que eu gostava dela. Nós nos encontramos por dois longos e maravilhosos anos, todas as terças e quintas, na minúscula salinha do curso de inglês. Ela sentava lá na frente, perto da professora, e respondia calorosamente a todas as perguntas enquanto brincava com as mechas loiras do cabelo. Eu, lá atrás, esquecido na cadeira, era ofuscado pelos alunos mais velhos.

Hoje, ao ler a frase no vidro traseiro de um Corsa vermelho, veio à minha mente toda essa história. Ela sempre esteve guardada em algum lugar da memória, esperando para vir à tona. Por um segundo, voltaram os pensamentos e as sensações daquela época: a paixão secreta, cultivada silenciosamente por tanto tempo; as declarações de amor planejadas durante a noite; as palavras bobas que eu dizia para me arrepender logo depois.

Eu podia jurar que tinha acabado. O curso de inglês terminou, e eu não a via fazia mais de três anos. Não sinto mais a atração física de antes: a aura de perfeição que fantasiei se perdeu por completo. Mas, ainda assim, ao ler a frase sobre o amor, foi ela quem me veio à mente, confirmando que, se ela me chamasse, eu correria atrás feito um idiota. Pelo menos por um bom tempo.

Eu provavelmente teria divagado mais sobre minha paixão da puberdade se não estivesse atrasado para a aula de sociologia jurídica. Tinha que entregar o relatório crítico sobre Foucault.

O sol estava forte, e as pessoas entravam na universidade de óculos escuros. Eu caminhava quase de olhos fechados, incomodado com a claridade invadindo meus óculos de grau. Foi assim que vi o Corsa vermelho entrar no estacionamento da Uerj. Presa ao teto, estava uma caixa de som. Amarradas aos vidros, bexigas coloridas batiam umas contra as outras, agitadas. Só depois vi o adesivo colado ao vidro traseiro, com dois corações pontuando o fim da frase.

Eu adoraria ficar assistindo ao espetáculo em pleno estacionamento, provavelmente com direito a música alta, declarações, abraços e tapete vermelho. Mas não havia tempo. Subi as escadas, chegando ao hall dos elevadores.

"*Parabéns pra você! Nesta data querida!*", começou a musiquinha, vencendo as paredes e invadindo meus ouvidos. "*Muitas felicidades! Muitos anos de vida!*", terminou o coro artificial, saindo em alto volume da caixa de som. Mesmo no sétimo andar, onde minha aula já tinha começado, aquele barulho festivo devia estar atrapalhando.

O elevador abriu as portas, mas não pude subir. Toda a minha turma saiu do cubículo, indo apressada na direção do portão.

"O que foi?", perguntei, puxando Zak pelo braço. Ele parecia agitado e não se deixou deter. Continuou andando e fui obrigado a segui-lo. "César faltou?"

A falta de um professor é algo mais do que comum numa universidade pública carioca.

"Vem, Alê!", ele disse, sem me olhar. "Não está ouvindo a música?"

"O que tem a música?"

"Você vai ver!", murmurou ele, como uma criança que persegue um disco voador.

Voltamos ao estacionamento, onde uma rodinha de pessoas tinha se formado ao redor do carro vermelho. O motorista, que era um gordinho careca, exibia um ar de cansaço enquanto estendia um tapete vermelho improvisado no chão sujo.

Feito isso, esperou a música da Xuxa terminar. Ele pegou um microfone e uma folha de papel no porta-luvas.

"Parabéns, parabéns, parabéns!", leu ao microfone. "Hoje é seu aniversário, Ritinha! E é com muita emoção que trago essa mensagem de amor, carinho e afeto para você..."

Por um segundo, fiquei zonzo. Depois, fui invadido por uma série de pensamentos avulsos.

A voz monótona do careca: "Hoje é seu aniversário, Ritinha!".

Noel na rave do sábado anterior: "Quinta-feira é aniversário da Ritinha... e... Eu gosto dela... Quero fazer uma surpresa...".

Senti vontade de rir, gargalhar como nunca. Noel contratara a porra de um serviço de mensagens animadas para se declarar para Ritinha! Ridículo e hilário ao mesmo tempo!

Contive-me. Zak pareceu não se importar com a discrição e começou a rir alto enquanto o careca tentava emocionar com seu texto raso.

"... e essa moça se tornou uma mulher admirável. Uma mulher linda e apaixonante que encanta a todos ao seu redor. Rita Antunes Peixoto, a Ritinha, que hoje completa vinte anos, merece uma salva de palmas!"

Ele colocou o microfone sob o braço e começou a bater palmas, esperando que o acompanhássemos. Procurei o rosto da Ritinha no meio das pessoas. Nessas horas, a expressão do aniversariante é algo impagável: uma mistura de vergonha, felicidade e medo. Mas ela não estava perto do carro, tampouco no portão de entrada. Em meio à minha busca, encontrei Noel. Do último degrau da escada, ele estudava a reação das pessoas, sem aparentar ansiedade. Parecia saborear cada palavra dita pelo careca, concordando instintivamente com a cabeça.

"... e então nos conhecemos. Ritinha, aproveite! Hoje é seu dia! Um grande beijo!", o homem continuou, inexpressivo. "Agora, uma pessoa querida quer dizer algumas palavras..."

Ritinha emergiu da multidão. Seu rosto estava vermelho, da cor dos cabelos. Não havia ali nenhum traço de felicidade ou gratidão, só um rancor de sobra. Vestia uma calça jeans justa e uma blusinha amarela sem nenhum enfeite. Passaria despercebida naquela data não fosse seu nome sendo gritado na caixa de som para toda a universidade.

"Noel, o microfone é todo seu!", terminou o careca.

Noel se aproximou do Corsa, o corpo encolhido, os olhos amedrontados, perdidos na beleza da Ritinha.

"Bem...", ele começou, testando o som. "Eu... Eu não sei muito o que dizer... É só que..."

Ritinha balançou lentamente a cabeça, com os olhos fechados. Bastava um peteleco para ela explodir.

"Hoje é seu aniversário... e eu gosto tanto de você!", Noel disse, o microfone trêmulo nas mãos. "Tanto, tanto! Só queria demonstrar isso pra você... Que pra mim você não passa em branco. Que é importante para minha..."

Noel ficou emocionado. Seus olhos se encheram d'água. O número de pessoas ao redor crescia, segurando pastas e mochilas, dispostas a chegar atrasadas à aula para assistir ao espetáculo.

"Essa foi a única coisa que pude fazer... Sei que você está com vergonha. Mas eu não tenho vergonha. Nenhuma... Eu te amo, Ritinha. E pode apostar que ninguém te ama como eu", Noel terminou, com um suspiro.

Sei bem como ficam os homens quando apaixonados: frágeis, tolos.

"Na verdade...", Noel respirou fundo, enchendo-se de coragem. "Eu queria fazer uma pergunta. Uma só..."

A pequena multidão soltou uma exclamação de carinho, antevendo o pedido.

"Ritinha... Você aceita namorar comigo?"

Pronto. Aquele era o estopim.

Ela balançou a cabeça novamente. Parecendo ignorar todas as pessoas, desde as menininhas emocionadas até os marmanjos que caíam na gargalhada, caminhou depressa na direção do Noel e o segurou pelo braço com rispidez.

"Você é retardado, Noel?", Ritinha perguntou, cortante. Ela falou em tom baixo, mas a bronca foi captada pelo microfone e emitida pela caixa de som. "Desliga essa porcaria!"

Ritinha tomou o microfone das mãos inertes dele e o desligou.

Tive que me aproximar para ouvir o restante da discussão.

"... e não é assim que se faz. Você tem noção do mico que estamos pagando?!"

"Mas, Ritinha...", começou ele, tentando argumentar. "Eu te amo. Gosto muito mesmo de você... Queria fazer alguma coisa no dia do seu aniversário..."

Ele tentou acariciar os braços dela enquanto falava, mas Ritinha desviou.

"Você está fazendo tudo errado, Noel. Não adianta... Eu não te amo... e... estou enrolada com outro cara..."

"Zak?", ele perguntou, engasgado, um brilho de ódio revelado no olhar.

"Não... Não é o Zak... E, na verdade, isso não te diz respeito!"

"Vi que vocês sumiram na semana passada. Na casa dele. Enquanto estávamos fazendo o trabalho..."

"Não seja ridículo, Noel. Você não pode ficar controlando minha vida assim. Não vai conseguir nada comigo agindo desse jeito!"

"Sei que você gosta dele!", Noel murmurou, como se fosse uma ofensa. "Só porque ele é rico, fortinho, metido... Mas ele não gosta de você, Ritinha... Zak não te ama como eu te amo..."

"E eu não te amo como você me ama, Noel. Entenda isso! Manda esse carro embora daqui. Se você quer que eu continue tratando você bem, como um amigo, acaba com isso! Vamos viver normalmente, sim?"

"Não consigo mais...", choramingou ele.

Por um instante, tive pena. Mas, então, ele caiu na tentação mais deprimente possível: ajoelhou diante dela, olhos nos olhos, as mãos enlaçadas, como quem espera receber uma bênção divina.

"Me dá uma chance, Ritinha. Uma única chance para eu mostrar como te amo. Se der certo, ótimo... Se não der... Pelo menos a gente tentou..."

"Nem pensar, Noel. Fica em pé. As pessoas estão olhando!"

"Não me importo com as pessoas, já disse", ele murmurou. "Uma chance... Um único beijo. E nada mais. Um beijo... Não pode ser tão horrível assim, pode?"

"Mais do que você imagina, Noel", retrucou ela, cínica. Ritinha agitou os braços com força, fugindo da cena patética. Girou a cabeleira ruiva no ar, dando as costas para ele, e caminhou apressada em direção ao portão da universidade. "A festinha acabou!", gritou, enquanto batia palmas para espantar a multidão.

O careca do carro de mensagens animadas acatou o recado e recolheu o tapete vermelho, jogando-o desajeitadamente pela janela traseira. Entrou apressado no Corsa e girou a chave na ignição.

"Espere um pouco", pediu Noel, batendo contra o vidro dianteiro. "Eu já volto."

Ele tentou alcançar Ritinha. Ela já subia as escadas rumo ao hall dos elevadores. Num gesto impensado, Noel enlaçou-a por trás, imobilizando-a.

"Não foge de mim assim", ele disse, em tom de súplica.

Noel aproximou o rosto. Ritinha baixou a cabeça, tentando escapar do beijo na bochecha, mas não conseguiu.

"Me larga!", ela esperneou. O grito ecoou pelas rampas da universidade.

Noel obedeceu. Mais uma tentativa e a comemoração dele terminaria na delegacia.

"Desculpa, eu..."

"Você é podre, Noel!", gritou ela. "Podre!"

A multidão se moveu para o interior da universidade, acompanhando o drama.

"Eu só queria..."

"Você é um retardado! Um merda! Acha mesmo que qualquer ser humano normal ia gostar de ter um carro berrando seu nome pela faculdade no dia do aniversário?"

"Desculpa... Só quis agradar você..." Ele estava prestes a chorar. "Só queria ter uma chance..."

"Nunca! Você escutou? Eu nunca ficaria com você! Nunca beijaria você! Nunca! Nem morta!", ela esperneou. "Nem morta!"

"Não fala..."

"No dia em que eu te der uma chance, podem me internar num hospício, porque eu vou estar louca. Louca! Não aguento mais olhar pra sua cara. Nem pense em vir atrás de mim!", ela disse, tomando a rampa para os andares superiores.

Noel permaneceu estático, observando sua musa sumir. Ninguém se aproximou para consolá-lo. Os cochichos esvaneceram, e aos poucos a multidão se dissipou.

Zak se apoiou em mim, rindo a valer.

"Essa foi a coisa mais engraçada que já vi!", ele soltou, sem se importar que Noel o escutasse.

Puxei-o pelo braço em direção à saída. Se ele queria rir escandalosamente, que pelo menos não o fizesse na frente do cara.

"Noel acha que a culpa é sua", eu disse, tentando fazer com que parasse de gargalhar.

"O quê?"

"Você não ouviu? Ele acha que a Ritinha não quer ficar com ele porque está com você..."

"Não estou com a Ritinha..."

"Se você está ou não, não importa. A questão é que ele acha que a culpa é sua..."

"E daí?"

“E daí que ele é apaixonado por ela. E é maluco. Um cara que faz o que ele fez é doido de pedra.”

“Um cara que faz isso tem senso de humor”, ele respondeu, entre risadas. “Muito senso de humor!”

“Não estou brincando, Zak. Toma cuidado”, alertei. “Ele é obcecado por ela. E você está no caminho, atrapalhando. Noel pode tentar fazer alguma coisa contra você... Para te tirar da jogada...”

“Fala sério, Alê! O que você acha que aquele babaca pode fazer contra mim?”

“Não sei, mas... É melhor tomar cuidado.”

“Pode ser”, ele disse, encerrando o assunto.

O sol castigava nossa cabeça. Noel foi falar com o careca do Corsa. Conversaram por menos de cinco minutos. Depois, o infeliz foi embora, cabisbaixo.

Observei o carro se afastar, a frase sumindo junto: “O amor não tem limites”.

À primeira vista, me pareceu algo profundamente romântico. Mas, pensando bem, aquelas cinco palavras singelas podiam assumir diversos significados. A infinitude do amor podia ser sadia, trágica, doentia e até engraçada.

Naquele dia, foi engraçada.

25.

Capítulo 7

Noel titubeou. Ele virou a cabeça, com os olhos chorosos. A proposta era absurda, desumana. Mas o abalou. Ele curvou o corpo, as palavras se perderam antes de sair da boca e as acusações contra Zak cessaram. A ideia de ter Ritinha nos braços o inebriava.

"Não consigo", ele murmurou, com a voz engasgada.

Noel se recostou na parede. Permaneceu assim por algum tempo, como se esperasse o sol vir acordá-lo de um pesadelo na madrugada. Ele chorou. Os olhinhos perniciosos rodopiaram pelo porão, molhados e vermelhos, desviando vez ou outra para os seios da Ritinha, que permaneciam à mostra.

"Sei que você a quer", prosseguiu Zak, percebendo os olhares furtivos do Noel. "Você a quer, cara... Viva ou morta. Não faz a menor diferença. É a trepada dos seus sonhos."

Ele pareceu degustar as palavras do Zak. Crispou os lábios. A mente funcionava a todo vapor, um arrepio inesperado percorria seu corpo diante da possibilidade de sexo com a mulher que amava.

Então, Noel decidiu. Caminhou cambaleante em direção ao corpo, prestes a desmaiar, as pernas se arrastando. Parou a pouco menos de um metro do corpo ensanguentado.

O silêncio tomou o porão. A luz fraca revelava um Noel maltrapilho, lamurioso, cabelos desajeitados, cabeça caída. O corpo da Ritinha se estendia diante dele, boiando numa poça de sangue, os seios empinados, tentadores.

"Vamos logo, Noel! Não temos todo o tempo do mundo!", incentivou Zak.

"Eu não consigo...", Noel sussurrou mais uma vez, sem se mover, hipnotizado diante do cadáver da musa.

"Merda!", gritou Zak, levantando com agilidade.

Ele se aproximou tropegamente de Noel, empurrando-o com força para o lado. Chegou perto do corpo ensanguentado e ajoelhou, não se importando em manchar a bermuda.

"Não é tão difícil, Noel!", explicou, colocando as mãos nos peitos da Ritinha. Massageou-os com rudeza, tocando os mamilos entre um aperto e outro. "Com esses tetões, Noel, não é nem um pouco difícil..."

"Larga ela!", esperneou Noel, empurrando Zak. "Solta a Ritinha!"

Meu amigo se desequilibrou. O corpo enorme se espatifou na poça de sangue, espalhando o líquido por todos os lados.

"Ela não merece isso", gritou Noel, ofegante. "Não encoste mais seu dedo podre nela, seu desgraçado!"

Podia apostar que Zak levantaria para dar um soco na cara do Noel. Mas não. Ele continuou deitado, observando o rapaz, e caiu na gargalhada logo depois, batendo palminhas de cinismo.

"'Ela não merece isso'", Zak repetiu, irônico. "Que bonitinho! Que romântico... Seu imbecil! Essa vagabunda pisou em você o tempo inteiro... Te sacaneou, te fez de besta. Humilhou você na frente de toda a faculdade... Você era o brinquedinho dela, seu merda! Agora é sua vez de retribuir o afeto... Ela pode ser seu brinquedo..."

Noel ficou parado, a expressão apática, tentando produzir uma resposta. Com medo de apanhar, recuou quando Zak levantou.

Zak caminhou até a extremidade oposta do porão, onde estavam as garrafas, jogadas num saco. Pegou uma de vodca, já aberta, e bebeu um gole.

"Vamos, Noel! Ela é um parque de diversões todo seu! Todo seu! É só você querer..."

"Eu não quero", sentenciou Noel, apressado. Mas seu olhar não deixava dúvidas quanto à pouca credibilidade da resposta. Os dedos pálidos se enroscavam, tensos.

"Você não quer?", Zak deu uma risada exagerada, desafiadora. "Mas é claro que quer! Está estampado na sua cara. Escrito em letras grandes. Você quer! Você tem vontade!"

"Por que não para de encher o saco, Zak?", Waléria perguntou, finalmente entrando na discussão. "Não sei aonde você quer chegar com isso... Eu nem conhecia essa Ritinha direito... Mas não quero ver ninguém aqui transando com um cadáver! Se você queria ver coisas do tipo, por que não alugou um pornô hard-core antes de vir pra cá?"

"Você não sabe o que essa vagabunda fez com ele", explicou Zak, tomando as dores do Noel. "Não passou a porra do ano inteiro ouvindo esse infeliz se lamentar de amores por ela. Essa é a grande chance dele. A única... A última..."

"Eu..."

"Vamos andar logo com a roleta-russa", interferiu Lucas, sentado diligentemente no espaço do porão que ainda estava livre de sangue. "Não me interessa quem vai comer quem. Mas vamos decidir logo! Daqui a pouco vai amanhecer..."

A João concordou, fora de si. Já estava alta demais para lutar contra a violação de uma mulher morta. Em vez disso, entretinha-se em enrolar um cigarrinho de maconha.

"Vamos, Noel... É só tentar... Ninguém vai te impedir, ninguém vai te repreender", insistiu Zak. Ele bebeu outro gole da vodca.

"É o paraíso, cara. Sem consequências. Se não gostar, você para. Mas sei que não vai parar..."

Noel começava a perder o semblante de espanto, e um sorriso lhe surgiu no canto da boca. A tentação fervilhava em sua mente confusa, o pudor que o impedia de prosseguir evaporava com o suor. Ele ajeitou os óculos sobre o nariz pequeno.

Zak mais uma vez chegou perto do corpo da Ritinha, os olhos percorrendo a barriga delicada como quem aprecia uma estátua de porcelana. Ele aproximou o rosto dos seios rijos, os lábios quase encostando nos mamilos, provocativos.

"Você prefere ficar vendo?", Zak perguntou, virando o rosto para Noel, malicioso.

Confesso que fiquei excitado. Por um segundo, a cabeça explodida não fazia mais parte do cenário e eu só via as pernas delineadas pela calça jeans, a barriga cor de leite exposta, pontuada por pintinhas escuras. E o piercing. Um piercing metálico incrustado sensualmente no umbigo.

"Tá."

"O que você disse?", Zak estacou.

"Sai daí... Eu vou...", Noel perdeu as palavras. "Você sabe..."

"Isso aí!"

Zak se afastou apressado, orgulhoso por ter vencido. Waléria fez que ia entrar de novo na discussão, mas só ficou parada, esperando o próximo passo.

Dessa vez, Noel não hesitou. Caminhou determinado até o cadáver, com a respiração pesada, o olhar assustado observando cuidadosamente cada parte do corpo da amada. Jogou-se no chão de joelhos, curvando-se para mais perto da Ritinha. Deitou o rosto sobre a barriga dela, o nariz a poucos centímetros dos seios fartos. Então voltou a choramingar feito uma criança.

"Não posso fazer isso", ele murmurou, como se falasse com a morta. Noel fez que ia cobri-la, segurando as partes da blusa ras-

gada, mas percebi que aproveitou para acariciá-la. Um leve toque. As mãos suadas encontraram os mamilos e ali ficaram, petrificadas. Ele enxugou o suor que brotava fartamente da testa, mas voltou aos seios. Desinibido. Qualquer timidez ou nojo fora vencido pelo prazer iminente.

Senti vontade de vomitar. Escorreguei para o chão, puto da vida. Puto com Zak, com o joguinho que ele criara no porão, com a indiferença estampada no rosto de cada um de nós, transbordando no ar envenenado. Merda, quando deixamos de ser humanos? Quando nos tornamos monstros armados, delinquentes? Como umas doses de álcool, alucinógenos e um porão abafado puderam fazer de nós seres tão pífios? E, sim, eu me incluo no grupo. Mesmo achando tudo isso repugnante, não pretendo me levantar daqui. Não pretendo mover um músculo sequer para evitar que tudo isso aconteça. Podem me condenar se quiserem. Pouco importa.

A caneta riscando o papel sem parar. Sem omissões ou interferências, com todos os detalhes. Eu não posso modificar nada. Estou aqui para narrar a realidade imunda deste porão, onde deficientes pedem permissão para estourar os miolos e apaixonados fodem defuntas. Este é o microcosmo a que me entrego a poucas horas — talvez minutos — de encarar a morte. Aqui está o ser humano plenamente dotado de livre-arbítrio. Não há regras. Não há limites. O álcool e as drogas deixam as máscaras caírem, os verdadeiros rostos se revelam diante de um público também despido de normas. Racionais, mas, antes de tudo, animais.

Zak exibia um sorriso de triunfo enquanto assistia ao desempenho do Noel. Recostado à pilastra mais próxima, pronunciava com um esgar demoníaco a alegria ao ver que havia atingido seu objetivo: mostrar a podridão do homem.

A respiração ofegante do Noel nem por um segundo me deixou esquecer a violência do momento. Tentei desviar o olhar, mas não consegui. Minha própria dose de sadismo me fazia querer ver cada detalhe do ato. Sou curioso. Assim como você, leitor, que percorre com avidez estas linhas, eu queria saber exatamente o que ia acontecer. Por mais macabro que fosse. Por mais louco. E não me importo. Não se importe você também. Ninguém está olhando... Ninguém vai nos condenar por estes segundinhos de sordidez...

Na escuridão, o nariz do Noel passeou pela pele da Ritinha, inspirando com vigor, sorvendo seu perfume. O som da respiração obcecada, semelhante a porcos chafurdando na lama, dominou o porão, sufocando o silêncio da plateia improvisada. E assim ficamos por alguns minutos.

"A Ritinha não é pó para você ficar cheirando, Noel!", brincou Zak, entre gargalhadas. "Come ela logo, rapaz! Antes que o corpo endureça. As mulheres já são frias na cama quando vivas..."

Noel pareceu nem escutar as piadinhas do Zak. Estava em êxtase. Os olhos fechados, o olfato apurado, buscando captar o aroma de cada parte: a cintura, o umbigo, o abdômen levemente protuberante, os braços finos, as mãos macias, os dedos compridos, os seios, o colo, o início do pescoço... Ajeitando a camisa jogada sobre o rosto desfigurado, ele abraçou a cabeleira ruiva da Ritinha, sem se importar com o sangue que a empapava. Escolheu algumas mechas menos umedecidas e, aproximando-as do nariz, respirou fundo. Noel exibiu um sorriso ao sentir o perfume do cabelo. O mesmo perfume que havia sentido tantas vezes, em aproximações furtivas na faculdade. Agora ela era toda sua. Ele não chorava mais. Sua expressão revelava um homem na plenitude.

Noel voltou à barriga. De longe, pude perceber a língua se projetando para fora, atingindo levemente o mamilo esquerdo e retornando rapidamente à boca, como a tartaruga que se esconde no casco. Ele ficou ali parado por mais alguns segundos, de cócoras sobre a Ritinha, como se esperasse alguma reação da parte dela. Retirou desajeitadamente a camisa verde-limão e lançou-a longe, revelando a barriga peluda, o umbigo projetado para fora.

A camisa boiou sobre a poça de sangue aos pés do Otto, ainda amarrado ao cano, os olhos brutalmente escancarados, sem cílios, como se ele também estivesse observando o desenrolar da cena. Noel não se importou, voltado para a amada. Percebi o volume na bermuda daquele asqueroso crescer quando ele fez nova investida nos seios da Ritinha. A língua brincou pelo corpo, passeando pela pele lisa, o excesso de saliva escorrendo pelo canto da boca e caindo nela. Distribuiu beijinhos estalados e mordiscou o piercing com cuidado, como se tivesse medo de machucá-la. Então voltou aos seios.

Minutos depois, parou, cansado. Ajeitou os óculos bagunçados pelo roçar da pele. Permaneceu de cócoras, ainda de olhos fechados. De repente, soltou um esgar melancólico de choro, as lágrimas brotando com fartura dos olhos e caindo sobre a inerte Ritinha. Jogou longe a camisa do Zak, deixando exposto o rosto ensanguentado dela. O lado direito fora destruído pelo tiro. Sangue em abundância banhava o lado esquerdo. Ainda choramingando feito uma criança, ele aproximou a boca do ouvido esquerdo dela, como se fosse lhe contar um segredo.

"Desculpa", ele sussurrou, entre soluços. "Desculpa, Ritinha..."

O silêncio do porão permitia ouvir cada palavra.

"Eu te amo. Desculpa... Mas..." Ele respirou fundo, tomando coragem para o que diria a seguir. "Mas preciso fazer isso... Eu preciso!"

Noel abaixou a cabeça da Ritinha com cuidado e tentou limpar, na calça, as mãos enluvadas de sangue. Seu rosto também estava sujo. A bochecha direita exibia um risco vermelho, como se tivesse se ferido ao fazer a barba. Sem perder tempo, levou as mãos trêmulas à calça da Ritinha e soltou mais um tímido pedido de desculpas enquanto descia o zíper do jeans da moça.

"Ei, você não vai fazer isso! É hediondo demais!", reclamou Waléria, chegando mais perto.

Mas Noel pareceu não ouvir. Desabotoou e começou a descer a calça de Ritinha com certa dificuldade, revelando a calcinha branca aos poucos.

"Para com isso! Não vou ficar vendo essas coi..."

"Fecha os olhos se quiser", resmungou Zak, sem se desviar da cena.

"Isso é repugnante... Para!", repetiu ela, empurrando Noel.

O corpo dele se projetou para o lado, caindo sobre a poça de sangue.

"Deixa ele em paz!", berrou Zak, segurando Waléria pelos ombros.

"Me solta!"

Waléria girou o corpo.

"Deus do céu, é uma menina. Uma mulher. Não um objeto!", protestou ela. "É repugnante! Não posso ficar aqui parada!"

Ela se aproximou da João e se apoiou nas pernas dela, agachada.

"Você também é mulher... Como pode ficar aí sentada vendo isso tudo?"

A João deu uma tragada no cigarro e abriu os olhos, com desprezo.

"Você está machucando minhas pernas", murmurou, dando outra tragada.

"Como você pode assistir a isso passivamente?!", insistiu. A João deu de ombros, sem responder.

"Será que só eu acho isso errado?! Lucas? Alê?"

Fingi não ter ouvido meu nome e continuei a escrever.

Noel permanecia no chão, no mesmo lugar em que tinha caído, a pouco menos de um metro da Ritinha. Exibia um olhar assustado, talvez de vergonha. Vez ou outra, passeava os olhos pelo jeans entreaberto dela, com o serviço inacabado, impedido pelo discurso moralista da Waléria.

"Não é possível que nenhum de vocês veja o absurdo em..."

"É a democracia, Waléria", Lucas disse. "Já disse isso hoje. Deixa o Noel fazer o que quiser."

"Um raio não cai três vezes no mesmo lugar", retomou Waléria. "Vocês não percebem? Ela estava certa. Primeiro o Otto conta aquilo tudo sobre o Zak e morre. Depois o Dan, o único que atiraria naquelas condições. A Ritinha questionou isso tudo e acabou morrendo também. Três coincidências. As três bastante convenientes para o Zak..."

A explicação ficou no ar. Meu amigo continuou recostado numa pilastra, de braços cruzados, mudo.

"Não sei o que está acontecendo aqui, mas tem algo rolando, merda! Vocês não veem? Noel também começou a questionar Zak, como os outros fizeram, mas ele não pode eliminar mais ninguém nessa rodada... Ficaria óbvio demais... Então atacou seu ponto fraco. Desviou o assunto. Sugeriu esse absurdo com o qual vocês estão sendo coniventes! Transar com uma menina morta!"

"Cala a boca, Waléria", ordenou Zak. "Você está sendo ridícula..."

"Eu? Ridícula?"

Ela caminhou pesadamente até ele, aproximou o rosto do seu. Por um segundo, relembrei aquela rave onde eles se conheceram.

"Estou esperando um filho seu, Zak. Seu sangue", começou ela, com os olhos molhados. "Desde então só recebi rejeição... Dos meus amigos, daquele maldito do seu pai..."

"Não fale do meu pai..."

"E sua. Rejeição sua! Grosserias suas! E ameaças suas! Você transformou minha vida num inferno, Zak..."

Meu amigo não se moveu. Ficou ali, os olhares se encarando, o mesmo ar sendo respirado.

"Você é mau, Zak. Muito mau. Destrói a vida das pessoas que conhece, acaba com suas esperanças, cultiva o medo e o hor-

ror", continuou, agora com lágrimas escorrendo pelas bochechas. "Não sei o que está armando. Não sei o que você quer dessa vez. Não sei se pretende ver todos nós morrendo antes de se matar... Não sei mesmo. Mas, se esse garoto encostar mais um dedo nessa menina, acredite, não vou estar aqui pra ver..."

Sem dizer nada, Zak foi até o corpo da Ritinha e se agachou para pegar o revólver no chão, logo ao lado. Ele pegou uma bala no bolso da bermuda e abriu o tambor, introduziu uma bala e fechou.

Waléria não recuou quando Zak apontou para ela, chegando a dar uma risada sonora.

"Uau, Zak... Vai simplesmente me matar? Você estava sendo mais discreto antes... Por que não propõe uma rapidinha naquele sofá para desviar novamente do assunto que está incomodando você?"

Ele se aproximou, deixando a arma a poucos centímetros da cabeça da Waléria.

"Atira, Zak... Não estou com o mínimo medo. Mas pense nas consequências... Sim, ainda existem consequências aqui dentro", murmurou ela, carregada de sarcasmo e provocação. "Imagine o que seus amiguinhos vão pensar quando virem minha cabeça explodindo... Vai ser a confirmação de que é você quem decide quem vai morrer. A certeza que faltava para eles acabarem com a sua raça... Imagine o que seu queridinho Alê vai pensar quando perceber que, em breve, você vai estar apontando essa mesma arma pra ele..."

Zak a encarou, repleto de ódio. Então, seu olhar se anuviou, e ele baixou a guarda. Deixou a arma girar no dedo indicador, voltando o cabo para Waléria.

"Pega a arma", ele disse secamente.

Ela obedeceu.

"Atira em mim", continuou Zak. "Se você tem tanta certeza nessa sua cabeça doentia de que matei esses três, de que estou armando alguma coisa, atira em mim, sua vagabunda!"

Waléria segurou a arma com firmeza e mirou na testa dele, com o indicador gordo massageando o gatilho. Zak não se intimidou, e voltou a falar:

"O Noel era apaixonado por ela. Você sabe o que é isso? Provavelmente não... Ninguém nunca deve ter amado você de verdade... Você não tem como saber o que é isso... Eu disse para ele transar com ela não para fugir das acusações, mas por pena. Pena, Waléria... Tenho mais pena dos vivos que dos mortos... Você não..."

"Não é uma questão de pena..."

"Eu estive lá o tempo inteiro", ele explicou. "Vi todas as investidas do Noel. Vi que o sentimento dele é verdadeiro... E vi o desprezo dela. Vi isso tudo, mas você não viu nada... Nada, Waléria... A Ritinha era uma piranha. Uma piranha das grandes... Deu pra mim na primeira noite. Na semana seguinte, o filho do porteiro do meu prédio, que ela conheceu no dia em que deu pra mim, foi buscar a garota na faculdade porque também estava comendo ela. É essa vagabundinha que você está defendendo... É por essa vagabundinha que você está impedindo um garoto apaixonado de ser feliz ao menos uma vez na vida. É por essa vagabundinha que você quer matar o pai do seu filho!"

"Um filho que eu não vou ter", ela respondeu, com frieza. "Não vou ter por sua culpa. Porque você me arruinou!"

"Se você tem tanta certeza de que eu sou esse cara mau, atira. Não pensa duas vezes. É só atirar. Depois pega as balas restantes no meu bolso e mata os outros também. Faça sua justiça piegas... Sua justiça burguesa idiota cheia de regras e bons costumes... No meu mundo, isso tudo aqui é justo. Ritinha está morta e não vai sentir nada. Ele está vivo e vai ser mais feliz transando com ela. É justo."

"Imagino que você não tenha aprendido isso nas suas aulinhas de direito..."

"Você é quem está fugindo do assunto agora, Waléria. Atira logo. É só apertar o gatilho. A bala está na primeira câmara."

Waléria manteve o olhar firme. Então sorriu, como se trespassada por um estalo.

"Como você sabe disso, Zak?"

"O quê?"

"Você disse que é só apertar o gatilho, porque a bala está na primeira câmara... Como você sabe disso?"

"Eu olhei quando estava colocando. Não girei o tambor."

"Você estava olhando pra mim quando colocou a bala, Zak."

"Não estava", ele respondeu, sereno.

Os dois se encararam, mudos.

"Você treinou, não é, Zak? Treinou para poder colocar a bala onde quisesse sem nem olhar. Treinou para saber quem vai morrer a cada rodada. Você faz a coisa com tanta agilidade que nem percebemos. Mas sempre sabe onde está a bala. Você escolhe quem vai morrer. É tudo planejado."

Ele não se abalou.

"Se você acha isso, Waléria, é simples... Atira. Faça sua justiçazinha de merda."

"Não faço justiça com as próprias mãos."

"Bonito isso", ele disse. "Nem eu. Acredito na verdadeira justiça... É justo que Noel faça o que bem entender com Ritinha. É apenas justo."

"Discordo", murmurou ela. "Não quero ver ninguém transando com uma garota morta. É uma mulher, como eu."

"A arma está na sua mão, Waléria. É só mirar na própria cabeça e atirar..." Um pequeno sorriso surgiu no canto da boca do Zak. "Garanto que ninguém aqui vai querer violar seu corpo."

Ela não pareceu se ofender.

"Eu vim para uma roleta-russa, Zak. Se fosse para me suicidar desse jeito, teria feito isso em casa. Sozinha."

Ela deixou a arma no chão e se afastou. Foi para perto da parede e ali ficou, de costas para nós.

"Podem fazer o que quiserem. Não vou impedir ninguém", explicou, sem virar o rosto. "Só não vou ficar vendo... Quando vocês decidirem voltar ao que viemos fazer, me avisem."

O porão foi tomado por um silêncio terrível. A adrenalina percorria nossos corpos, o suor escorria pelos rostos. As frases ditas durante a discussão ainda reverberavam.

Noel não precisou de nenhum comando. Aproximou-se sorrateiramente da Ritinha, o olhar atento, a boca ofegante. Pousou as mãos suadas sobre o jeans, puxando-o com avidez. As pernas tortas dificultavam a retirada. Ele tentou forçar os joelhos enrijecidos dela para baixo. Conseguiu na terceira tentativa. Os ossos estalaram com a pressão.

Seus olhos brilharam quando a mão direita invadiu a calcinha da ruiva. Parou por alguns segundos, como se esperasse alguma reprovação, mas, percebendo o silêncio, sentiu-se livre para continuar. Com um sorriso infantil, ele desceu lentamente a calcinha, deixando-a na altura das coxas fartas. Olhou fixamente para os pelos pubianos, curtos, cuidadosamente raspados. Então deslizou a mão sobre a vagina. O olfato agora já não lhe era suficiente. Precisava do tato. Carne contra carne.

"Vamos lá", murmurou para si mesmo.

Desafivelou o cinto da bermuda quadriculada com pressa, ficando só de cueca. Não teve vergonha de ficar seminu diante de nós. Na verdade, ignorava nossa presença. Seu universo se reduzia a dois corpos: o dele e o dela. Quando arriou a cueca, a luz parca tremeluziu sobre o membro enrijecido. Sem a menor habilidade, ele abriu as pernas do cadáver, os olhos assustados estudando a cavidade a ser penetrada. Tentou uma primeira e uma segunda investida, mas errou. Na terceira, pareceu se conectar a ela num harmônico vaivém, com ambos em movimento. O corpo de Ritinha sacolejava feito uma boneca de pano diante das estocadas cada vez mais violentas. Noel exprimia seu êxtase com ge-

midos lânguidos. Empenhava-se, como se estivesse preocupado em satisfazê-la.

Desviei o olhar, enojado ao ver aquilo se prolongar. Waléria continuava de costas, com as mãos tapando os ouvidos. A João enrolava mais um cigarrinho de maconha, viajando. Lucas e Zak assistiam ao ato, atentos, como dois adolescentes na puberdade que alugam um filme de sacanagem escondido da mãe.

Acabei me acostumando com o som. Gemidos. Estocadas. Mais gemidos. Sem perceber, minha mente abandonou a realidade. Relembrei os momentos da infância, as teses mirabolantes que criamos para o que havia no porão, os sonhos de criança num mundo de dificuldades e mazelas. Éramos muito felizes naquela época.

Um vazio incômodo me chamou de volta ao pequeno porão. Os gemidos haviam cessado. As estocadas também.

Tudo aconteceu muito rápido. Ainda enroscado ao corpo inerte da Ritinha, Noel se esticou para pegar o revólver a poucos centímetros dele. Zak tentou dizer algo, mas Noel não lhe deu ouvidos. Sua expressão não era de nervosismo, tampouco de arrependimento. Seus olhos brilhavam, transbordando felicidade. Uma felicidade constrangedora, invejável.

Ele deu uma nova estocada na Ritinha. E mais outra. Levou a arma à cabeça e, sem nada dizer, puxou o gatilho.

26.

(*farfalhar de papéis*)

(*silêncio — quatro segundos*)

ROSA: Isso... Isso foi...

DIANA: Não há muito o que dizer, Rosa. É bastante chocante e...

AMÉLIA: Então o garoto se matou enquanto... Vocês sabem... (*atônita*) Enquanto transava com a menina?

DIANA: Sim...

OLÍVIA: Típico do Noel. (*com a voz rígida*) Ele não tinha por que se matar... Não tinha um motivo sequer. Se meteu nessa coisa toda por causa da garota... (*pausa*) Depois de tudo, não precisava ter cometido suicídio! A garota já estava morta.

AMÉLIA: Como você consegue ser assim, Olívia? (*pausa*) Tão fria...

OLÍVIA: Não é frieza, Amélia. É racionalidade. (*pausa*) Noel fez as escolhas dele. Dei educação, noções de ética e tudo o mais. Mas a opção era dele. Sempre foi. (*pausa*) E, nesta vida, basta uma decisão errada pra tudo ir por água abaixo. Noel tomou a decisão errada. Escolheu esse caminho. Não posso sofrer por uma escolha dele.

AMÉLIA: Ele era seu filho! (*com a voz exaltada*) Seu filho!

OLÍVIA: Verdade. E eu continuo a amar Noel como meu filho. (*pausa*) Mas, ao puxar aquele gatilho, ele fez uma escolha. Renunciou à vida. E assim também renunciou ao meu amor por ele... Renunciou a tudo. (*pigarro*) Vocês não têm o direito de exigir lágrimas de mim...

REBECCA: Isso não faz o menor... (*choro*)

OLÍVIA: É claro que eu sofro. Bastante até. (*pausa*) Sinto vergonha por não ter sido uma mãe boa o suficiente. Mas não sei de que outra forma poderia ter procedido... Fazia todas as vontades dele e... (*pausa*) Eu sofro, sim. Tenho que encarar as pessoas quando me reconhecem. Não sou mais a Olívia, sou a mãe de um filho suicida, entendem? As pessoas olham para você com piedade. Uma piedade nojenta. Repulsiva.

ROSA: Não é possível que esteja falando sério!

OLÍVIA: Estou falando muitíssimo sério. Esse choro de vocês, essas lágrimas todas... Tudo isso me causa preguiça. (*pausa*) Porque soa falso.

REBECCA (*com a voz exaltada*): Falso?

OLÍVIA: Falso! Todas essas coisas aconteceram há mais de um ano. Mais de um ano! (*pausa*) Não é possível que vocês já não tenham chorado tudo o que tinham pra chorar! Todas essas lágrimas são um teatrinho conveniente pra mostrar que têm coração... Mas não é real. Simplesmente não é possível que seja. As coisas passam, a vida continua, nossos filhos estão enterrados com o passado.

REBECCA (*com a voz alterada e chorosa*): Engula suas palavras, Olívia!

DIANA: Senhoras, por favor, vamos focar...

REBECCA: Engula tudo o que você disse! (*pausa*) Eu amava minha filha! A Waléria era a pessoa mais preciosa da minha vida...

DIANA: Rebecca, por favor, tente se acalmar, sim? Quer uma água?

REBECCA: Estou bem... É só que...

OLÍVIA: Minhas verdades são incômodas...

DIANA: Olívia, por favor! Tome mais cuidado com o que diz! (*pausa*) Você pode expressar sua opinião, mas entenda que as pessoas têm o direito de discordar de você. E respeite isso.

OLÍVIA: Sei...

ROSA: Eu... O... o garoto de fato transou com a menina morta... Ainda bem que a mãe dela saiu... (*pausa*) Eu não aguentaria...

OLÍVIA: Ela estava morta, você mesmo disse. Não sentiu absolutamente nada. Mas meu filho devia estar louco... (*pausa*) Com uma defunta? Faça-me o favor! Com tantas prostitutas por aí... (*pausa*) Se alguém tem o direito de ficar horrorizada aqui, sou eu. Sou eu que tenho que aceitar que meu filho via graça em trepar com um cadáver. E da forma mais vergonhosa! Depois de toda a educação que eu dei a ele!

ROSA: Ele era apaixonado pela Ritinha! Ou melhor, obcecado.

OLÍVIA: Ah, sim... O velho sentimentalismo barato... (*com desdém*) Paixão vai embora com a mesma rapidez com que chega. É só ter paciência.

ROSA: Foi horrível! A passividade de todos, só observando...

AMÉLIA: Não posso dizer muito... Não entendo como meus filhos não fizeram nada! O Lucas tinha crises de depressão, mas era um menino bom... A Maria então! Era superprotetora, quase uma mãe. Não sei como eles deixaram isso tudo acontecer...

OLÍVIA: Ah, não sejamos bestas! Foi como Alessandro disse. Eles estavam curiosos. Não havia mais necessidade de se reprimir. (*pausa*) Eles ficaram olhando pelo mesmo motivo que fez nós quatro ficarmos nesta sala pra ouvir a delegada lendo... Curiosidade... Pura curiosidade! (*pausa*) Somos todos humanos...

(*silêncio — quatro segundos*)

DIANA: Neste capítulo, é interessante destacar, principalmente, a discussão entre Zak e Waléria. Talvez ali possamos encontrar alguma informação útil... (*pausa*) Rebecca, você percebeu algo particular, qualquer coisa que tenha chamado a atenção, nas palavras da sua filha?

REBECCA: Não... (*pausa*) Quer dizer, eu já disse que a Waléria era muito esperta, atenta... Encontrava detalhes que passavam despercebidos por pessoas comuns... (*pausa*) Ela... Ela já tinha acusado Zak anteriormente. Quando o colocou contra a parede, não acredito que estivesse de todo errada. Ele estava armando alguma coisa...

DIANA: Entendo o que quer dizer. (*pausa*) As atitudes do Zak realmente fazem parecer que algo estava sendo tramado. Os três mortos...

ROSA: E a proposta sórdida. Pra desviar a atenção do assunto principal...

DIANA: Sim, sim. Faz sentido. Esta é uma possibilidade que encaramos com cuidado ao estudar a situação. (*pausa*) Precisamos de uma nova visão dos acontecimentos. Precisamos tentar perceber o outro lado, a parte escondida, aquela que nos parece pouco importante à primeira vista e, por isso, nos escapa.

ROSA: Não entendo o que quer dizer...

DIANA: Vejamos. Toda essa acusação contra Zak, por exemplo... (*pausa*) É bastante convincente se analisarmos cada argumento. Três mortos. Quatro se incluirmos o Noel. Sem dúvida, é uma visão bastante pertinente. (*pausa*) Mas será que não tem outra explicação pra tudo isso?

AMÉLIA: Não vejo...

DIANA: Eu vejo. (*pausa*) A relação entre Zak e Waléria era bastante tempestuosa. Começou com uma brincadeira numa festa... Depois veio o filho. Um filho indesejado. (*pausa*) E então a discórdia. A briga com o Getúlio. Grosserias, ameaças de morte, como a própria Waléria disse.

REBECCA: Não estou entendendo aonde você pretende chegar com…

DIANA: Waléria disse que o Zak transformou a vida dela num inferno. Que ele *"Destrói a vida das pessoas que conhece, acaba com suas esperanças, cultiva o medo e o horror"*. (*pausa*) Era um ódio profundo. Sem limites.

REBECCA: Waléria sofreu muito na mão dele, delegada… Mas… (*choro*) Na época não dei a devida importância ao problema… (*choro*) Eu achei… Eu achei que era apenas uma confusão passageira… Briga entre jovens. Mas Zak não era um jovem comum. Era o demônio. Ele e toda a sua família. (*soluços*) Eles maltrataram minha filha, e eu simplesmente não percebi. Na época, eu e meu marido não a apoiamos… Ao contrário, nós… a repreendemos pela gravidez irresponsável. Fizemos ainda mais pressão sem perceber quão frágil ela estava…

ROSA: Você falou de maldades, maus-tratos… O que Zak fez com ela?

REBECCA: Aquele desgraçado do pai dele, o Getúlio, foi tão grosso com ela! Fez ameaças! (*pausa*) Meu marido trabalhava como corretor de imóveis. Na semana seguinte à discussão, foi demitido da empresa. Alegaram corte de pessoal. (*pausa*) Mas a Waléria tinha certeza de que fora o Getúlio que fizera aquilo… Ela… ela se sentia pressionada, perseguida… Nos encontros que teve com o Zak, sempre discutiam, ela chorava… Ele a chamava de gorda, horrenda… Diversos xingamentos que abalam a estrutura de qualquer pessoa…

ROSA: E o que você fazia?

REBECCA: Eu… Eu também estava com raiva dela! (*soluços*) Por toda a confusão em que havia se metido… Eu queria que ela se virasse sozinha, para aprender a tomar mais cuidado…

Assumir a responsabilidade, entende? Achei que ela fosse capaz de enfrentar tudo sem minha ajuda. (*choro*) E acabei complicando tudo, deixei minha filha ainda mais fraca para... (*choro*)

DIANA: Para quê? (*pausa*) O que você ia dizer, Rebecca?

REBECCA: No... No dia anterior à roleta-russa, um sábado... O Zak esteve lá em casa... Eu não o via fazia uma semana... Sabia pelos jornais que os pais dele tinham morrido naquele acidente e... Confesso que pensei que teríamos um pouco de paz, afinal. Mas não... (*pausa*) Zak esteve lá no sábado. Estava cabisbaixo. Vestia uma roupa preta. Supus que estivesse vindo da missa de sétimo dia dos pais. Pediu pra falar com a Waléria. E eu... Eu não podia negar, não é? Afinal, ele era o pai do filho que ela estava esperando. E estava com uma cara abatida, parecia frágil. Achei que eles podiam se entender. Enfrentar juntos aquele momento difícil. (*pausa*) Ficaram mais de duas horas no quarto. Discutindo. Vez ou outra, eu o ouvia gritar... Minha filha chorou em alguns momentos... Eu tentei entrar, mas a porta estava trancada. (*pausa*) Quando saiu, ele nem sequer falou comigo. Não olhou para minha cara. Waléria estava estranha. Quieta. Mas não estava mais chorando. (*pausa*) Tentei conversar, mas ela fugia... Disse que havia tomado uma decisão... E eu perguntei que decisão era, claro. Ela disse que... que em breve eu saberia... (*choro*) Eu devia ter insistido no assunto. Devia ter insistido! (*soluços*)

DIANA: Você acredita que...

REBECCA: Foi naquele dia que Zak chamou a minha filha para participar da roleta-russa. Tenho certeza absoluta disso. (*pausa*) E ela, frágil como estava, aceitou. Aceitou entrar naquela loucura toda. (*pausa*) Se ao menos eu tivesse conversado um pouco mais com ela... (*com a voz chorosa*) Talvez...

DIANA: Não adianta pensar assim agora, Rebecca. Zak sempre foi muito bom com as palavras. Não duvido que tenha se aproveitado do estado emocional da sua filha para fazer com que entrasse na roleta-russa. Mas ainda assim... (*pausa*) Quando eu estava falando de procurar a outra visão, a outra face de uma mesma história... O que eu quis mostrar é que existia nas acusações da Waléria algo de passional. Perceba que não quero desmerecer os comentários dela, mas, se pensarmos bem, ela parecia parcial. Zak era um mau para ela. Zak era a origem dos problemas dela. De certo modo, Waléria estava ali por ele.

REBECCA: Você está dizendo que minha filha disse aquilo tudo só para se vingar de Zak? (*pausa*) Eu conhecia minha filha muito bem, delegada. Ela nunca faria uma coisa dessas. Ela era esperta, e tudo o que disse era a mais pura verdade... Toda aquela família não prestava. Uma corja de ricaços sádicos!

DIANA: Rebecca, por favor!

OLÍVIA: Uau... Todo mundo colocando as mangas de fora...

REBECCA: Desculpa, delegada... Eu precisava dizer isso... Desculpa. (*pausa*) Ainda bem que a amiga daqueles malditos não está aqui... A mãe do Alessandro. Como é mesmo o nome dela?

DIANA: Débora.

REBECCA: Isso... Não quero fazer mau juízo dela, nem ofender ninguém ou causar confusão. (*pausa*) Mas, sinceramente, aquela gente era intragável. Não sei como alguém podia ser amigo de pessoas assim. (*pausa*) Tive a oportunidade de conversar com a mãe do Zak uma vez, por telefone... A voz esnobe, o ar de superioridade... Falava da minha filha com um tom de desprezo... Parecia até que a Waléria tinha feito o filho sozinha!

DIANA: Eu entendo.

(*farfalhar de papéis*)

(*silêncio — seis segundos*)

DIANA: Mais algum comentário? Posso chamar as outras lá fora para continuarmos?

AMÉLIA: Na verdade, tenho uma última pergunta. Pode ser bobeira, afinal não entendo nada do assunto, mas... É mesmo possível que Zak estivesse trapaceando na hora de colocar a bala no revólver? (*pausa*) É possível que ele escolhesse quem ia morrer?

DIANA: Não podemos provar nada quanto a isso. A acusação da Waléria foi bastante precipitada nesse sentido. (*pausa*) Mas, sim, com algum treino, é possível saber onde está a bala.

AMÉLIA: Ah, sim... Era só isso. Obrigada.

DIANA: Mais alguma questão?

(*silêncio — cinco segundos*)

DIANA: Ótimo. Vou chamar as outras.

(*ranger de cadeiras*)

(*passos apressados*)

REBECCA: Não estou gostando nada do que está acontecendo aqui... Essa delegada sempre dá um jeito de defender o Zak. (*com a voz ríspida*) "A acusação da Waléria foi bastante precipitada nesse sentido." (*com desdém*) Do jeito que ela fala, o Zak parece um santo!

OLÍVIA: Cuidado com o que você diz... Estão gravando tudo...

REBECCA: Não tenho medo de...

OLÍVIA: Se eu fosse falar tudo o que penso, ela poderia sair daqui e ir direto para o tribunal me meter um belo processo. (*pausa*) Tenta se controlar.

AMÉLIA: Rosa, você que está mais próxima... Desliga esse gravador... (*pausa*) Quando ela voltar, ligamos de novo.

ROSA: Eu não... Não sei se pode... Além do mais, elas já estão vindo.

OLÍVIA: Deixa que eu desligo essa porcaria.

(*passos*)

(*chiado*)

("*stop*")

DIANA: Aqui é a delegada Diana Guimarães. O gravador ficou desligado por exatos seis minutos, certo?

AMÉLIA: Isso.

DIANA: Peço que não se repita. (*com a voz ríspida*) Sou a responsável por esta reunião e, por isso mesmo, é bom que só eu mexa no aparelho, está bem? Essas interrupções podem comprometer a integridade da gravação.

OLÍVIA: Desculpa. Não vai se repetir... É só que...

DIANA: Não há problema. Vamos deixar desse assunto e continuar. (*farfalhar de papéis*) Acabamos de ler o capítulo sete. Para as que não estavam presentes, farei um breve resumo para facilitar a compreensão dos capítulos seguintes. (*pausa*) O Noel estuprou Ritinha. Waléria tentou impedir, dizendo que era um absurdo. Zak incentivou Noel a continuar e discutiu longamente com ela sobre o assunto. Durante a discussão, carregou o revólver, colocando uma bala na primeira câmara. A Waléria o acusou de ser o responsável pelas três mortes. Disse que ele escolhia em qual câmara ficaria cada bala e, consequentemente, quem morreria a seguir. Disse também que Zak incentivou a necrofilia como uma forma de desestabilizar Noel e desviar todos do assunto relevante: a conveniência das três mortes anteriores. Zak respondeu a todas as acusações de forma satisfatória.

REBECCA: Satisfatória?

DIANA: Me deixe terminar, Rebecca. (*pausa*) Ao final da discussão, Noel voltou a estuprar Ritinha. E, em determinado momento, infelizmente não temos como precisar o tempo exato, ele pegou o revólver carregado e se suicidou.

VÂNIA: Isso... isso tudo é tão horrível... (*choro*)

(*vozes exaltadas*)

DIANA: Preciso que as senhoras fiquem calmas para continuarmos. Se quiserem, podem pegar um copo d'água ali na mesinha... (*pausa*) O início do capítulo oito ainda trata da morte do Noel. Conforme informou o relatório do legista, ele estava despido, assim como ela. Ele morreu... "conectado" fisicamente a ela, se é que me entendem.

VÂNIA: Entendemos, delegada… (*soluços*) Nós entendemos…
(*silêncio — três segundos*)
DIANA: Podemos continuar? (*pausa*) Mais algum comentário?
(*silêncio — cinco segundos*)
DIANA: Certo. Vamos ao capítulo oito, então…

27.

DAS ANOTAÇÕES DE ALESSANDRO PARENTONI DE CARVALHO
CASO CYRILLE'S HOUSE
IDENTIFICAÇÃO: 15634-1212-07
ENCONTRADO EM 10/9/2008, NO QUARTO DA VÍTIMA SUPRACITADA
OFICIAL RESPONSÁVEL: JOSÉ PEREIRA AQUINO, 12ª DP, COPACABANA

12 de dezembro de 2007, quarta-feira

Outro dia, conversando com um grupo de amigos, perguntaram-me do que eu tinha medo. Eu disse que de nada. Na época, nenhuma resposta satisfatória me ocorreu, e por isso mesmo o "nada" pareceu bastante honesto. Agora, pensando melhor, acho que tenho outra resposta: tenho medo da internet.

A grande verdade é que nunca fui fã de celulares multifuncionais, iPods e bugigangas do tipo. De certa forma, acho que a internet representa todo o desenvolvimento desenfreado. E por isso tenho medo. Medo do fim da privacidade dentro da própria casa. Medo das pessoas que mascaram uma vida inteira por trás das telinhas. Medo da dependência que criamos em relação aos computadores, de modo que, antes de dormir, nos sentimos obrigados (quase imantados) a verificar os e-mails ou a conversar com as amizades virtuais. Medo da rapidez com que as informações se propagam, praticamente em tempo real. Faça uma besteira hoje, e amanhã o mundo inteiro ficará sabendo.

Confesso que prefiro os tempos antigos. A música dos anos 1950, o romantismo implícito no envio de cartas, o namoro no portão e até mesmo a rígida relação familiar, sem as permissões abusivas dos dias atuais... Sou jovem, mas tenho espírito de velho.

Ontem, logo depois de escrever minhas impressões sobre a peculiar festa da Priscila no sábado, liguei o computador e me rendi à internet. Eu estava com sono, já de pijama, mas não custava nada entrar rapidinho para ver se havia alguém interessante on-line para uma conversa na madrugada. Escovei os dentes enquanto o computador ligava. Quando voltei ao quarto, a internet já tinha se conectado automaticamente, e uma janela de conversa estava aberta, piscando, em laranja.

Ei. Amanhã tem aula, moleque! Vai dormir! Hahahahahaha! =)

Era o que dizia a mensagem. Tinha sido enviada por uma boa amiga da faculdade, Renata, que fazia o gênero "feinha, mas simpática".

Aprontando o que a esta hora?, ela perguntou.

Acabei de chegar em casa. Vim ver se recebi algum e-mail, respondi, digitando com rapidez. Era mentira. Eu tinha passado o dia no quarto, escrevendo. Mas, se dissesse aquilo, ela me acharia esquisito.

Vai à aula hoje?

Hoje?, retruquei, os olhos tombando de sono diante do monitor.

Sim, hoje. Já passou da meia-noite... Hahahahahaha!

Ah, vou, respondi, achando pouca graça naquilo. Meus dias são contados de acordo com a noite de sono. Só passa a ser "amanhã" quando acordo. O *Herrara disse que vai entregar as notas das provas.*

Renata demorou a responder, e aproveitei para beber um copo d'água na cozinha. Quando voltei, a janela de conversa piscava novamente. Ela havia digitado mais quatro linhas:

Então nos vemos amanhã… (*Ou hoje, né? Hahahahaha!*)

Preciso tirar nove na prova… Mas dizem que o Herrara dá dez pra todo mundo… Tomara!

Você precisa de quanto?

Ei, cadê você? Morreu aí? Hahahahaha!

Sentei e digitei:

Desculpa. Fui buscar água. Preciso de seis no Herrara.

José Martinez Herrara, professor de direito penal I, era um ícone da área criminal no Rio de Janeiro.

Você já viu o vídeo do Lucas?, ela perguntou, mudando de assunto.

Que vídeo? Que Lucas?, retruquei.

Hahahahaha… Você tem que ver! Vazou ontem de tarde…

Manda o link, pedi.

Ela mandou, e eu cliquei.

Uma nova página surgiu na tela, com um retângulo escuro no centro. Aumentei o volume do computador e aguardei que o vídeo fosse carregado. Quando começou, tentei identificar algo nas cores pouco contrastantes. Pude perceber que era uma gravação caseira, sem som, feita provavelmente por uma webcam, a parca iluminação dificultando a identificação do ambiente. A imagem estava trêmula, como se o cinegrafista ainda procurasse o ângulo ideal. Depois, parou. Uma luz mais forte surgiu no canto esquerdo superior (possivelmente uma lamparina ou abajur atrás da câmera), e o ambiente ficou claro. Mesmo assim, não melhorou muito. Era mesmo uma webcam, pousada sobre o que parecia ser uma mesa de madeira. A imagem, ainda desfocada, mostrava um teclado de computador em primeiro plano e o assento de uma poltrona giratória na parte superior da tela.

Quando eu já me aborrecia com a falta de ação e considerava seriamente a possibilidade de fechar a janela, uma mão masculina surgiu no vídeo. Sem sentar na poltrona, a pessoa misteriosa teclou algo rapidamente e sumiu de vista. Minha curiosidade tinha sido aguçada. O que poderia ser aquilo? Que Lucas era aquele de quem a Renata falava?

Esperei até que a pessoa voltasse a aparecer na tela. Ainda não era possível ver seu rosto. Ela se jogou na poltrona giratória, então pude observar boa parte do corpo. Era um rapaz. Razoavelmente magro, de altura mediana. Vestia jeans escuro e camisa com listras horizontais em tons distintos de marrom. Novamente as mãos apareceram, digitando com agilidade no teclado, os dedos longos adornados com anéis metálicos, um bracelete preto em cada pulso. Parecia conversar com alguém do outro lado do computador, pois após um curto intervalo parava de digitar e esperava. Minutos depois, as mãos deixaram o teclado e giraram a webcam para cima, mudando o ângulo. O rosto surgiu em primeiro plano, com um armário bagunçado ao fundo. Ao lado, havia uma porta de madeira fechada. No canto esquerdo, estava algo que parecia a beirada de uma cama. No início, demorei a reconhecê-lo. A imagem estava pouco nítida. Além disso, sou péssimo fisionomista. Ótimo para gravar nomes, mas péssimo para rostos.

"Lucas...", murmurei involuntariamente, agora bastante interessado em descobrir o que aconteceria a seguir.

Ele estudava comigo. Mesmo convivendo com o garoto quase diariamente fazia um ano e meio, nunca tinha me dado ao trabalho de trocar mais de cinco palavras com ele. Sempre taciturno, usava piercings no nariz, na língua e nas sobrancelhas, o cabelo despenteado caía sobre os olhos vazios, as tatuagens bizarras se espalhavam pelo corpo magrelo e usava roupas góticas... Não tinha motivo para iniciar qualquer conversa com uma pessoa daquelas.

Continuei atento ao vídeo. Lucas lançou um olhar furtivo para a webcam, como se cumprimentasse a pessoa do outro lado do computador, e logo depois se voltou para o monitor. As mãos sumiram na parte inferior, enquanto digitava mais alguma coisa. Ele mantinha o rosto sério, as sobrancelhas contraídas, a boca entreaberta, sussurrando as palavras que teclava. Vez ou outra, abria um rápido sorriso e olhava para a câmera. A situação durou tempo suficiente para eu reconsiderar a possibilidade de fechar aquela porcaria e ir dormir. Mas algo me mantinha preso. Talvez o fato de saber quem era. Talvez a expectativa de que algo surpreendente acontecesse.

E aconteceu.

De repente, Lucas levantou e recuou a poltrona. Seu rosto sumiu da tela, e passei a vê-lo apenas da cintura para baixo. Suas mãos surgiram novamente, girando a webcam ainda mais para cima e dando-lhe um novo ângulo. A beirada da cama desaparecera da lateral. Na parte superior do armário, ao fundo, uma série de pôsteres do Nightwish cobria a madeira. O assento da poltrona também sumira, mas o acolchoado do encosto continuava à vista. Devido à má qualidade do vídeo, só depois percebi um risco fino surgindo na parte superior da tela e se estendendo até o centro. Num primeiro momento, pensei ser defeito da imagem, mas, quando Lucas o tocou, concluí que era uma corda. Presa ao teto.

Com incrível agilidade, ele fez um laço na corda e posicionou a poltrona abaixo dela. Eu já imaginava o que estava prestes a acontecer, mas minha mente se recusava a acreditar. Lucas podia ser esquisito, bizarro, macabro até, mas não era um suicida! Ou era?

Dando um último olhar para a câmera, ele subiu na poltrona e enfiou a cabeça no laço. Retirou uma fita comprida do bolso e, com a habilidade de quem tinha prática, amarrou as próprias mãos atrás das costas. Fechou os olhos, com a poltrona de rodinhas ameaçando perigosamente sua estabilidade. Então ficou ali, parecendo esperar os minutos passarem, pendurado à forca como uma marionete brincando sobre a cadeira vacilante. De repente, seus pés escorregaram. A poltrona deslizou sobre o chão, indo bater contra a porta, enquanto seu corpo se lançava no ar, como uma bailarina ensaiando o último compasso.

A corda o segurou no ar. Os olhos se arregalaram, molhados, diante da webcam. A boca se abriu, tentando instintivamente sorver um pouco de ar. O corpo pendeu, chacoalhando como um inseto que se debate com avidez logo após a captura.

Aos poucos, o rosto ganhou uma coloração roxa, se contorcendo num esgar. Eu já podia antever o momento em que seu corpo pararia inerte e outras pessoas surgiriam na tela para salvá-lo. Tudo uma farsa. Mas não: Lucas continuou a se debater. E aquilo não parecia mais uma brincadeira.

Suas pernas se lançavam no ar em movimentos cada vez mais violentos. A corda cumpriria seu papel até toda aquela agonia acabar.

Eu suava frio. Se pudesse, saltaria para dentro da tela e salvaria o cara daquele horror.

Milagrosamente, a porta atrás dele se abriu e uma pessoa apareceu. Com rapidez, ela o segurou pela cintura. Tomando cuidado, aliviou o laço que apertava o pescoço de Lucas. Apesar da imagem pouco nítida, pude ver o medo estampado no rosto da menina desconhecida que o salvava. Tinha cabelo curto e era bonita. Com o pé, ela puxou a poltrona de volta para baixo de Lucas e conseguiu firmá-lo. Livrou-o da corda e deitou seu corpo no chão. Ele sumiu da tela, mas ainda era possível ver a menina procurando reanimá-lo. Ela gritava alguma coisa. Por um segundo, desejei que o vídeo tivesse áudio.

Depois, a menina lançou um olhar à câmera, percebendo, escandalizada, que aquilo tudo estava sendo gravado. Levantou depressa, caminhou até a webcam e cobriu a lente com as mãos. A tela ficou preta. O vídeo acabou.

Que merda é essa?, perguntei à Renata, a adrenalina percorrendo minhas veias. Aqueles dez minutos de vídeo caseiro tinham sido mais tensos que qualquer filme do Hitchcock. *É de mentira, né?*

Hahahahaha... Não! É verdade mesmo...

Como assim? O cara tentou se matar?

Eu estava chocado. No meu mundinho, as pessoas só se matavam em filmes. Nunca na vida real.

Ele tentou se matar... É um cara da faculdade. Você já viu ele?

Vi, respondi.

Mil perguntas afloravam em minha mente, mas eu não sabia por onde começar.

Mas por quê?, perguntei.

Sei lá! Não acho que alguém se mata por um motivo específico... Tem que ser por um monte de fatores, não acha?

É. Pode ser, respondi, sem conseguir raciocinar direito.

Ah, cara... A vida do cara devia estar uma merda. E parece que ele também não é lá muito normal... Sofre de depressão... Tem surtos e coisas do tipo...

Entendi, eu digitei.

Bizarrão, né?

Eu tinha mais perguntas a fazer: *Quando foi? Por que ele estava filmando? Como o vídeo vazou?*

Parece que foi no domingo. Ele estava sozinho em casa e entrou num desses sites que incentivam o suicídio. Tem vários na internet... Ele estava teclando com um cara que o convenceu a se enforcar e a filmar tudo. O idiota aceitou e pronto. Serviço completo. O próprio cara jogou o vídeo na internet ontem à tarde para quem quisesse ver... Serginho descobriu por acaso e me mandou... Acho que a turma toda já está sabendo, ela digitou de uma vez só.

Cacete... Que merda isso, hein?

Também achei... Mas percebi que ele faltou na segunda e na terça. Deve estar internado em alguma clínica pra tratar dessa maluquice toda.

Ah, é?, respondi.

Lucas era o tipo de pessoa que passava despercebido. Não fazia perguntas. Não falava alto. Não era popular.

Acho que vou dormir, Alê... Daqui a quatro horas tenho que acordar! Será que ele aparece hoje?, ela perguntou.

Não sei... Se fosse ele, eu desapareceria da faculdade depois dessa..., respondi.

Hahahahaha. Eu também! Beijos pra você e até mais tarde! =)

Espera aí! Em que site de suicídio ele entrou?, perguntei, curioso.

Ela me mandou o endereço e acrescentou:

Não vai fazer besteira, hein, Alê? Hahahahaha! Quando fui responder, ela já estava off-line.

Cliquei no link, e uma nova tela se abriu. Meu antivírus surgiu, avisando que o endereço não era seguro. Que ironia. Coloquei o site em tela cheia. O fundo era preto e as letras vermelhas. Ensinava diversas formas de cometer suicídio, com explicações detalhadas, fotos e vídeos. No final, um banner luminoso convidava a pessoa a entrar num chat. Não precisava nem de cadastro. Era só criar um nome de usuário, uma senha e pronto. Você estava dentro da brincadeira.

Apesar de simpatizar com a condenação cristã do suicídio, sempre acreditei que todo mundo é um suicida em potencial. Afinal, todos temos um limite. Uma linha imaginária de problemas que, se atingida, faz a vida perder o sentido. A maioria de nós tem a sorte de morrer naturalmente antes de chegar a isso. Mas, para alguns, não é assim tão fácil. E eu entendo.

Eu não me considero um cara frágil, dado a sentimentalismos e crises existenciais. Se fosse para me suicidar, seria por algum motivo racional. Uma causa nobre, talvez. Nada impulsivo, emocional.

Resolvi criar um nome de usuário e uma senha para entrar no chat. O sono já tinha me abandonado por completo, e tudo o que eu queria era esmiuçar aquela história. Mesmo sabendo que deveria estar na faculdade dali a cinco horas.

Uma nova página abriu, e eu entrei como "Misterioso". Do lado esquerdo superior, havia uma lista dos usuários on-line. No centro, várias conversas ocorriam ao mesmo tempo. Na parte inferior, uma caixa permitia que eu escrevesse para entrar no papo. Mandei um "oi".

Ninguém me respondeu. Lendo as mensagens anteriores, busquei entender o que acontecia ali. Eles tentavam convencer uma pessoa que usava o nick Ricky15anos a cortar os próprios pulsos diante da webcam. Ricky15anos comentou que odiava os pais e que tinha terminado com a namorada. Alguém chamado Zé incitava o menino a se matar, dizendo que ele abreviaria seu sofrimento se colocasse um ponto-final em tudo. Tive vontade de perguntar ao Zé por que ele não acabava com a própria vida, já que dizia ser algo tão bom. Mas não fiz nada.

Pouco depois, percebi que, ao clicar no ícone de um usuário da lista, aparecia, logo abaixo, uma pequena tela da webcam dele, caso estivesse ligada. Cliquei no tal Zé e apareceu uma tela preta. O maldito mantinha a câmera desligada. Ocultava-se por trás de um nome ridículo para praticar suas perversidades na madrugada. Não duvido nem um pouco que, durante o dia, fosse pai de família, bom profissional, cidadão exemplar. Durante a noite ele podia retirar a máscara e vestir outra, virtual, para brincar com sua sordidez contida.

Cliquei no Ricky15anos. Apesar da pouca iluminação, a câmera mostrava nitidamente um menino sentado numa cadeira, digitando no computador na privacidade do seu quarto. Vestia um short de pijama e estava sem camisa. Dizia ter quinze anos, mas aparentava doze. Treze, no máximo. Brincava de girar a cadeira de um lado para o outro enquanto seus olhos percorriam atentos as mensagens. Pousada timidamente sobre a bancada, ao lado do mouse, havia uma faca de cozinha, para o caso de Zé convencê-lo, imaginei.

Pensei em intervir. Mandar Ricky15anos ir dormir e conversar com um psicólogo no dia seguinte. Mandar Zé e todos os outros tomarem vergonha na cara e arranjarem algo de bom para fazer... Mas não adiantaria nada. Eles só iam me sacanear. Protegidos sob a máscara virtual, acabariam por me escorraçar dali. E voltariam no dia seguinte para explorar novamente sua perversidade.

Por um segundo, perguntei-me onde estariam os pais daquele menino. Como era possível que alguém minimamente decente deixasse o filho de quinze anos ficar na internet às três da manhã de uma quarta-feira? Onde estariam eles? Seria o sentimento recíproco? Eles também odiavam o garoto? Estariam esperando que acabasse com a própria vida?

Lendo aquelas mensagens, vendo aquele menino loiro com espinhas no rosto brincar com a faca, percebendo aquelas pessoas que passavam a madrugada tentando convencer umas às outras a se matar, tive nojo. Nojo de também ser humano. Tão humano quanto aqueles que se escondiam por trás de um nick.

Já ia fechar o site quando uma nova janela surgiu. Alguém chamado Sr. Sozinho me chamava para uma conversa reservada. Resolvi aceitar. Inicialmente, ele me disse um "olá" e perguntou de onde eu teclava.

Rio de Janeiro, respondi, resolvido a mentir o mínimo possível para não me atrapalhar depois.

Ele enviou uma carinha e disse que também era carioca. Perguntou minha idade.

Catorze. E você?

Trinta e três.

Marmanjo filho da puta.

O que um menino da sua idade está fazendo aqui a esta hora?, o Sr. Sozinho perguntou.

Aventei a possibilidade de ele ser um bom samaritano. Alguém que, como eu, havia entrado no site por acaso e agora tentava impedir que mais um jovem se suicidasse.

Meus pais viajaram. A empregada está dormindo. E estou sem sono, menti.

Hummm... Mas por que entrou nesse chat? Está triste com alguma coisa?

Não sei... As meninas não gostam de mim. E meu cachorro Bigodo morreu... =(, teclei, percebendo como é fácil mentir num chat desses. Depois de algum tempo, a coisa fica quase automática.

Entendo. Em que bairro você mora, menino?

Respondi a verdade: *Copacabana. Por quê?*

Moro no Grajaú. Qualquer dia desses podemos conversar pessoalmente, e você me fala dos seus problemas..., digitou o Sr. Sozinho. Do jeito que as coisas estavam caminhando, ele deveria ser o Sr. FDP ou Sr. Pedófilo.

Meus pais não iam deixar..., respondi rapidamente, esquivando-me.

Você não disse que eles estão viajando?

Estão. Mas sem eles não tenho como encontrar você... Tenho catorze anos, esqueceu?, respondi.

Posso buscar você de carro na escola. Amanhã, talvez.

Pode ser, digitei, tentando descobrir até onde ele pretendia ir.

Você tem webcam aí, menino?

Filho da puta!

Tenho. Você tem?

Também tenho, ele garantiu.

Você já tentou se matar alguma vez?, provoquei.

Não..., ele respondeu. *Na verdade, sou contra o suicídio... Entro nesse chat justamente pra isso... Pra evitar que meninos como você façam essa besteira. Eu entendo... Sua mente está confusa, você não sabe direito o que quer. Eu também era assim na sua idade... Por isso entro aqui pra ajudar... Fui me descobrindo aos poucos e acho que posso ajudar você, entende, menino?*

Acho que sim.

Esperei que ele prosseguisse.

Você disse que as meninas não gostam de você... Eu entendo... Elas também não gostavam de mim, sabe? Então eu tentei com meninos... Você já pensou em fazer isso?

Puta que pariu! Um arrepio gélido percorreu meu corpo.

Nunca, respondi.

Também rejeitei isso num primeiro momento, sabe? Mas no final foi bom. Você deveria tentar... Eu poderia ajudar você nisso também. Você liga sua webcam e eu ligo a minha... Vamos aos poucos...

Fechei a janela e desliguei o computador depressa. Uma ânsia de vômito revirava meu estômago, e minha cabeça parecia prestes a explodir. Escondi-me sob o edredom pesado, com as luzes apagadas. Tentei dormir, mas imagens difusas do Sr. Sozinho insistiam em martelar minha mente. Careca. Loiro. Gordo. Músico. Alto. Jovem. Negro. Baixo. Olhos azuis. Rico. Advogado. Velho. Médico. Pobre.

Ele poderia ser qualquer um. Poderia até conviver comigo. Eu poderia encontrá-lo na fila do cinema, no corredor de um hotel ou na praia. Uma pessoa normal. Que transita por aí sem empecilhos. Que finge ser quem não é. Que se aproveita da vulnerabilidade de uma criança confusa para conseguir um pouco de sexo ilícito.

Fiquei por um bom tempo pensando nisso, sem conseguir pregar os olhos. Uma lista de rostos conhecidos e desconhecidos passava diante de mim, como num filme. Todos pedófilos... Todos filhos da puta malditos... Todos desgraçados que varam a madrugada incitando pessoas a cometer suicídio... Corruptos... Adúlteros... Sádicos... Tarados... Psicopatas...

Mundo podre.

Gente podre.

Em algum momento, dormi.

Acordei atrasado, obviamente. Olhei pela janela e percebi que seria uma quarta-feira desastrosa. Caía uma chuva fina. Considerei a possibilidade de voltar ao edredom macio e deixar o mundo pra lá. Mas não era possível. José Martinez Herrara e a entrega da prova não permitiriam.

Os cinquenta minutos de Copacabana até a faculdade pareceram uma eternidade, mesmo com o ar-condicionado e a voz doce da mulher anunciando a chegada de cada estação de metrô. Aproveito o tempo para ler um livro, mas sempre surgia uma velhinha que me obrigava a ser um bom sujeito e ceder meu lugar.

Terminei um livro do John Grisham e pensei que, se aqueles advogados dos seus livros existissem na vida real, a carreira jurídica seria bem mais interessante. Sempre tive vontade de escrever um thriller jurídico, mas o sistema brasileiro não ajuda muito. Quero dizer, o sistema norte-americano permite a pena de morte, e os jurados podem conversar entre si para tomar uma decisão. Mais justo ou menos justo? Pouco importa. A questão é que fica difícil criar um bom suspense sem ninguém prestes a ser executado na cadeira elétrica e sem um júri deliberando, como em *Doze homens e uma sentença*.

Com essas divagações, atravessei a passarela para a Uerj. Perto da entrada, algo acontecia: uma ambulância e dois carros de polícia tinham isolado uma área dos jardins. Cheguei ao hall dos elevadores e subi ao sétimo andar. Nem precisei ir até o fim do corredor, onde ficava minha sala. Todo mundo estava aglomerado no hall, conversando agitadamente. A última muvuca daquelas que eu vira era o início de uma greve.

Num canto mais próximo aos janelões de vidro, Renata conversava animadamente com Zak.

"Putz, Alê, você sempre perde as coisas boas!", ele disse, cumprimentando-me com um aperto no ombro.

"O que foi?"

"O Lucas", a Renata respondeu, sem saber se ria ou se explicava. "Ele veio na faculdade hoje. O Cadu começou a sacanear o cara e daí…"

Risos.

"Daí o quê?"

"Ele ficou todo putinho porque o vídeo dele tinha vazado. Foi até o décimo andar, subiu na mureta da rampa e ameaçou pular…"

"Puta merda! Ele teve coragem?", perguntei, escandalizado, largando a mochila no chão. Aquilo explicava a ambulância, a polícia e a confusão na entrada.

"Claro que não! Ele sempre desiste na última hora…", ela disse, rindo mais ainda.

No vídeo do enforcamento, Lucas não pareceu desistir. Por sorte aquela menina tinha aparecido e salvado sua pele.

"Mas a coisa foi maneira", continuou ela. "Ele ficou lá gritando. Ameaçando pular e fazer um estrago. Ia ser o sexto suicídio na Uerj só este ano."

Além de universidade pública, a Uerj servia de palco para o espetáculo da morte. A possibilidade de subir lentamente as rampas de concreto e, chegando ao último andar, montar na mureta e brincar de voar atraía suicidas em potencial. No início, a imprensa ainda noticiava as mortes, depois se tornou algo banal, como a falta de professor ou uma interdição do banheiro. Seis suicídios num único ano é bastante. Eu tinha visto dois corpos. Uma velhinha ensanguentada estirada no chão, com o bombeiro pegando o saco plástico preto para cobri-la. E uma jovem. Vi quando ela gritou que ia se jogar e depois só observei a gravidade fazer seu serviço. Cheguei a pensar que ela estudava na faculdade. Mas, assim como a velhinha, ninguém sabia de onde vinha.

"Mas como foi?", perguntei.

"Foi uma cena de novela, cara. Ele subiu lá e começou a gritar. Chamaram a polícia. Os bombeiros também vieram. Um cara se aproximou para conversar com ele, tentar negociar, saca? Mas ele não cedia. A mãe chegou depois, chorando, desesperada. Veio o pai também. Eles tentaram conversar, e o Lucas começou a chorar quando a mãe disse que o amava. Chorar, cara! Na frente de uma porrada de gente, todo mundo olhando, ele ficou lá que nem um bebezão!"

"E como acabou?"

"Pelo que entendi, ele está deprimido e se irrita por qualquer coisa... Os pais estão se separando. Ele fez aquele negócio do vídeo e, quando chegou hoje na faculdade e viu que todo mundo sabia, teve uma crise e decidiu tentar se matar de novo. Mas o psicólogo dele chegou e o convenceu a desistir da palhaçada toda. O nome do psicólogo é Gusmão Alvarenga."

Projetei minha cabeça para fora da janela e observei a ambulância, pequenininha lá embaixo. Tive vertigem ao me imaginar prestes a cair daquela altura. Voltei à conversa.

"O Herrara entregou as provas?"

"Ele disse que não corrigiu todas. Entregou só algumas. Não recebi a minha", explicou Zak.

"Eu recebi!", exclamou Renata, em êxtase. "Tirei oito e meio, mas ele arredondou! É um fofo. Vai lá falar com ele. Deve estar na sala dos professores."

Concordei com a cabeça e me despedi dos dois. Tomei o corredor. Ele não estava na sala dos professores. Encontrei-o na cantina, comprando um refrigerante. Pedi desculpas, disse que tinha chegado atrasado e falei da minha prova.

"Não precisa pedir desculpa, menino. Está sendo um dia bem atípico."

Esperei que ele pegasse o refrigerante e escolhesse uma mesa. O professor retirou um calhamaço de folhas da pasta que trazia sob o braço.

"As notas foram muito boas", ele disse. "Qual é seu nome mesmo?"

"Alessandro Parentoni de Carvalho."

"Certo. Espere um pouco", ele disse, passando a percorrer com agilidade as provas em busca do meu nome. "Ah, sim. Aqui está... Infelizmente não corrigi ainda."

"Sem problema", respondi.

"Eu pretendia terminar ontem à noite. Mas tive alguns problemas pessoais que me tomaram toda a madrugada, sabe, menino? Acho que só vou conseguir devolver em janeiro. Essa greve atrasou tudo", ele justificou, dando uma piscadela amigável.

Mas eu não estava mais prestando atenção. Algo nele me soou familiar. As frases terminadas com "menino", as provas não corrigidas pelos problemas pessoais de madrugada, a piscadela... Ele era a imagem perfeita do Sr. Sozinho! Como eu tinha pensado, era uma pessoa livre de qualquer suspeita, um homem solitário e brilhante com a carreira sólida e bem-sucedida, um conhecedor das leis que, durante a madrugada, revelava sua verdadeira face num mundo sem leis.

"Algum problema, menino? Você está passando mal?"

Acho que ele percebeu que eu estava estranho. Respondi automaticamente que não e saí dali.

Não faria o menor sentido meu professor de direito penal I ser o pedófilo com quem eu tinha conversado na noite anterior. A não ser que, como eu, ele tivesse visto o vídeo do Lucas e acessado o site por curiosidade. Eu não estava bem. Minha mente continuava a imaginar mil possibilidades diabólicas. O rosto do Sr. Sozinho cismava em me assombrar, com um olhar demoníaco, às vezes com as feições do professor Herrara.

Decidi que o melhor era ir pra casa. Peguei o metrô e, assim que cheguei, vesti o pijama. Desci as persianas, entrei debaixo do edredom e dormi.

Acordei às sete da noite e, desde então, estou aqui, escrevendo, despejando o que estava atravessado em minha garganta.

Talvez agora tudo fique melhor.

28.

Capítulo 8

O corpo do Noel tombou sobre o da Ritinha, inerte. A cabeça estourada caiu de encontro ao peito nu dela. Zak tinha corrido na direção dos dois, tentando impedir o estrago, mas não chegara a tempo.

"Puta merda", foi o que conseguiu dizer, diante da cena consumada. Ele passou a mão no rosto, tentando limpar o jato de sangue que atingira sua testa e seus cabelos.

Os olhos claros arregalados expressavam surpresa. Ninguém esperava que Noel fosse meter uma bala na cabeça logo depois de dar a trepada da sua vida. Talvez nem ele mesmo esperasse.

Senti um arrepio ao perceber que faria a mesma coisa no lugar dele. Eu também acabaria com tudo ali, no auge do prazer. Agora, eles estavam juntos em espírito.

Zak não mexeu nos corpos enlaçados, as genitálias em conexão, o dorso nu do Noel apoiado no tronco da Ritinha. E o sangue. Como um véu escarlate. Toda a sordidez das manchas nas paredes e das cabeças destroçadas contrastava com o amor louco de Noel.

Em vez de sentir nojo, tive vergonha. Vergonha porque nunca morreria por ninguém. Vergonha por ser tão materialista, ambicioso e prepotente. Vergonha por nunca ter pensado em morrer por amor... Por um segundo, tudo o que eu queria era viver um momento como aquele, ter a oportunidade de me sentir pleno. Eu, que sempre me achei superior ao Noel, agora o invejava. Invejava aquele sorriso no rosto, estampado teimosamente na minha memória, mostrando quanto eu poderia ter sido feliz, quanto eu poderia (e deveria) ter aproveitado a vida. Mas era tarde demais.

Cinco pessoas. Cinco balas. E a roleta-russa continuava.

"Ele... Ele não podia ter feito isso", murmurou Zak, sem desviar o olhar.

Waléria não perdeu a oportunidade de voltar às provocações. Virou para Zak e declarou:

"Parabéns, você conseguiu... Não precisa fazer essa cara de transtornado, que não me engana... Você é ardiloso, bem esperto..."

Ele não respondeu. Continuou a observar os corpos, sem dar atenção a Waléria.

"Quatro mortos, hein?", continuou ela, provocativa. "Quatro! Todos eles com seu empurrãozinho..."

"Cala a boca, merda!", reclamou a João, sentada como se estivesse num parque florido, esperando um piquenique de maconha e cocaína. "Não aguento mais ver vocês dois discutindo!"

"E ainda consegue enganar esses idiotas, que continuam defendendo você", completou Waléria, sem se alterar. "Mas não a mim, Zak. Não a mim!"

"Você está falando que matei o Noel também? Acha que criei tudo pra que ele se suicidasse no final?", ele bombardeou, sem olhá-la nos olhos. "Quem você acha que eu sou, Waléria? Deus?"

Ela gargalhou propositadamente.

"Deus é a única coisa neste mundo que você não é, Zak..."

"E você acha o quê? Que eu fico prevendo as reações das pessoas? Que sabia que o Noel ia se suicidar enquanto trepava com a Ritinha?!?"

"Por favor, Zak! Não se faça de bobo... Não é tão difícil assim... Era óbvio que ele ia se matar. O que você achou? Que ele ia fechar a braguilha e voltar para a roleta?"

"É o que eu faria!", defendeu ele. "Fecharia a braguilha e voltaria para a roleta-russa."

"Sei. Vou fingir que sou idiota que nem eles e acredito... Mas, no que depender de mim, você vai parar em quatro mortos, Zak. Não vou deixar que venha um quinto. Simplesmente não vou deixar... Se colocar mais uma bala nessa arma, vou embora."

Ele ficou parado, encarando-a.

"E nem pense em fazer seu teatrinho de novo! Se carregar esse revólver e me entregar, mandando eu atirar na sua cara... Eu pensaria duas vezes, se fosse você... Porque vou aceitar a sugestão dessa vez, Zak... Vou atirar!"

"Mas que merda, Waléria!", explodiu Lucas, largando a irmã e se aproximando deles. "Por que você insiste nessa porcaria? Já falei que é uma democracia. São quatro contra um e pronto!"

"Foda-se a democracia!", retrucou ela, agitando os braços no ar e quase atingindo a testa do Lucas. "Nunca gostei da democracia! É a vontade da maioria, mas que maioria é essa que temos aqui? Um maluco depressivo, uma garota que parece uma chaminé de maconha e um retardado que não para de escrever!"

"E uma vaca gorda que se acha a dona da verdade", acrescentei, retribuindo o elogio.

"Dona da verdade ou não, prefiro a ditadura. A ditadura da Waléria. Eu mando, e vocês obedecem. Ou isso, ou estou fora!"

"Fora?", Zak perguntou, com desdém.

"Isso mesmo. Estou fora. Vou embora dessa merda e..."

"Vai embora e o quê?! E o quê, sua imbecil?", pressionou Zak. "Vai chegar lá fora e dizer que se arrependeu de ter vindo? Como

vai explicar os oito mortos no porão? Como vai explicar suas digitais neste revólver? Incitar o suicídio também é crime, sua besta. Você vai ser presa. Vai ser desprezada. E ainda vai se arrepender por ter ficado viva... Vai criar seu filho sozinha. Na sarjeta!"

"Para!"

"É um caminho sem volta, Waléria. Uma vez aqui dentro, não tem como desistir..."

O corpo dela murchou, e os olhos se encheram de água.

"Você está ignorando suas próprias regras, Zak", desafiou ela, com os lábios trêmulos. "Você tinha dito que o último pode escolher entre viver ou morrer... E se eu for a última e optar por viver?"

"Não estou ignorando as regras, Waléria. Mas ninguém vai ser idiota de continuar vivo depois disso tudo. Se alguém sair vivo daqui, vai ter que se explicar para a polícia, para a Justiça, para a sociedade", ele afirmou. "Se eu for o último, não tenho nem que pensar. Vou pegar a bala restante e puxar o gatilho na mesma hora. Sem medo. E, sinceramente, recomendo que faça o mesmo."

As palavras do Zak se perderam no ar. Depois de um longo silêncio, Waléria caminhou determinada na direção da saída e girou a maçaneta, mas a porta não abriu. Ela tentou outra vez, como se a tranca fosse ceder ao seu desespero. Juntou forças e esmurrou a porta, tentando derrubá-la a todo custo.

"Onde está a chave, Zak? Onde está a chave desta porta?"

Antes que Zak tivesse tempo de falar, Lucas respondeu:

"Ele não sabe. Na verdade, ninguém sabe... só eu. Ele me deu a chave, e eu me livrei dela..."

"Onde você colocou, Lucas?", Waléria perguntou, tentando se manter paciente. Ela parou de socar a porta e respirou fundo, recompondo-se.

"Engoli", mentiu ele, abrindo a boca e jogando a língua para fora como se estivesse no médico. "Quer vir pegar?"

"Você engoliu a chave?", ela disse, escandalizada.

"É uma possibilidade", Lucas respondeu, com um sorriso vazio. "Assim como é uma possibilidade que, em breve, alguém sinta nossa falta e comece a nos procurar... Alguma hora, vão chegar até aqui... E eu, sinceramente, não quero estar vivo quando isso acontecer... Então, que tal continuarmos logo?"

"Já disse que, se o Zak carregar o revólver, estou fora..."

"Putz, você é mesmo chata, hein, minha filha?", rendeu-se a João com mais um cigarrinho pela metade pendendo dos lábios.

Waléria ignorou a ofensa:

"E tem mais um problema", prosseguiu, levando a mão ao queixo, como se pensasse. "Somos cinco. O revólver tem oito câmaras... E se nós cinco puxarmos o gatilho e nenhum tiro sair? Quero dizer, e se a bala estiver numa das três últimas câmaras? O que fazemos?"

"Continuamos atirando até o final!", Zak disse.

"Mas aí os três primeiros ficam em desvantagem, porque podem ter que atirar outra vez, e os dois últimos, não."

"Puta merda!", reclamou a João. "Foda-se a probabilidade! Vamos todos morrer de qualquer jeito!"

"O que a Waléria disse está certo", concordei. "Tenho uma ideia: caso o tiro não saia nos cinco primeiros disparos, é só abrir a arma e girar o tambor de novo. Simples e eficiente."

"É uma boa", concordou Zak. "Fazemos isso até o tiro sair."

"Por que não colocamos mais de uma bala?", propôs o Lucas.

"O quê?"

"Tipo... Se colocarmos duas balas no tambor em vez de uma aumentam as chances de ter pelo menos uma bala nas cinco primeiras câmaras."

"Por que não colocamos logo três balas?", sugeriu a João.

"Se colocarmos três balas, as chances de alguma bala estar nas cinco primeiras câmaras aumenta muito! Pode acontecer de as três ficarem entre as cinco primeiras e aí morrerem três de uma vez!", rebateu Waléria.

"Não!", irritou-se Lucas. "Só vamos colocar mais balas para aumentar as chances de uma sair até a quinta tentativa. Nesse caso, assim que o tiro sair, abrimos o tambor de novo, colocamos mais uma bala e fazemos um novo giro. Não morre mais de um por rodada, entendeu?"

Zak continuava parado, observando os corpos nus da Ritinha e do Noel enlaçados. Parecia não acompanhar mais a discussão.

"Afinal, o que decidiram?", ele perguntou.

"Eu voto em colocar três balas", disse a João.

"Eu também", concordou o irmão.

Eu e Zak aceitamos.

"Certo", resignou-se Waléria. "Mas, já que vão ser três balas, três pessoas diferentes colocam. E de olhos fechados."

"Eu já disse que só eu carrego a merda da arma!", brigou Zak. "É simples: a Taurus é minha, eu carrego!"

Waléria já ia retrucar quando Lucas interveio:

"Ah, vai, Zak! Chega dessa discussão! Dessa vez são três balas. Eu, você e a Waléria colocamos uma cada um! Não tem por que brigar! Vamos acabar com isso logo, sim?"

Zak deu de ombros, agachando-se desajeitadamente para pegar o revólver no chão, ao lado do corpo do Noel. Ele limpou na barra da bermuda o cabo ensanguentado, enfiou a mão no bolso e pegou três balas. Meio a contragosto, entregou uma para Waléria e outra para Lucas.

Ele abriu a arma, revelando o cilindro giratório e as oito câmaras vazias.

Lançou um último olhar enraivecido para Waléria, que o fiscalizava, atenta. Tateou o tambor e, passeando os dedos pelas câmaras, introduziu a bala em uma delas. Esticou os braços para entregar o revólver a Lucas, que já esperava de olhos cerrados. Tudo acontecia devagar, como dois cegos organizando a bagunça de uma casa desconhecida. Depois de quatro tentativas frustradas,

Lucas conseguiu pegar a arma. Tateou e introduziu a bala na primeira câmara vaga que encontrou. Repassou a Taurus para Waléria, também de olhos fechados. Ela a segurou, inspirando profundamente, como se estivesse prestes a realizar um grande feito.

Waléria demorou a introduzir a bala na câmara. Quando o fez, girou o tambor e o fechou.

"Eu começo", disse, levando o revólver aos cabelos mal pintados.

"Ei, calma!", pediu a João, levantando zonza de seu lugar. Ela fechou os olhos por alguns segundos, tentando recuperar o prumo. "Temos mais um problema pra resolver."

"Que foi dessa vez?"

"Sério, gente... Olha o estado deste porão... Está imundo!"

Olhei ao redor: Otto estava amarrado ao cano, próximo à mesinha quebrada e ao pedaço de madeira que, antes, era o pé da mesa; no lado oposto, ficavam os corpos ensanguentados e nus do Noel e da Ritinha; junto à parede, encontrava-se o corpo do Dan, incomodamente relembrando que eu tinha falhado ao tentar salvá-lo; mais próximo da porta, via-se o sofá depenado e uma João revoltada.

"Pensem só. Tem sangue por todos os lados, nas paredes, no chão e até na droga do teto!"

"O que você quer? Ligar pra faxineira?", brincou Lucas, com um riso nervoso.

"Não dá! Meu celular não pega aqui!", Zak respondeu, mantendo a piadinha no ar.

"Estou falando sério, gente!", disse a João, fazendo a carinha emburrada pela qual me apaixonei. "Mais uma morte quer dizer mais sangue. E mais sangue quer dizer que não vamos ter nem onde pisar! Isso sem falar no cheiro, que está ficando insuportável!"

"Por que não afastamos o sofá da parede e colocamos os próximos corpos atrás dele?", propus. "Aí sobraria o espaço aí da frente para terminar a roleta-russa..."

A João pareceu considerar minha ideia.

"Pode ser", murmurou, pouco animada. Se eu fosse rico, talvez ela dissesse: "Nossa! Que ideia maravilhosa, meu amor!".

"Não entendi nada. Mas se vocês querem... Lucas, me ajuda a carregar o sofá", pediu Zak, aproximando-se da porta. Ele alongou os braços e estufou o peito, soltando um suspiro cansado.

Tomando cuidado para não escorregar no sangue que havia no caminho, eles seguraram os braços laterais do móvel e tentaram levantá-lo.

"Cacete! Esta merda é pesada!", Zak disse, arfante. "Acho melhor alguém mais ajudar..."

Como só restavam duas mulheres e eu, deixei o caderno de lado e me voluntariei.

O sofá era realmente pesado. Aos poucos, nós o empurramos para a frente, afastando-o mais de um metro da parede. No lugar onde ele estivera, o chão estava coberto de poeira.

Peguei o caderno de volta e me sentei num dos braços do sofá.

"Podemos continuar?", Waléria perguntou assim que comecei a escrever.

"Começa você", Lucas sugeriu, ao lado dela.

Como se estivesse com pressa, Waléria levantou novamente a arma até a cabeça.

"Se Deus for justo", ela disse, olhando para Zak recostado em uma pilastra a poucos metros, "vai me deixar escapar viva desse disparo para que eu possa ver seu desespero em ter que atirar sem saber onde está a bala..."

Zak não respondeu.

Mas ela não estava aguardando uma resposta.

Clique.

O tambor executou seu giro, passando para a próxima câmara. O próximo desafio.

"É... Deus é justo", Waléria comentou, exibindo os dentes num sorriso maldoso.

"Minha vez", Lucas disse, tomando o revólver das mãos dela.

De forma um pouco desajeitada, ele mirou a arma contra o próprio coração.

"O que você está fazen..."

"Que nem Getúlio Vargas", Lucas respondeu, antes que a pergunta fosse feita. "Para não estragar o velório..."

E atirou.

De tão acostumado a ouvir o clique, você nunca espera pelo estrondo incisivo da bala sendo disparada. Tomei um susto, caindo sobre o sofá, ao mesmo tempo que a arma despencava das mãos do Lucas e ele tombava no chão.

A João soltou um berro, levando as mãos ao rosto, recusando-se a ver o peito do irmão banhado em sangue. As pernas tremiam enquanto ela chorava, desesperada. Correu para o corpo, enlaçando a cabeça inerte em seus braços. Entre soluços, acariciou os cabelos despenteados e desceu as pálpebras dos olhos sem vida.

"O que... Meu Deus, o que eu fiz?", ela murmurava repetidamente, enquanto dava tapinhas na bochecha do cadáver, tentando reanimá-lo. "Lucas, meu Deus! Por favor, acorda! Fala comigo, Lucas! Meu Deus! Por favor! Desculpa!"

Pensei em me aproximar, fazer um afago, numa tentativa de consolá-la. Mas seria inútil. Ela me desprezava. Eu devia desprezá-la também. Devia fazer como os outros: assistir à sua tristeza com uma cara de paisagem, como se nada de anormal estivesse acontecendo.

"Lucas..." Ela chorava, as lágrimas escorrendo pelas bochechas e caindo sobre o rosto do irmão. "Eu te amo! Eu te amo muito! Mas é que... Meu Deus, o que eu fiz?"

"Acho melhor colocarem logo o corpo dele atrás do sofá... antes que o sangue se espalhe", comentou Waléria, com a voz inalterada. "Não foi esse o combinado?"

Zak se aproximou da João, transtornado. Ele entendia Lucas, os dois eram mais ou menos amigos. Zak apertou carinhosamente o ombro da João e murmurou algo em seu ouvido. Ela soltou um lamento e se afastou do corpo. Zak pegou o cadáver pelos braços e pediu que eu o pegasse pelas pernas. Fui ajudar.

Lucas era pesado. Apesar da magreza aparente, devia ter uns bons setenta ou oitenta quilos. Carregamos o cadáver com dificuldade, contornando o sofá. Um barulho seco ecoou pelo porão assim que soltamos o corpo sobre o piso.

Olhando melhor, percebi que uma tábua do assoalho tinha se soltado, movida pelo impacto do cadáver. Quando agachei para ajeitá-la, gelei. Era uma espécie de fundo falso.

"Me dá aquele pedaço de pau!", pedi.

Zak me entregou o pé da mesa, sem entender o que eu estava fazendo.

Com avidez, quebrei as tábuas ao lado da que tinha se soltado, rachando uma boa área do chão de madeira. Em menos de dois minutos, existia um grande buraco ao lado do Lucas, no lugar onde antes estivera o sofá.

"Caralho!", gritou Zak, tão assustado quanto eu, indicando que não sabia do esconderijo.

Por um segundo, voltei à infância, à curiosidade aguçada em querer descobrir o que Getúlio Vasconcellos guardava trancado no misterioso porão. Agora eu sabia. Nem fadas nem duendes.

Separados em sacos plásticos transparentes, maços de notas de cem dólares, presos por elásticos pretos, ocupavam uma área de pelo menos um metro quadrado. Não era possível ver a profundidade do buraco, mas, ao retirar um saco, confirmei que havia vários outros embaixo, empilhados.

"Quanto dinheiro tem aí?", perguntou a João, com os olhinhos brilhando, parecendo ter se esquecido da morte do irmão.

Encontrei duas folhas de papel grampeadas no topo de um dos sacos plásticos. Havia anotações escritas à mão que revelavam os lançamentos contábeis dos últimos três anos. Ao que parece, *cada depósito ou retirada de dinheiro do esconderijo era registrado por Getúlio. O último depósito fora de trezentos e quarenta mil dólares, em 29 de agosto de 2008, uma sexta-feira. Um dia antes do acidente na volta para o Rio de Janeiro.*

Na segunda folha, havia uma série de contas de adição e subtração. Procurei pela última data e encontrei-a ao pé da página. Ali estava a resposta para a pergunta da João.

Vinte e dois milhões de dólares.

29.

DIANA: *"Na segunda folha, havia uma série de contas de adição e subtração. Procurei pela última data e encontrei-a ao pé da página. Ali estava a resposta para a pergunta da João."* (*pausa*) *"Vinte e dois milhões de dólares."*

REBECCA: Uau, vinte e dois milhões?

ROSA: De dólares? Isso... Isso é surreal!

(*comentários paralelos*)

DIANA: Senhoras, por favor! (*com a voz ríspida*) Sei que a descoberta gera burburinho, mas vamos tentar manter a ordem, sim? Uma por vez...

ROSA: Vinte e dois milhões, delegada? É muito dinheiro!

DIANA: Realmente. (*pausa*) Como vocês perceberam, é o fim do capítulo oito. (*pausa*) Agora está respondida sua pergunta, Amélia. Era por isso que o porão ficava trancado: o lugar era uma espécie de cofre. Provavelmente, Getúlio o utilizava para esse fim havia bastante tempo, visto que os meninos eram pequenos quando não puderam entrar lá.

AMÉLIA: Eu... (*choro*) Eu não estou me sentindo muito bem... Meu filho... (*pausa*) Por que a Maria João não impediu, delegada? Por quê? (*soluços*) Como é que ela foi se meter nisso? Logo ela! Tão determinada e ambiciosa!

DIANA: Também gostaríamos de saber, Amélia. (*pausa*) Você está abatida... Quer uma água, um calmante?

AMÉLIA: Não, não... Eu me recupero. (*com a voz levemente chorosa e fraca*) Foi só a emoção do momento, a sensação de viver aquilo em tempo real, como se fosse um filme passando diante dos olhos. Como se eu pudesse entrar na tela e salvar meu filho... (*choro*)

DÉBORA: Fique calma, querida... Vai passar e...

AMÉLIA: Já estou melhorando... Podemos... (*pausa*) Podemos continuar.

DIANA: Na verdade, Amélia, esperávamos que você pudesse nos ajudar com o motivo de Maria João ter entrado na roleta-russa, de ter compactuado com o irmão...

AMÉLIA: Mas eu já disse mil vezes que não sei! (*com a voz exaltada*) Nos interrogatórios me fizeram essa pergunta repetidamente. (*pausa*) Eu simplesmente não sei! Não faz o menor sentido... Estávamos bem lá em casa. Lucas estava até interessado em uma menina, acho.

DIANA: Sabe o nome dela?

AMÉLIA: Não... não sei. Eles não me falavam muito sobre isso, na verdade. Só ouvi por alto.

DIANA: E a Maria?

AMÉLIA: Ela também estava bem. Normal, sabe? (*pausa*) Nervosa por causa de algum projeto em que estava envolvida. Ela vivia metida nessas coisas. Curtas-metragens, apresentações circenses na rua e tal.

DIANA: Algum namorado?

AMÉLIA: Minha filha não se apegava facilmente a ninguém. Sempre foi autossuficiente e não se entregava assim, de cara... Mas às vezes saía com alguns meninos, como o próprio Alessandro.

DIANA: Entendo.

AMÉLIA: É como eu disse, delegada... Eles ficaram um pouco chocados com o acidente dos pais do Zak. Todos ficamos, quando morre alguém perto de nós, não é mesmo? (*pausa*) Mas, fora isso, estavam bem.

DIANA: Os dois ficaram surpresos com o acidente?

AMÉLIA: Sim, sim! (*pausa*) Na verdade, não diria surpresos... mas chocados mesmo. É o tipo de coisa que nos faz perceber como somos vulneráveis, como a vida é frágil... (*pausa*) Zak perdeu os pais de uma hora pra outra. É natural pensar: "E se isso acontecesse comigo? E se meus pais morressem de repente também?". (*pausa*) Acho que isso deve ter passado na cabeça deles. Viram a morte ali do lado... E ficaram chocados. A Maria João até mais que o Lucas. Ficava comentando o acidente, lendo as reportagens... (*pausa*) Mas isso é normal, não é? Afinal, eles estavam lá quando Zak recebeu a notícia pelo telefone...

DIANA: Vamos tentar focar nos motivos deles, Amélia. Raciocinando juntas, talvez cheguemos a algum lugar, não é mesmo?

AMÉLIA: Mas eu já disse que não faz sentido! (*com a voz exaltada*) Quantas vezes vou ter que repetir isso?

DIANA: Só...

AMÉLIA: Nem o próprio Lucas tinha motivo! O dr. Alvarenga disse que ele estava evoluindo nas sessões, que seu quadro já não era tão perigoso. A última tentativa de suicídio dele tinha sido mais de oito meses antes. Oito meses, delegada! Nada indicava que ele ia tentar mais uma vez!

DIANA: Mas ele poderia ter uma recaída inesperada, não? O choque ao presenciar o amigo recebendo a notícia da morte dos pais...

AMÉLIA: Sim, é possível. Mas nunca a Maria João! Ela não faria isso. Não se deixava afetar tão facilmente. Era racional. Pensava antes de agir.

DIANA: Entendo. Mas me deixe reler um trecho do capítulo anterior. Ouçam com atenção. (*pausa*) "'*Lucas...' Ela chorava, as lágrimas escorrendo pelas bochechas e caindo sobre o rosto do irmão. 'Eu te amo! Eu te amo muito! Mas é que... Meu Deus, o que eu fiz?*'" (*pausa*) Alessandro estava escrevendo isso em tempo real. É possível, na verdade provável, que as frases ditas por cada um durante toda a roleta-russa estejam transcritas como foram ditas, ou com poucas alterações, que infelizmente não podemos identificar. (*pausa*) Percebam que a Maria João vai dizer alguma coisa, dar alguma explicação para sua atitude: "'*Mas é que...*'", e para no meio, não termina a frase. Em vez disso, ela expressa seu arrependimento e o choque diante do irmão morto: "*Meu Deus, o que eu fiz?*".

OLÍVIA: E esquece tudo logo depois... (*pausa*) Assim que descobre a grana enterrada no porão...

AMÉLIA (*com a voz rígida*): Fica quieta!

OLÍVIA: Nada como o dinheiro para conter as lágrimas...

AMÉLIA (*com a voz exaltada*): Cala a boca! Maria amava o irmão! Ele tinha acabado de morrer! Como ousa falar assim dos meus filhos?

(*choro*)

OLÍVIA: Eu não disse nada de mais, Amélia. Foi o próprio Alessandro que escreveu... Ela parou de chorar e foi admirar o tesouro que eles tinham encontrado. E eu confesso que entendo essa atitude. Afinal, o irmão já estava morto. E ela estava ali, vivinha, com convidativos vinte e dois milhões de dólares diante dos olhos...

REBECCA: Vinte e dois milhões! Ainda não acredito! (*pausa*) O que todo esse dinheiro estava fazendo lá dentro? Os bancos existem pra isso!

OLÍVIA: Paraísos fiscais existem pra isso. O dinheiro guardado no porão da casa de campo não deve ser dos mais lícitos, Rebecca.

DIANA: Tudo o que podemos fazer é especular. (*pausa*) É, sem dúvida, uma quantia não declarada.

REBECCA: Vocês não tentaram investigar a origem do dinheiro?

DIANA: Sim, tentamos. Mas essa questão é irrelevante para o caso. (*pausa*) Getúlio Vasconcellos possuía negócios em basicamente todos os setores da economia. (*farfalhar de papéis*) A GVasc Imobiliária e a UsiVasconcellos, um conglomerado de usinas produtoras de ferro-gusa, levavam o nome da família. Além disso, Getúlio era sócio, em alguns casos majoritário, de diversas outras empresas, como hotéis, resorts, navios, fazendas... Acionamos a Receita Federal e estamos trabalhando. (*pausa*) A verdade é que, se levarmos em conta todo o patrimônio líquido, vinte e dois milhões de dólares representam apenas uma porcentagem de sua fortuna. (*pausa*) A própria Cyrille's House foi vendida há três meses por cinco milhões de dólares.

ROSA: Minha nossa, é muito dinheiro!

REBECCA: Mas, afinal, por que esse esconderijo no porão? (*pausa*) É até natural que alguém com tantos negócios desvie um pouco ali, sonegue um pouco aqui... Mas por que não mandar o dinheiro para um paraíso fiscal? Por que manter escondido embaixo das tábuas de madeira no porão?

DIANA: Como eu disse, não temos certeza de nada. (*pausa*) É possível que esse esconderijo fosse uma forma de Getúlio ter dinheiro em caixa caso precisasse dele com urgência. Transações em paraísos fiscais e até mesmo em bancos, quando o valor é grande, são trabalhosas, burocráticas. (*pausa*) Acreditamos que a quantia guardada no porão servia para necessidades imediatas, compras que exigissem dinheiro vivo e rápido. Alessandro comenta que as folhas apresentavam as datas dos depósitos e das retiradas. Isso mostra que o Getúlio não só colocava dinheiro, mas também pegava em alguns momentos.

REBECCA: Pode ser...

(*silêncio — quatro segundos*)

OLÍVIA: Débora, você não era amiga do casal? Não vivia viajando com eles para Cyrille's House? (*pausa*) Você nunca viu ou ouviu nada sobre isso?

DÉBORA: Você disse bem, Olívia: eu era amiga do casal. *Amiga*. (*com a voz ríspida*) Não me intrometia nos negócios. Nunca soube de nada. (*pausa*) E não passava o tempo todo com eles.

OLÍVIA: Puxa, já pensou se você descobre, hein? (*pausa*) Vinte e dois milhões!

DÉBORA: Se eu descubro, não muda nada... O dinheiro não era meu.

OLÍVIA: Fico imaginando como aqueles coitados reagiram diante dessa coisa toda... (*riso seco*) Vinte e dois milhões ali do lado, e eles prestes a cometer suicídio! Uma tremenda ironia, não?

DIANA: Olívia, por favor, vamos tentar manter o foco.

ROSA: Estive pensando... Eu obviamente não conhecia Maria João... mas a mãe dela disse que ela era racional, determinada... (*pausa*) É provável que o motivo dela, seja qual for, também tivesse algo de racional, não? (*com a voz hesitante*) Quer dizer, ela provavelmente não ia se suicidar porque estava deprimida ou apaixonada...

AMÉLIA: É verdade...

ROSA: Apenas um motivo racional poderia explicar o arrependimento dela assim que viu o irmão morto, não acham? (*pausa*) Posso estar falando besteira, mas faz sentido pra mim...

DIANA: Sim, sim, Rosa... É muito interessante o que você disse...

OLÍVIA: Racional? Pelo amor de Deus, que motivo parece racional o suficiente para levar alguém a cometer suicídio?

ROSA: Não precisa ser racional pra gente, Olívia... mas pra eles... Teria que fazer sentido na cabeça deles, não na nossa...

OLÍVIA: É uma boa resposta, mas não me convence. (*pausa*) Não adianta ficar querendo entrar na cabeça dos meninos. Não somos telepatas. E, além disso, nenhum deles me parecia agir racionalmente ali.

SÔNIA: Alessandro, sim... (*pausa*) O motivo dele era bastante racional. Escrever um livro para a fama póstuma. Racional, ainda que ilusório.

ROSA: O motivo do Noel também... Ele achava que ia defender a garota que amava. É tão racional quanto emocional.

AMÉLIA: Realmente não combina com a Maria João cometer suicídio por puro impulso ou sentimentalismo... (*pausa*) Mas a questão não é essa, entendam! Simplesmente não consigo imaginar minha filha cometendo suicídio! Ela era a última pessoa que eu imaginaria fazendo isso! (*choro*) Justamente por conviver com o irmão, por ter acompanhado o drama dele, suas tentativas frustradas de se matar, as internações em clínicas e tudo o mais... Ela tinha uma espécie de repulsa por essa coisa toda. (*pausa*) Como o filho que convive com a mãe fumante e, por isso, odeia cigarro... Ela repudiava a ideia de acabar com a própria vida. Não faz o menor sentido ter participado dessa roleta-russa! Nem ter permitido que o irmão participasse!

REBECCA: A relação deles não pode ter se invertido? (*pausa*) Quer dizer, antes ela controlava as tendências suicidas dele, mas então ele a convenceu a mudar de lado, a se matar?

AMÉLIA: Não, não... Impossível! (*pausa*) Maria era muito mais forte que Lucas. Ela nunca ia se deixar convencer. Principalmente nesse assunto. Tinha uma opinião muito bem formada...

ROSA: E se ela foi ameaçada?

AMÉLIA: Como assim?

ROSA: Ah, vamos supor que Zak tenha convidado Lucas para a roleta-russa. Ela escutou. Disse que contaria para todos, denunciaria à polícia e tudo o mais... E então, Zak a ameaçou. Talvez o próprio Lucas tenha ameaçado também.

AMÉLIA: Lucas nunca ameaçaria a própria irmã! (*pausa*) Por trás da aparência rebelde, ele era um menino doce... Não faria isso! Eu conhecia bem meus filhos e sei o que estou dizendo.

OLÍVIA: Eu não teria tanta certeza assim, Amélia. Afinal, você disse que Maria João nunca se suicidaria... E... bem... ela estava lá, não é mesmo?

AMÉLIA (*com a voz exaltada*): Pare de me provocar!

DIANA: Por favor, por favor, não briguem. (*pausa*) Rosa, termine sua argumentação. Vamos supor, ainda que a Amélia afirme ser impossível, que Lucas ou Zak tenham ameaçado a Maria João... (*pausa*) Isso explica o fato de ela deixar o irmão entrar na roleta-russa... mas não explica a presença dela lá, participando de tudo!

ROSA: Não sei... Soa plausível. Zak convida Lucas. Maria João escuta e diz que vai denunciar o garoto, que a ameaça de morte.

DÉBORA: Eu já disse que Zak não é esse monstro! Vocês insistem em...

DIANA: Débora, por favor, deixe Rosa concluir o raciocínio. São apenas suposições. (*pausa*) Continue, Rosa...

ROSA: Bem... Zak ameaça a Maria João de morte caso ela conte. A garota fica num dilema. Deixar o irmão se suicidar ou contar para a polícia e colocar a própria vida em risco... (*pausa*) Ela acaba decidindo que também vai para a roleta-russa, com o objetivo de impedir que tudo aconteça, de impedir que o irmão se mate... (*pausa*) Mas falha. E, ao perceber isso, cai em prantos, chora compulsivamente, como Alessandro narrou...

DIANA: Mas não temos nenhuma evidência de que Zak ou Lucas tenham ameaçado Maria João. (*pausa*) Além disso, em nenhum momento durante a roleta-russa ela pareceu fazer qualquer coisa para evitar que o irmão pegasse a arma. Maria João não tentou impedir ou dissuadir Lucas em nenhum instante. (*pausa*) Por fim... Acreditamos que Zak tenha feito o convite para a roleta-russa no dia 3 de setembro, quarta-feira, correto?

AMÉLIA: Sim, isso mesmo. Como eu disse, meus filhos pareciam normais. Sem nenhum problema aparente. Foi só nesse dia, depois da visita do Zak, por volta da hora do almoço, que começaram a ficar estranhos... Maria saiu logo depois e só voltou à noite. Lucas nem sequer jantou...

DIANA: Pois então. Você disse que Zak foi até sua casa no dia 3 de setembro e pediu para falar com os dois, não é isso?

AMÉLIA: Sim.

DIANA: Zak pediu pra falar com os dois. Com os dois! Isso quer dizer que o convite era para os dois! Não faz muito sentido convidar um e ameaçar o outro ao mesmo tempo!

ROSA: Verdade... Desculpa. Foi só uma ideia besta mesmo.

DIANA: Não, não! Você me entendeu mal! A ideia foi ótima! (*pausa*) A proposta da reunião é exatamente essa. Estamos revendo o caso.

OLÍVIA: Então leia logo esse capítulo nove! Não quero perder o resto da minha noite aqui!

DIANA: Vou ler já, já, Olívia. (*pausa*) Antes eu queria saber quem dos presentes na roleta-russa já conhecia Maria João ou Lucas.

SÔNIA: Danilo... (*pausa*) Ele foi ao ensaio da banda deles no apartamento dos Vasconcellos. No dia do acidente, por sinal.

DIANA: Obrigada. (*pausa*) Quem mais?

VÂNIA: Minha filha... (*pausa*) Ela conhecia Lucas, ao menos. Estudavam na mesma faculdade. (*pausa*) Não sei se conhecia Maria João.

OLÍVIA: Noel também. Conhecia o Lucas. A irmã, não sei dizer.

AMÉLIA: Espera! (*pausa*) Teve o jogo de pôquer no apartamento do Zak! Quando a Waléria foi até lá e contou que estava grávida. Maria me contou toda a história assim que chegou em casa... Havia cinco pessoas jogando: Zak, Alessandro, Ritinha, ela e o irmão. Waléria chegou depois.

(*som de alguém escrevendo*)

DIANA: E Otto?

ROSA: Até onde sei, não conhecia nenhum deles. Só Zak e Alessandro. (*pausa*) Meu filho jogou pôquer algumas vezes no apartamento dele... Não sei se, nessas vezes, o Lucas ou a Maria João estavam lá. É possível que sim.

DIANA: Certo.

(*som de alguém escrevendo*)

DIANA: Confirmem comigo, por favor. Zak, Alessandro, Ritinha e Noel já conheciam os irmãos por causa da faculdade de direito. Danilo, do ensaio da banda. Waléria, de um jogo de pôquer. Talvez o mesmo tenha acontecido com Otto. (*pausa*) Confere?

(*silêncio — cinco segundos*)

DIANA: Ótimo.

OLÍVIA: Agora leia logo o capítulo seguinte!

DIANA: Antes, só mais duas perguntas para Amélia. Podem parecer meio indiscretas, mas são importantes...

AMÉLIA: Pergunte.

DIANA: Sabemos que Maria João teve um relacionamento rápido com Alessandro...

AMÉLIA: Sim... E?

DIANA: Existe a possibilidade de ela também ter se relacionado com Zak? Um namoro secreto ou algo assim?

AMÉLIA: Não, nunca! Conheço o tipo de garoto da minha filha... Ela não gostava dos fortinhos. De onde você tirou isso? Não faz nenhum sentido... Com certeza, não! Era só amizade.

DIANA: Certo.

AMÉLIA: Qual é a segunda pergunta?

DIANA: Bem... Sinto muito, mas tenho que perguntar... (*pausa*) Existe a possibilidade de Zak ter se relacionado com Lucas? Sexualmente, quero dizer.

AMÉLIA (*com a voz exaltada*): Como assim?

DIANA: Você entendeu, Amélia... (*pausa*) Existe a possibilidade de o Lucas ser homossexual? Bissexual talvez?

AMÉLIA: Mas isso é um absurdo! Não, não, nunca! (*pausa*) Meu filho gostava de garotas... (*pausa*) Na verdade, tinha até um pouco de preconceito contra os gays...

OLÍVIA: Todo enrustido tem preconceito contra homossexuais, minha querida.

AMÉLIA: Fica quieta! Sei o que estou dizendo... Ele e Zak eram só bons amigos. Não tinha nada a ver com sexo.

DIANA: Entendi. Desculpe a indiscrição... (*pausa*) Mas era necessário.

AMÉLIA: Tudo bem.

DIANA: Mais algum comentário?

(*silêncio — cinco segundos*)

DIANA: Vamos ao capítulo nove... (*farfalhar de papéis*) Gostaria de pedir às senhoras atenção redobrada agora. Evitem qualquer tipo de comentário paralelo ou interrupção, sim? (*pausa*) Na verdade, este é o capítulo-chave desta reunião. Então, por favor...

(*farfalhar de papéis*)

30.

DAS ANOTAÇÕES DE ALESSANDRO PARENTONI DE CARVALHO
CASO CYRILLE'S HOUSE
IDENTIFICAÇÃO: 15634-0209-08
ENCONTRADO EM 10/9/2008, NO QUARTO DA VÍTIMA SUPRACITADA
OFICIAL RESPONSÁVEL: JOSÉ PEREIRA AQUINO, 12ª DP, COPACABANA

2 de setembro de 2008, terça-feira

Às vezes acontece de você acordar se sentindo um homem novo. A noite de sono é como um divisor de águas entre o passado remoto e o futuro promissor. Os pés flutuam longe do chão.

Existe também a sensação oposta, quando você se sente um caco. Essa é a definição perfeita de como eu estava quando o despertador soou às nove, anunciando o início da terça-feira.

Ao tirar o edredom e tocar o chão, meus pés pareceram afundar. Meus ombros, enrijecidos, latejavam. Fui até o banheiro, culpando a noite maldormida pelas dores, e lavei o rosto na pia. A luzinha sobre o espelho me invadiu como um holofote. Por um segundo, aquela iluminação repentina me lembrou dos flashes de ontem. Numa reação em cadeia, as imagens dos últimos acontecimentos dispararam em meu cérebro cansado: o acidente de carro, as revelações do Otto, o enterro cinematográfico dos Vasconcellos, o rosto abatido do Zak…

Peguei um remédio para dor de cabeça e engoli, sem água. Meu estômago roncou, dando um sinal de vida entre os ossos moídos.

Minha mãe estava sentada num banquinho na cozinha, folheando melancolicamente uma revista. Teve um sobressalto quando levantou os olhos e me viu parado à porta, observando-a.

"Bom dia, filho", disse. A saudação não foi vigorosa o suficiente para melhorar as coisas.

Ainda assim, retribuí o cumprimento.

Sobre a mesa da cozinha, jarra de leite, chocolate em pó, bolo de cenoura, fatias de presunto e queijo, requeijão, torradas, patê de peito de peru e cesta de pães frescos. Quase um café colonial.

"Está bonita a mesa, não é?", ela perguntou, ensaiando um sorriso.

"É."

Sentei e só então percebi como ela estava mal. Tão mal quanto eu. Talvez pior. Os cabelos descoloridos tinham sido presos num coque apressado, a pele parecia desgastada, flácida, com bolsões sob os olhos, e o nariz estava avermelhado, resultado de uma noite de choro.

Ficamos ali, em silêncio. Ela me olhava enquanto eu cortava o pão, passava a manteiga e dava uma mordida.

"Dormiu bem esta noite?", ela perguntou, estudando-me com olhos carinhosos.

A resposta era não. O dia anterior não tinha sido dos melhores. Primeiro o enterro. Depois o delegado albino querendo conversar com Zak. E, finalmente, o muro de incertezas e hesitações entre mim e ele. Eu não sabia lidar com aquelas coisas. Não sabia o que dizer a uma pessoa que acabara de perder os pais. Qualquer assunto parecia fútil. Qualquer tentativa de consolo só servia para reavivar as lembranças, aumentar a angústia.

Querendo ou não, a história do Otto ainda estava entalada em minha garganta. Como era possível que Zak tivesse me enganado durante todo aquele tempo? Como conseguira esconder que também se divertia com homens?

Eu precisava saber a verdade. E precisava ouvi-la da boca dele. Mas não podia colocar na parede alguém que tinha acabado de enterrar os pais. Era impossível. Seria desumano. Pensando no bem dele, eu fazia mal a mim mesmo. Ficava remoendo aquilo dentro de mim. A curiosidade tentando vencer a sensatez.

No dia anterior, quase sem querer, eu lançara o assunto no ar. Zak fora dormir na minha casa. Havíamos chegado do enterro e ele tinha ido descansar. Aproveitei para fazer minhas anotações sobre a cerimônia, a parente interesseira e o convite do delegado. Depois decidi folhear um livro, tentando inutilmente acelerar o tempo. Estava distraído na sala de TV quando ele apareceu. Ficamos em silêncio, com um toque lamurioso nos olhares. O maldito muro de hesitações continuava entre nós. Então, eu o convidei para jogar pôquer, para quebrar a tensão. Ele recusou e disse que voltaria a dormir. Tentei prolongar o assunto. Querendo ser engraçado, revelei que conhecia seu tique quando blefava. Contei do meu medo de blefar. E acabei falando do jogo do outro dia com Otto. Ele não comentou nada, até porque eu não havia perguntado nada. Apenas se limitou a exibir um sorriso tímido quando mencionei o infeliz. O sorriso me atingiu em cheio, mais forte que um tapa na cara. Era quase uma confirmação.

"Ei, você ainda está dormindo?", minha mãe perguntou, retirando-me dos devaneios.

"Estava só pensando", respondi, continuando a comer. "Mas dormi bem, sim."

"Não vai beber nada? Nem um leite? Suco?"

"Suco", pedi, mesmo sem vontade.

Ela levantou apressada para buscar a jarra na geladeira. Eu conseguia entendê-la perfeitamente. Precisava se manter ativa, ocupando-se para tentar esquecer os problemas. Para tentar esquecer a morte da amiga. Para tentar ignorar a cirurgia de alto risco dali a cinco dias.

"Aí está", disse, entregando-me o copo.

Tomei um gole e passei manteiga em outro pão.

"Zak ainda não acordou?", ela perguntou, tensa.

"Acho que não", respondi.

A verdade era que eu também estava nervoso. O encontro com o delegado seria dali a menos de duas horas, e eu estava curioso para saber o que o homem queria com Zak. Aquela dúvida tinha sido a grande responsável pela minha noite maldormida. Mesmo deitado na cama, fiquei pensando por horas e horas no que o delegado poderia querer. Só adormeci às três da manhã. O despertador estava programado para as nove, então tive seis horas de sono. Meu corpo doía.

"É melhor eu ir lá acordar ele", murmurou ela, olhando agitada para o relógio. "Vocês não podem se atrasar para o encontro com o delegado... Zak ainda tem que tomar banho. Não tomou ontem quando chegamos..."

Ela pareceu esperar que eu concordasse. Mas, como não me manifestei, levantou e sumiu pelo corredor. Voltou vinte minutos depois, segurando Zak pelo braço, pálido.

"Oi", eu disse. Não consegui dizer "bom dia". Nós dois sabíamos que não seria um bom dia.

Cedi meu lugar e fui para o quarto. Só então me dei conta de que eu o estava evitando. Não conseguia encará-lo, não conseguia trocar mais que dez palavras com ele... Havia algo de pena nisso. Medo também, acho. Medo de que toda aquela desgraça pudesse ser contagiosa e, com um simples toque, minha vida desabasse como a dele havia desabado...

Às quinze para as onze, voltei à cozinha. Ele estava deitado com a cabeça no colo da minha mãe, que fazia um cafuné.

"Vamos, Zak", chamei. "Está na hora."

Copacabana é o mundo espremido num bairro. Famílias, putas, ambulantes, bêbados, velhinhas, babás, gringos, bicheiros e artistas convivem em surpreendente harmonia, jogando damas na mesma praça ou caminhando no mesmo calçadão. Nos dias de sol, o povoamento desse mundo sofre um crescimento vertiginoso: o subúrbio desemboca na praia pelas três estações de metrô. Da minha janela, consigo vê-los. Munidos de barracas e isopores, parecem um mar de tanajuras abandonando o formigueiro. O fluxo se mantém constante até o período da tarde, quando os praieiros aplaudem o pôr do sol e os executivos engravatados voltam do centro da cidade.

Normalmente, logo que volto ao recolhimento do meu quarto, sinto uma depressãozinha. Nada profundo, mas bastante real. A vontade de encarar o dia que vem pela frente parece se esvair pelos poros, e tudo o que desejo é baixar as persianas e voltar a dormir. É o que eu teria feito se não fosse o encontro com o delegado. Por um segundo, considerei a ideia de deixar Zak ir sozinho, afinal eu não tinha sido convidado. Mas não precisei pensar muito para perceber que não seria certo. Amigos de verdade não fogem nos momentos difíceis, e, apesar dos pesares, eu ainda tinha grande estima por ele.

Assim que me lancei à rua, a depressão bateu mais forte. O corpo dormente ficou pesado, e meu cérebro começou a girar.

Observei as pessoas passarem para cuidar da própria vida, indo sorridentes em direção à praia ou falando ao celular. Senti o vazio, o tempo escoando pelas mãos, a memória resgatando um passado em branco, sem grandes momentos a ser lembrados. Senti a necessidade insatisfeita de viver perigosamente, de cortar as amarras.

Caminhei os dois quarteirões com certa dificuldade, como se fosse um prisioneiro. Zak ia ao meu lado, em silêncio, seguindo mecanicamente meus passos. Eu não reconhecia mais aquele trajeto tão habitual. Os rostos desconhecidos que passavam e os olhares furtivos que nos lançavam, como se estampássemos na testa nosso estado de espírito, também me incomodavam.

Eu me senti melhor quando chegamos à esquina do restaurante. Olhei para a vitrine com frutas tropicais presas ao teto. Apesar de passar por ali todos os dias, sempre procurava alguma fruta que não conhecia, o que era raro, ou alguma de que eu gostasse, o que era mais raro ainda. Corri os olhos pelo salão e encontrei o delegado Jonas numa mesa próxima à janela, bebendo um suco verde e conversando animadamente com um homem ao seu lado.

Assim que nos aproximamos, ele levantou para nos cumprimentar, recuperando depressa a seriedade esperada de um policial. Não parecia um delegado. O jeans justo e a jaqueta emoldurando os olhos claros e os cabelos grisalhos faziam-no parecer um turista do Leste Europeu.

"Este é José Aquino, amigo e titular da 12ª aqui de Copacabana", ele apresentou, cortês.

Aquino tampouco aparentava ser delegado. Parecia ter entrado havia pouco na casa dos cinquenta anos e tinha rosto fino, olhos caídos, pescoço esguio. Apertou nossas mãos com firmeza, exibindo um sorriso conflitante com o clima da mesa.

"Estou bebendo suco de kiwi. Aquino pediu um de melancia com guaraná", explicou. "Vocês querem alguma coisa?"

Respondi que não. Zak permaneceu de cabeça baixa, os dedos brincando com o pano da mesa, alheio à conversa. A mudez servia de resposta.

"Ei, Zak, você pode até não conversar agora", começou o delegado, tocando o antebraço dele para despertá-lo, "mas, quando começarmos, vou precisar de respostas, sim? Respostas suas..."

"Por que não vamos logo com essa merda então?", explodiu Zak, dando um soquinho na mesa.

O delegado fez que ia responder, mas o garçom se aproximou trazendo o suco do Aquino. Perguntou se queríamos mais alguma coisa e, diante da negativa, afastou-se.

"Sei que é difícil pra você, Zak... Acredite ou não, estou na polícia há mais de vinte anos e ainda não sei muito bem como lidar com isso... Não sou bom com as palavras e, enfim... Por isso chamei Aquino. Pra me ajudar."

"E o que vocês querem de mim, afinal?", Zak perguntou.

"Preciso que levante a cabeça. Que olhe para mim." Olhou para Zak, esperando alguma reação.

Ele permaneceu como estava, as mãos pálidas alisando as coxas num contínuo vaivém.

"É o seguinte... Sou delegado há exatos trinta e quatro anos", começou Aquino. "Trinta e quatro! Você deve imaginar que nesse tempo já vi de tudo, garoto. Todas as atrocidades possíveis, todo tipo de violência ou de assassino... Sou um cara experiente. Jonas também é. Sabemos o que fazer. Como fazer. Preciso que você nos ajude pra não se dar mal, entende?"

"Isso é algum tipo de ameaça?", perguntei, tentando proteger Zak daqueles predadores com cara de gente decente.

"De jeito nenhum", ele respondeu, levantando as mãos.

O delegado bebeu um gole do suco e pousou o copo na mesa, dramático.

"Vou contar uma história pra vocês", ele prosseguiu, estalando os lábios. "É real. Aconteceu há uns sete ou oito anos. Eu já era o delegado titular aqui da 12ª. Um pai veio à delegacia denunciar o filho de vinte e três anos, Fabrício. Ele explicou que era viúvo, criava o garoto sozinho e suspeitava que o moleque estivesse roubando joias da família, objetos de valor e até roupas pra comprar drogas. Fui investigar e a coisa era maior. O tal Fabrício tinha se metido com o tráfico. Pra conseguir uma grana, trazia quilos de pó pra consumir e vender nas festinhas da zona sul. Era peixe pequeno, mas estava envolvido até o talo com os caras grandes. Descobri que ele conseguia o carregamento com um contato em Duque de Caxias e fui falar com o delegado da DP de lá. Foi então que conheci o Jonas. Preparamos um esquema para pegar o grupo, chegar aos chefões. E conseguimos. A operação foi um sucesso. Prendemos o Dedim, o traficante que comandava toda a venda naquela área. Fabrício pegou dois anos de prisão. Mas nem tudo acabou bem..." A voz pausada de Aquino tinha um tom paternal. "Quando o garoto saiu da prisão, quinze meses depois, sequestrou o pai. Levou pra favela e o queimou vivo. Nos pneus. Dizem que depois pegou as cinzas, enrolou num papel de seda e fumou. O filho da puta fumou o próprio pai."

Engoli em seco, imaginando a cena. Zak continuava apático.

"É com isso que convivemos. É com esse tipo de coisa que somos obrigados a lidar todos os dias. Temos que encarar a sociedade jogando na nossa cara que somos todos um bando de corruptos. Temos que enfrentar com humanidade pessoas que agem sem nenhuma humanidade. E, depois de tudo, temos que aceitar que nosso trabalho não adianta nada... O político volta a roubar. O viciado volta a se drogar. O assassino volta a matar. As coisas continuam como sempre. As pessoas não mudam..."

Ele fechou as mãos, mostrando que havia concluído a história.

"E mesmo assim continuamos nosso trabalho", Jonas disse. "Torcendo pra que algum dia as coisas melhorem... Acreditem ou não, faço isso porque gosto. Sou delegado porque gosto. Não me imagino fazendo outra coisa."

"O que você quer? Um troféu?", Zak perguntou, levantando subitamente a cabeça, com os olhos repletos de ódio.

"Por isso estou aqui hoje, Zak. No meu dia de folga", explicou Jonas, calmamente. "Porque gosto de fazer as coisas direito. Gosto de entender e investigar tudo como se deve. Não duvido que qualquer dia alguém da milícia ou do tráfico consiga me matar. Já tentaram algumas vezes. Sou uma pedra no sapato deles. Mas, enquanto eu estiver vivo, vou continuar lutan..."

"O que você quer com todo esse discurso?", Zak explodiu.

"Como eu disse, gosto de esclarecer as coisas", Jonas respondeu. "Gosto quando elas se encaixam..."

Ele terminou o suco lentamente antes de prosseguir:

"E no acidente dos seus pais, Zak, nada se encaixa."

"O que você quer dizer?", perguntei, sentindo um arrepio súbito.

Aquino se ajeitou na cadeira e franziu o cenho. Entrávamos num terreno perigoso.

"Observem só", ponderou Jonas. "A Pajero foi fechada por um carro de grande porte, um caminhão com placa fria, cujo motorista nunca foi encontrado. As testemunhas disseram que, apesar da fechada inesperada, Getúlio poderia ter freado a tempo de evitar a tragédia. Mas isso não aconteceu. Não havia marca de pneus no local do acidente. Nem uma única... Então a pergunta é: 'Por que seu pai não freou?'."

Zak levantou a cabeça. Havia ali um toque de curiosidade, misturado com medo ou tristeza.

"Os freios podem ter falhado", supus.

Jonas sorriu, satisfeito.

"Pedi para a perícia verificar os freios. Foram sabotados."

"O quê?"

"Zak, não foi um acidente. Foi assassinato."

"Que merda é essa que você está falando?", Zak perguntou, subitamente agitado. A palidez foi substituída pelo vermelho-vivo, os olhos arregalados. "Assassinados? Meus pais? Não faz o menor..."

"Acredite no que Jonas está dizendo, garoto. Avaliamos a situação, todas as possibilidades... Não foi acidente. Foi algo preparado. O veículo não identificado fechando a Pajero, os freios sabotados para falhar em uma freada brusca... Foi tudo armado."

Eu não sabia o que pensar nem o que fazer. Não sentia mais dor, mas um formigamento me subia pelas pernas. Zak também estava perdido.

"O motivo...", ele disse finalmente. "Que motivo alguém teria para matar meus pais?"

O delegado exibiu outro sorriso. Ele já me irritava.

"Ah, sim, o motivo..." Levantou o copo vazio, fazendo um sinal para o garçom trazer outro suco. "Na verdade, a questão aqui não é exatamente a falta de suspeitos. Mas, sim, a grande quantidade deles..."

Zak fez que ia discordar, mas ele continuou:

"Seu pai tinha muitas empresas, Zak. Fechava diversos negócios diariamente. Não foi difícil encontrar desafetos. Acredite, muita gente queria ver Getúlio fora do caminho... A questão é descobrir quem tinha motivos suficientes para matar. Quer dizer, eu posso odiar uma pessoa, querer que suma da minha vida, mas não necessariamente vou cometer assassinato por isso, não é mesmo?"

"Quem matou meus pais?", Zak perguntou, num sussurro desesperado. Ele firmou os olhos nos do delegado, esperando uma resposta que diminuísse sua angústia.

"A maioria dos inimigos do seu pai já era de longa data", ele explicou. "O assassino, seja quem for, deve ter tido um motivo específico para cometer o crime naquele dia. Foi um crime preparado às pressas, com grandes chances de falhar. Afinal, o problema no freio poderia ser descoberto... O motorista, encontrado... Foi uma jogada arriscada."

Ficamos em silêncio, as possibilidades martelando em nossas cabeças.

"Não foi fácil", continuou Jonas. "Nem um pouco, acredite... Mas, depois de algumas conversas, chegamos a alguém com um motivo... Um motivo suficientemente plausível para cometer o crime."

Minha vontade era pular no pescoço do delegado e obrigá-lo a dizer logo tudo, sem enrolação. Ele parecia se divertir com nossa ansiedade.

O garçom trouxe o suco e saiu sem dizer nada.

"No dia 25 de agosto, segunda-feira, houve um jantar na sua casa, Zak. Você lembra?"

Ele não respondeu.

Concordei instintivamente com a cabeça. Afinal, eu estava naquele jantar.

Jonas tomou um gole do suco e prosseguiu:

"Pois então, Zak... Naquele dia, durante o jantar, o celular do Getúlio tocou. Na frente de todos na mesa, seu pai conversou com o advogado, Goulart. Não foi?"

Silêncio.

"Não foi, Zak?", o delegado insistiu.

Ele deu de ombros e concordou.

"E você lembra o que eles conversaram, Zak?"

A conversa no restaurante tinha virado um interrogatório. Pensei em intervir, mas deixei que continuassem.

"Não...", Zak engoliu em seco. "Não lembro direito. Acho que meu pai queria mudar o testamento..."

"Isso mesmo. Antes, toda a fortuna iria para você, Zak. Com a mudança, só a metade."

"Você não está dizendo que..." Ele pareceu escandalizado.

"Seu pai ia mudar o testamento na segunda-feira, ao voltar de viagem. Coincidentemente, ele não voltou. Morreu antes. Assassinado. Você perderia metade da fortuna assim que seu pai chegasse. Mas isso não aconteceu. O que acha que isso nos leva a pensar?"

"Não sei."

O delegado cravou os olhos em meu amigo.

"Você matou seus pais, Zak", ele disse com firmeza. "Sei disso."

Fiquei pasmo. O que poderia fazer? Defendê-lo? Por um segundo, agradeci a mim mesmo por ter tomado o comprimido para dor de cabeça ao acordar. Agora meu cérebro latejava e a garganta se estreitava, deixando-me sem ar.

"Isso é um absurdo!", protestou Zak. A voz saía sem força. Os olhos incharam e lágrimas se formaram, prestes a escorrer. "Eu nunca... Isso é um absurdo!"

"Ei, garoto, isso aqui é apenas uma conversa", Aquino disse. "Não é nenhuma acusação formal. Você não vai sair preso daqui. E nada que disser será usado contra você, entende? Mas não nos faça de idiotas."

"Não sei do que vocês estão falando!", Zak murmurou, desesperado.

Eu podia jurar que ele dizia a verdade. Conhecia meu amigo fazia tempo suficiente para saber quando estava mentindo. Além do mais, não conseguia imaginá-lo arquitetando friamente o assassinato dos próprios pais!

"Ah, vai, Zak!", rebateu o delegado Jonas, desafiadoramente. Ele bebericou o suco, mantendo o copo no ar. "O relatório oficial sobre o estado dos freios ficará pronto em pouco tempo. Goulart já se dispôs a prestar depoimento sobre a conversa com Getúlio. Todos os presentes naquele jantar podem confirmar que seu pai pretendia mudar o testamento quando voltasse de Cyrille's House. Tudo aponta para você."

"Mas não fui eu!", reiterou Zak, em tom de súplica. Ele parecia prestes a desmontar diante de nós. Os ombros curvados, o tronco jogado sobre a cadeira, o rosto encovado. Era como um fantoche esfarrapado.

"É o que todos dizem", garantiu Aquino. "O melhor é se entregar, garoto."

"Não tenho nada pra confessar, vocês entenderam?", ele berrou. "Nada! Não fiz nada! Quero um advogado! O que vocês estão fazendo aqui? É de praxe fazer esse tipo de coisa em restaurantes? Ou estão querendo me extorquir?"

Zak socou a mesa. Os outros clientes nos olhavam furtivamente. Ele estava exaltado, chorando compulsivamente. Os delegados pareceram acuados. Busquei controlá-lo, pedindo que tentasse conversar. Mas eu mesmo estava em choque.

"Vocês não ouviram o que Zak disse?", perguntei. "Ele não fez nada! Não tem nada pra confessar... Nunca mataria os pais... Nunca!"

Apoiando os cotovelos na mesa, Aquino aproximou o rosto do meu. Olhou-me sério, desmascarando a insegurança em minhas palavras.

"Olha bem o que você está dizendo, garoto", começou. "Ele é seu amigo, eu sei. Mas até que ponto podemos defender um amigo? Até que ponto realmente conhecemos as pessoas?"

A pergunta ficou no ar, mas ele percebeu que havia me afetado. Inevitavelmente, os últimos acontecimentos tinham me abalado. Primeiro veio a revelação do Otto sobre a sexualidade do Zak, e agora isso.

Dei de ombros, tentando espantar as ideias incômodas.

"O que vocês querem de mim?", insistiu Zak, recuperando a sobriedade. "Dinheiro?"

Os delegados sorriram diante da pergunta.

"Ah, essa péssima mania dos ricaços de achar que podem comprar o silêncio de qualquer policial... E dinheiro não falta agora, não é, Zak?"

"Se é isso que vocês querem, melhor ir pressionar outra pessoa!", ele murmurou, levantando. "Não vou dar um centavo pra vocês. Se acham que sou culpado, me prendam! Não tenho medo! Estou dizendo que não fiz nada. Se é que foi assassinato, coisa de que duvido muito, vocês estão suspeitando da pessoa errada! Sou inocente, estou dizendo!"

O delegado Aquino também levantou, encarando meu amigo, apesar de ser bem mais baixo que ele. O homem tocou seus ombros com a mão.

"O que você está armando, garoto? Não vê que pegamos você?"

"Se pegaram, por que não me prendem? Não preciso que ninguém me livre de nada."

Zak recuou, empurrando a cadeira para trás. A plateia no restaurante o observou sair gritando um "Vocês estão loucos!" antes de seguir pela calçada. Pensei em ir atrás dele, tentar consolá-lo, mostrar que eu estava do seu lado.

Mas eu estava *mesmo* do seu lado?

A pergunta do Aquino ainda martelava na minha cabeça. Até que ponto eu conhecia meu melhor amigo? O que era verdade ou mentira em todos nossos anos de convivência? Meu cérebro era bombardeado com perguntas. Algo me prendia ali, como se meus pés estivessem fincados no chão do restaurante.

Percebi que os delegados me observavam e murmurei sem pensar:

"Zak é inocente. Acreditem em mim..."

Eles concordaram de leve com a cabeça, mas o gesto era de pena.

A conclusão inevitável se estampava, como uma voz provocante sussurrando ao pé do ouvido: eu não o conhecia. Zak era um estranho. Depois de tantos anos, não sabia seus limites. Não tinha ideia do que ele era capaz. Caralho, ele trepava com Otto!

Otto…

A imagem do desgraçado surgiu diante de mim, o sorrisinho orgulhoso e nojento a me encarar… De repente, eu me lembrei do que ele dissera no domingo: "*De certa forma, a morte dos pais vai fazer bem a ele*".

"Otto…", murmurei, estupefato.

Eu o via perfeitamente, forçando Zak a assumir sua sexualidade, a viver com ele. E via Zak recusando, explicando que os pais nunca aceitariam. Então, o plano. O plano perfeito para que pudessem ficar juntos. Eliminar a barreira que o impedia de se assumir.

"Otto", repeti, atropelando as palavras. "É um… amigo do Zak. Foi ao apartamento dele no dia seguinte ao… acidente."

"E o que tem ele?"

"Eu não deixei que conversasse com Zak… Meu amigo estava bastante abatido com tudo aquilo… Então Otto me contou algumas coisas… Ele disse que…"

Travei, sem conseguir expulsar as palavras que coçavam em minha garganta. Não podia revelar a intimidade do Zak assim, numa mesa de restaurante. Não podia confiar naqueles delegados. Não podia confiar em ninguém.

"O que ele disse?", Jonas insistiu.

"'*De certa forma, a morte dos pais vai fazer bem a ele*'", respondi, por fim. "Foi isso o que ele me disse. E que estava feliz com a morte dos Vasconcellos. Que era a melhor coisa que poderia ter acontecido ao Zak."

"E por que ele diria isso?"

"Não sei. Pergunte a ele", respondi, seco. Por algum motivo, não conseguia dizer a verdade.

"Na hora você não suspeitou de nada?"

"Claro que não! Não imaginaria uma coisa dessas quando todos diziam ter sido um acidente de carro", expliquei. "Mas não tenho dúvidas de que aquele desgraçado do Otto seria capaz de matar alguém. Ele é doente."

Silêncio sepulcral na mesa.

"Certo. Vamos investigar o cara. Você tem algo mais para dizer, Alessandro?", Aquino perguntou.

É claro que eu tinha algo mais a dizer. Deus do céu! Sim, eu queria continuar falando! Queria berrar! Contar para o mundo inteiro o que estava guardado... As aventuras sexuais do Zak, as minhas desconfianças, a merda de vida que eu estava vivendo, o absurdo de toda aquela situação, a possibilidade de tudo aquilo ser verdade...

"Não", disse, sem convicção. "Não tenho mais nada a dizer."

Os delegados levantaram da cadeira simultaneamente e se esticaram, estalando as espáduas.

"Você é um dos melhores amigos do Zak e estava no jantar em que o Getúlio falou da mudança no testamento", explicou Jonas. "Vai ser chamado para depor também."

Concordei com a cabeça, sentindo um gosto amargo na boca.

"Nos vemos em breve."

Jonas deixou dinheiro sobre a mesa e saiu com Aquino.

Quando cheguei em casa, estava passando mal. Apoiei-me na maçaneta, as mãos trêmulas com dificuldade para encontrar a fechadura. Fechei os olhos, respirando fundo e tentando recuperar o prumo. Minha mãe veio me acudir assim que entrei pela porta da cozinha. Ela tentou me reconfortar, mas também estava abalada.

"O que houve?", perguntou, sôfrega. "Zak chegou chorando e se trancou no banheiro. O que está acontecendo?"

Seus cabelos agora estavam soltos sobre a pele empalidecida.

Sem responder, peguei um copo na pia para beber um gole de água. Aos poucos, me sentia melhor. E percebi algo que me escapara antes.

"Quem?", perguntei a mim mesmo. "Quem contou do jantar para o delegado?"

"Do que você está falando?", minha mãe perguntou, sem compreender nada. "O que aconteceu?"

Não me dei ao trabalho de responder. Meu cérebro fervilhava. No jantar, éramos apenas cinco. Os Vasconcellos, eu e minha mãe. Getúlio e Maria Clara estavam mortos. Zak nunca falaria nada do testamento (principalmente se fosse mesmo o culpado). Eu não tinha falado nada, claro. Quem poderia ter contado aquilo ao Jonas? Só restava uma pessoa...

"Mãe, você falou com o delegado?", perguntei, incisivo.

Ela gaguejou antes de responder:

"Como assim? Eu... Não falei nada..."

"O jantar", expliquei. "Aquele jantar na casa do Zak, quando Getúlio disse que ia mudar o testamento. Você falou disso com ele?"

Seu rosto se contraiu. Ela estava confusa.

"Eu... Eu não falei nada para o delegado. Por que teria mencionado o jantar? O que está acontecendo aqui, Alê?"

Minha mãe não tinha por que mentir. Não ganharia nada escondendo de mim o que tinha dito ou não ao policial. Mesmo assim, insisti:

"Você tem certeza? Nem tocou no assunto?"

Ela confirmou, segura de si.

A pergunta continuava no ar.

Quem mais poderia ter falado do testamento ao delegado? O próprio Goulart seria uma opção plausível. Afinal, ele conversara com Getúlio pelo telefone e agendara todos os trâmites da alteração testamentária. Mas não havia nenhuma indicação de que Zak ou qualquer outra pessoa sabiam que aquilo ia acontecer. E eu não conseguia imaginar o advogado alimentando as suspeitas do policial.

Tinha que haver mais alguém...

"Não vai dizer o que está acontecendo?", insistiu minha mãe.

Mas eu já tinha me decidido a não contar nada:

"Pergunte ao Zak."

Então, tive uma ideia. Sem perder tempo, peguei a bicicleta e saí de casa. Em alguns minutos, estava na orla de Copacabana, colocando toda a força nos pedais, ansioso para chegar ao apartamento dos Vasconcellos.

Subi o elevador, afobado, e toquei a campainha. Demoraram a atender. Pressionei continuadamente o interruptor. Finalmente, a porta se abriu. Surgiu a empregada, assustada, segurando na mão direita a tampa de uma panela. Eu ainda lembrava o nome dela.

"Oi, Yara", cumprimentei. Bati os olhos no aventalzinho diligentemente vestido, no rosto negro desgastado pelo trabalho desde a infância, nos cabelos cortados rente às orelhas. Tinha sido ela. Sim, a empregada! Aquela que convive diariamente com os donos da casa, a sombra que caminha dia e noite pelos cômodos, escutando conversas, atendendo telefonemas e varrendo o chão.

Ela estava lá naquele jantar, servindo a mesa. Podia perfeitamente ter escutado a conversa ao telefone. Podia perfeitamente ter dado com a língua nos dentes.

"O que você quer?", ela perguntou.

"Posso entrar?"

Yara saiu do caminho, deixando a passagem livre. Considerei uma série de abordagens distintas. Ganhar a confiança dela era uma delas. Ir direto ao ponto, inquisidoramente, era outra.

Optei pela segunda.

"Você tem conversado muito com o delegado?", perguntei, sentando-me no sofá da sala. Cruzei as pernas e esperei a resposta.

Ela arregalou os olhos, engasgada. Depois agitou a cabeça, como se tentasse espantar os pensamentos.

"Não sei do que você está falando", ela murmurou, tomando apressada o corredor.

"Yara!", gritei.

"O feijão vai queimar", ela disse.

Fui atrás, insistindo.

"Não sei de nada, eu juro. Vai embora", ela pediu, devolvendo a tampa à panela e apagando a boca do fogão.

"Só quero uma resposta", murmurei, tentando ser simpático. "Foi você quem falou ao delegado sobre o testamento do Getúlio?"

"Tenho uma casa inteira pra limpar! Por favor, me deixa em paz!", ela retrucou, fugidia. Foi até a área de serviço e voltou com um pano umedecido nas mãos. "Não sei de nada..."

"O delegado está acusando o Zak de ter matado os próprios pais. Alguém contou a ele sobre a ideia do Getúlio de mudar o testamento... Foi você?"

"Eu..."

"Foi você?", insisti.

Ela baixou a cabeça, enroscou as mãos no pano e respondeu:

"Sim."

"Por que você fez isso?"

"O polícia veio me perguntar se Zak tinha algum motivo pra matar os pais. Eu me lembrei daquele jantar. Essa coisa de testamento acontece muito nas novelas. Ouvi a conversa sem querer, mas não contei nenhuma mentira. Só o que eu sabia."

"Você não deveria ter feito isso! Zak... Zak é inocente!"

"Inocente? Aquele garoto é o diabo em pessoa! Sei que ele é seu amigo, mas escute o que estou dizendo... Você não conhece ele... Não sabe do que ele é capaz... Ele é um diabo! Um diabo! Não duvido nem um pouco que tenha matado seu Getúlio e dona Maria Clara!"

"Por que está dizen..."

"Já respondi o que me perguntou. Agora me deixa trabalhar."

“Você pode expli…”

“Se quer um conselho, toma cuidado com ele”, interrompeu Yara, pendurando o pano no ombro. “Zak é o diabo. Gosta de desgraçar a vida das pessoas, gosta de fazer os outros sofrerem…”

Fiquei sem palavras.

“Agora me dá licença. Tenho mais o que fazer.”

E saiu apressada para limpar as janelas.

31.

Capítulo 9

Eu nunca tinha visto tanto dinheiro em toda a minha vida. Cada número era desenhado com esmero, dando uma beleza quase poética à quantia registrada.

Vinte e dois milhões…

Escutei um coro celestial de virgens no fundo do meu cérebro: vinte e dois milhões! Vinte e dois milhões! Vinte e dois milhõõõõõõões!

A vista embaralhou diante da dinheirama, e fiquei tonto. Tal qual animais famintos, começamos a retirar os sacos, numa ânsia natural de saber o tamanho daquele buraco.

Eram incrivelmente leves. Com pouco esforço, nós os dispusemos em fileira do lado direito do sofá, a única área livre de sangue, e esvaziamos o lugar.

"O que vamos fazer agora?", perguntou a João, sem retirar os olhos do dinheiro.

"Eu…", começou Zak. Mas ele não tinha nada a dizer. Estava confuso demais para articular uma frase completa.

Assim como eu.

Nunca liguei para dinheiro. Nunca julguei que alguns milhões na conta bancária fossem resolver meus problemas. Nunca, nunca, nunca! Mas, ainda assim, parecia que as notinhas esverdeadas eram um ímã, atraindo meus olhos. Eu queria pular sobre os sacos transparentes, rasgá-los com brutalidade, chafurdar nas notas, sentir sua textura, seu cheiro luxurioso.

Era como nos filmes... Maletas metálicas repletas de dólares... Fortunas debaixo do colchão... Com aquele dinheiro, o céu era o limite. Sentia o mundo ao meu alcance.

Num átimo, o vazio que me fazia definhar desapareceu. Eu estava livre. Mesmo preso num porão fétido e sufocante, com corpos destroçados e sangue por todos os cantos, eu estava livre! Os problemas se esvaíam com naturalidade e restava apenas a paz.

Com aquele dinheiro, eu podia financiar o lançamento do meu livro sem depender de uma editora. Podia bancar a propaganda e torná-lo um best-seller! Com aquele dinheiro, Maria João ia me ver com outros olhos, mas eu não ia querer saber dela. Poderia ter mulheres muito melhores. Loiras, ruivas, negras, morenas, mulatas, índias... Bastava preencher um cheque.

"O que vamos fazer agora?", ela perguntou mais uma vez, enquanto movia os olhos ágeis pelo porão.

Sei o que se passava em sua cabecinha ambiciosa. E se existisse outro esconderijo? Vinte e dois milhões de dólares podiam ser apenas um aperitivo para algo mais significativo.

Ouro. Ou diamantes.

Getúlio ia para a casa de campo relaxar depois da semana de trabalho e levava consigo montes de dólares para guardar em seu cofre subterrâneo... Típico dele. Nunca imaginou como descobriríamos seu pequeno segredo.

Eu podia vê-lo descendo as escadinhas rumo ao porão durante a madrugada, olhando para trás para garantir que ninguém o seguia, retirando as tábuas em silêncio para pegar um pouco do dinheiro. O que fazia com aquilo? Subornava alguém? Completava a renda do fiscal da Receita? Eu imaginava mil possibilidades.

Agora ele podia ser usado para o bem. Para meu bem.

Em meio à escuridão, a felicidade me sorria. Era um convite a uma vida nova.

Eu não precisava mais morrer…

"Vamos continuar a roleta-russa", Zak disse.

A João negou com a cabeça. Ela também queria o dinheiro. Não via mais sentido em continuar aquela loucura, aquela matança desenfreada. Uma nova porta tinha sido aberta.

Vinte e dois milhões de dólares.

Divididos por quatro.

Cinco milhões e quinhentos mil para cada um. Era mais que o suficiente.

"Já vai amanhecer", Zak disse, tirando-me dos devaneios. "Vamos logo…"

Ele agachou para pegar o revólver no chão. Limpou o sangue da bermuda e rodopiou a arma no indicador, esperando que alguém se manifestasse, o que não aconteceu.

"Vamos logo, merda!", ele explodiu, chutando um dos sacos de dinheiro com raiva.

O pacote voou, espatifando-se contra a parede. As notas caíram em cascata, um farfalhar agradável musicando a queda, e boiaram no sangue.

A João virou, assustada, contorcendo o rosto ao ver o dinheiro desperdiçado no líquido escarlate.

"Olha a merda que você fez!", ela brigou, colocando o corpo entre Zak e os demais pacotes antes que ele tentasse um novo chute. "É dinheiro, porra!"

"E daí? Eu tenho dinheiro! Isso tudo é meu, aliás!", bradou meu amigo, agitando o revólver no ar. "O dinheiro que foi do meu

pai agora é meu, não importa se está no banco ou não. E estou cagando pra tudo! Não vim aqui pra isso!"

Ele apontou a arma para a João. Instintivamente, ela recuou, tentando fugir da mira do revólver.

"Abaixa isso, Zak! Abaixa, pelo amor de Deus!", ela pediu, desesperada.

"Não vou atirar em você", ele disse, secamente. "Você mesma vai. Pode começar."

Ele estendeu a arma para que a pegasse. A João se esquivou, os braços cruzados na altura do peito, amedrontada.

"Eu...", ela murmurou, com um leve tremor nas pálpebras. "Não quero mais", sentenciou, finalmente.

Pareceu que Zak chutaria outro saco, mas ele respirou fundo e se conteve.

"O que quer dizer com isso?"

"Estou fora, Zak." Deu de ombros. "Não quero mais. Pra mim já foi o suficiente..."

Ela tirava as palavras da minha boca.

"Não dá pra desistir agora. Temos... Temos que ir até o fim", Zak respondeu, com serenidade. Desolado pela sensação de abandono, ele buscou meu olhar, mas encarei o caderno. Não podia consolá-lo. Simplesmente não podia...

O formigamento em meus dedos persiste. Pouco importam os corpos ao meu redor. Eu estou inebriado demais para ligar para eles... Agora vejo como o suicídio é uma atitude mesquinha, pífia. Julgar que um tiro na cabeça resolveria meus problemas é absurdo. A sociedade não se choca mais com nada. Tudo o que interessa é o dinheiro. Eu estou apenas atestando a verdade que repudiei por anos e anos: o dinheiro resolve todos os problemas. Ter dinheiro é tudo.

"Não quero mais", repetiu ela.

Waléria se posicionou ao seu lado, em uma demonstração de apoio.

"É uma fortuna, Zak...", comentou. "E fomos nós que a encontramos. Se não estivéssemos juntos, aqui, você jamais saberia desse dinheiro. Portanto, ele não é só seu. É nosso! Não dá para ignorar isso."

"O que vocês querem?", revoltou-se Zak. "Deixar o porão do jeito que está, pegar o dinheiro e ir fazer compras no shopping?"

Um silêncio tenso perdurou no ar.

"Puta merda, João, pensa só no que você está fazendo", prosseguiu ele. "Seu irmão! Ele... Ele acabou de morrer... Não pode ter sido à toa, pode? Não dá pra ignorar tudo isso e seguir em frente..."

Ela titubeou, os dentes mordiscando o lábio inferior. Lançou um olhar de soslaio ao corpo do Lucas e logo desviou. Levou as mãos ao estômago, enjoada, mas se recuperou de súbito:

"Ele faria o mesmo..."

"Não! Não!", retrucou meu amigo. Ele moveu o corpanzil em direção a João, acuando-a. Brandiu a mão no ar, com o indicador em riste. "Seu irmão nunca faria isso. Nunca! Ele... Ele não era podre como você. Nunca desistiria..."

"Quem é você pra dizer o que meu irmão faria ou deixaria de fazer? Você nem era amigo dele de verdade! Mal o conhecia..."

"Cala a boca! Ele... Ele era um grande amigo! Um cara decente..."

Zak começou um choro contido.

"O que você sentia pelo meu irmão, Zak?"

"Como assim? Ele... Ele era meu amigo... Um bom amigo."

"Tem certeza?", desafiou ela, com um sorriso escondido no canto da boca. "Tem certeza de que não queria algo mais com ele? Como quis com Otto..."

"Cala a merda dessa boca!", berrou Zak, empurrando a João contra a parede. Seu corpo dançou na poça de sangue, perdendo o equilíbrio, e ela foi de encontro ao chão.

"Seu desgraçado!", gritou a João, vendo o antebraço empapado do líquido vermelho. "Veado! Filho da puta!"

Zak preparou um chute. O golpe ia acertá-la no abdômen se eu não o segurasse por trás.

"Calma, Zak!", eu disse. "Não perde a cabeça."

"Essa vaca... Ela... Ela está inventando coisas... Nunca fiz nada com o Lucas! Ele... Ele era meu amigo! Amigo! Não gosto de homens, entendeu?"

"Não foi isso que ouvi dizer", ironizou a João, limpando as pernas. Ela apontou para o corpo inerte do Otto, preso ao cano como uma marionete. "Aquele ali levou um tiro na cabeça depois de dizer algumas verdades na sua cara. Imagino as fantasias sexuais que você tinha com meu irmão..."

"Eu nunca..."

"Ou com Alê..."

"Fica quieta, João!", briguei, certo de que não conseguiria impedir Zak caso ele realmente decidisse bater nela.

Zak se contorceu, os músculos anunciando uma explosão iminente.

"Não liga pra ela", pedi. "Se você fizer algo, perde a razão."

Cessaram os movimentos bruscos e a cabeça baixou num ato de rendição. Hesitante, soltei seus braços, deixando-o livre.

"Eu...", começou ele.

De repente, Zak levantou a cabeça, a arma em punho mirando na testa da João. Ela gritou. Agachou-se atrás do sofá, perto do corpo do irmão.

"Você não vai sair daqui, sua puta!", desafiou, caminhando a passos largos atrás dela, os músculos da face retesados numa expressão de ódio. "Desiste!"

Ela rastejou pelo chão, tentando escapar daquela fúria. Os braços e as pernas engatinharam acelerados, em compasso, sem se importar com o sangue pelo caminho.

"Não, Zak!", a João implorou, como um animal afugentado na gaiola. A respiração arfante, os cabelos curtos bagunçados, o rosto em desespero. "Não... Não me mata!"

Ele manteve o revólver na mão, com o indicador no gatilho, deixando a situação em suspenso.

"Você é uma vaca interesseira!", berrou. "O que pensa da vida, João? Acha que pode desistir assim? Acha que pode abrir aquela porta e deixar tudo pra trás? Não pode!"

"Zak, abaixa essa arma, por favor..."

"Não pode mesmo, João! Existem consequências... Mesmo com todo o dinheiro do mundo, você seria presa. Não dá pra fingir que não esteve aqui..."

"Não, Zak!", Waléria disse, em tom complacente. Ela foi até ele com as mãos estendidas mostrando que não tentaria nenhuma investida brusca. "Não é mais um beco sem saída... Tente repensar. Veja a situação por outra ótica... Você pode se tornar um grande homem, respeitado... Como seu pai. Você pode ser como ele. Vencer na vida. Ter suas empresas, sua casa... seu filho..."

Zak remoeu as palavras por um instante, então esboçou um soluço de tristeza.

"Não preciso de dinheiro!", ele se revoltou. "Vocês não estão entendendo. Eu não preciso de dinheiro! Uma vida normal, com casa e filhos... Não é isso que eu quero! Não estou aqui por causa de dinheiro..."

"Por que você está aqui, então?", Waléria perguntou.

Ele meneou a cabeça, sem responder. Lançou-me um olhar triste, o companheirismo sufocado pelos últimos acontecimentos.

"O acidente... É por isso, Zak?", insistiu ela. "Se quer saber, tenho duas amigas que também perderam os pais. Cresceram com os avós. E elas são muito felizes, Zak. Não estou dizendo que você não pode ficar triste. Não é isso... Mas não é porque a vida deles acabou que a sua tem que acabar também! Segue em frente! Luta!"

Ele permaneceu mudo, com os olhos fixos nos meus.

Eu o entendia. Sabia que não era tão simples. O problema todo era muito maior.

Começava no acidente. Mas terminava com uma solidão frustrante, com uma acusação de assassinato, com o medo de ser preso. O mundo tinha virado um pesadelo para ele.

Zak decidira não contar nada a ninguém até que o delegado fizesse uma acusação formal. Eu havia respeitado sua escolha, claro. Se os outros soubessem, seria pior: reprovação, desprezo, medo. Ele sofreria ainda mais. Outro golpe na ferida já aberta.

"Vocês nunca vão entender", ele murmurou, enfiando a arma na cintura. "Merda, vocês nunca vão entender!"

"Eu entendo, Zak", Waléria disse, com ar maternal. "Mas entenda nosso lado também… Esse… Esse dinheiro…"

"Para de falar em dinheiro, Waléria!", ele berrou mais uma vez. "Já disse mil vezes que não tem mais saída. Se vocês saírem vivas daqui, vão ter que prestar contas à polícia! Vão ter que explicar o que estavam fazendo! Vão parar na cadeia e vão se arrepender de não ter metido a porra de uma bala na cabeça enquanto era tempo!"

"É só queimar o livro do Alê", ela disse com frieza.

"Vai se foder!", respondi. Mas, em seguida, aquela ideia me pareceu razoável. Eu podia começar do zero. Escrever outro livro, longe do sufoco nauseante do porão.

Pelo olhar que Waléria me lançou, ela lera meus pensamentos. Sabia que, apesar do "vai se foder", eu estava cogitando a possibilidade de pegar a grana e ser feliz fora daqui.

"Não é só o livro!", Zak disse. "Vocês acham que podem sair sem deixar vestígios? Digitais, saliva… Eles vão pegar vocês com facilidade. Não conseguem ver isso? Alê, explica pra elas a parada da medicina legal…"

Hesitei. Waléria exibiu um sorriso vitorioso. Seu olhar nebuloso era um convite a me juntar às duas, a partilhar dos mesmos sonhos.

Zak agachou para pegar um maço de cigarros e retirou o isqueiro do bolso de trás da bermuda. Acendeu o cigarro, com a mão em concha protegendo a chama, então deu uma baforada nervosa.

"Vamos deixar você em paz, Zak", murmurou a João, levantando com agilidade. "Mas queremos que nos deixe em paz também! Que nos deixe ser felizes com nosso dinheiro..."

"Nosso dinheiro?", debochou ele. "Nosso dinheiro? Não tem essa de "nosso dinheiro"! Esse dinheiro é só meu!"

"Nós achamos a grana juntos!", disse a João. "E, se você está dizendo que já é rico e não precisa dela, pode deixar tudo pra nós! Vamos ser discretos. Ajeitamos tudo por aqui, para ninguém saber. Temos tempo!"

"Nem pensar!", berrou ele, brandindo o cigarro no ar. "O dinheiro é meu! Faço com ele o que eu quiser!"

"Mas você não quer fazer nada com ele!", Waléria disse.

Zak levantou o rosto, decidido. Num movimento ágil, jogou-se sobre os sacos plásticos, rasgando-os com vigor e deixando os maços caírem no chão.

"O que você está fazendo, merda?", desesperou-se a João.

"Estou fazendo o que quero com o meu dinheiro!", ele esperneou, caído entre as notas esverdeadas aparentando cansaço.

Ele manteve o cigarro entre os lábios enquanto pegava uma garrafa de vodca ao seu lado. Desenroscou a tampa com a boca e bebeu um gole, sedento. Fez uma careta quando o líquido ardente desceu por sua garganta.

Zak sacou novamente o isqueiro do bolso, mas dessa vez não o usou para acender o cigarro. Antes que pudéssemos intervir, ele derramou a vodca restante sobre os maços de notas diante de nós e ateou fogo.

A reação inicial foi de choque.

Assistimos hipnotizados ao fogo se alastrar pelos maços, consumindo os sacos plásticos numa chama crescente.

Vinte e dois milhões...

O espetáculo de pirotecnia foi interrompido por um surto da João. Primeiro, um grito ensurdecedor, desesperado. Depois, uma sucessão de golpes e ofensas.

"Você não pode... Seu desgraçado!", ela disse, sem hesitar em socar Zak.

Ele caiu para trás, surpreso com a atitude. O lábio superior se abriu num filete de sangue.

Ela avançou com mais raiva, preparando um chute na barriga. Como por instinto, Zak pegou o revólver na cintura e atirou.

Assim...

Sem pensar.

Puxando sucessivamente o gatilho.

Clique. Clique. Pow! Clique. Pow! Clique. Clique. Clique. Clique. Clique...

O tambor executou um giro completo e iniciou outro enquanto o corpo da João tombava para trás. Um gemido contido pontuou a queda.

Acudi, desesperado.

Os dois tiros acertaram o abdômen. A barriga tinha virado um lago de sangue. Ela ainda respirava.

"Merda, Zak, olha o que você fez!", gritei, erguendo a cabeça da João. Ela gemia entre espasmos, buscando manter a respiração no ambiente cheio de fumaça.

Waléria tentava abafar o fogo, mais preocupada com a grana que com a João.

"Respira, João! Respira!", eu disse.

Olhei para Zak, mas ele permanecia parado, com a arma ainda na mão.

"Eu...", começou ele. "Eu não queria..."

"Alguém me ajuda aqui, pelo amor de Deus!", pedi, sem saber o que fazer enquanto sentia a vida dela ir embora.

Zak se aproximou, choroso, arrependido do que tinha feito.

"Merda... Merda... Desculpa, João", ele pediu, ajoelhado ao lado do corpo.

Ela gemeu mais uma vez, tentando sorver o ar.

"Você…", murmurou com dificuldade. "Você não deveria ter feito isso…"

"Não fala nada, João. Não fala nada", pedi, acariciando seus cabelos. Tentava acalmá-la, aliviar sua dor.

Ela me ignorou. O olhar assustado desapareceu, sugado pela iminência da morte, substituído pelo ódio. Um ódio fulminante.

"Você mereceu… Mereceu tudo o que teve, Zak…"

"Do que está falando?"

"Eu sei de coisas, Zak… coisas que ninguém… Ai!" A dor a invadiu antes de terminar a frase.

Seu corpo tremia. Seu olhar ainda estava sóbrio, com um ar vitorioso.

"A morte dos seus pais", ela balbuciou, com um sorriso. "Não foi um acidente, Zak… Foi assa… assassinato."

Gelei. Como? Como ela poderia saber? Eu e Zak tínhamos combinado de não contar nada a ninguém. Como? O delegado também tinha conversado com ela?

"E o mais engraçado", ela continuou, com dificuldade. "O mais engraçado, Zak, é que eu sei quem fez isso… Eu sei…"

Ele aproximou o rosto, chocado, tentando ouvir antes que fosse tarde.

"Quem? Quem fez isso?", perguntou, sofregamente.

Se fosse um filme, ela teria morrido ali, deixando o mistério no ar, dando o último suspiro antes de revelar a identidade do assassino. Mas não.

Ainda teve tempo de responder:

"Você atirou em mim… Eu não…" Ela abria e fechava os olhos repetidamente. O fim se aproximava. "Não vou dizer, Zak. Você…"

A João gemeu ao sentir mais uma pontada de dor.

"Quem?", insistiu ele.

Pude ver o desespero em seu rosto. Zak precisava saber a verdade. Eu também.

“Foi muito esperto”, murmurou ela, parecendo escolher as palavras. “Foi… Foi com a ajuda da mãe…”

“Quem? Que mãe?”

“Não vou dizer, Zak”, ela se vangloriou. “Não vou dizer nada…”

E teve tempo de dar mais um sorriso antes de morrer.

32.

DIANA: "'*A morte dos seus pais*', *ela balbuciou, com um sorriso.* '*Não foi um acidente, Zak... Foi assa... assassinato*'."

DÉBORA (*com a voz exaltada*): O que... O que você está dizendo? Assassinato?

(*comentários paralelos*)

DIANA: Por favor! Preciso que fiquem calmas! Com toda essa confusão, não chegaremos a lugar nenhum!

(*comentários paralelos*)

OLÍVIA: Então os dois ricaços foram assassinados? (*pausa*) Uau!

DÉBORA: Isso é um absurdo! Ninguém nunca...

DIANA: Por favor, senhoras! (*pausa*) Eu disse que era um capítulo importante. Mas ainda não acabamos...

DÉBORA: (*atônita*) Depois de um ano você está dizendo que meus amigos foram assassinados e espera que eu fique calma? Eu... Eu...

DIANA: É, Débora. (*pausa*) Não restam dúvidas de que foi um assassinato. Uma sabotagem. Um acidente forjado.

DÉBORA: Quem fez isso?

SÔNIA: Por que não foi divulgado?

(*comentários paralelos*)

DIANA: Esperem! Todas as perguntas vão ser respondidas.

VÂNIA: Então leia logo!

DIANA: "*Gelei. Como? Como ela poderia saber? Eu e Zak tínhamos combinado de não contar nada a ninguém. Como? O delegado também tinha conversado com ela? 'E o mais engraçado', ela continuou, com dificuldade. 'O mais engraçado, Zak, é que eu sei quem fez aquilo... Eu sei...'*"

AMÉLIA: O que minha filha...

(*comentários paralelos*)

DÉBORA (*com a voz embaraçada*): Então Alê e Zak sabiam que...

DIANA: Por favor, senhoras! Cada trecho, cada minúcia do texto será analisada... Mas assim é impossível. Precisamos terminar, por favor!

(*silêncio — três segundos*)

DIANA: "*Ele aproximou o rosto, chocado, tentando ouvir antes que fosse tarde. 'Quem? Quem fez isso?', perguntou, sofregamente. Se fosse um filme, ela teria morrido ali, deixando o mistério no ar, dando o último suspiro antes de revelar a identidade do assassino. Mas não. Ainda teve tempo de responder: 'Você atirou em mim... Eu não...'. Ela abria e fechava os olhos repetidamente. O fim se aproximava. 'Não vou dizer, Zak. Você...' A João gemeu ao sentir mais uma pontada de dor. 'Quem?', insistiu ele. Pude ver o desespero em seu rosto. Zak precisava saber a verdade. Eu também. 'Foi muito esperto', murmurou ela, parecendo escolher as palavras. 'Foi... Foi com a ajuda da mãe...' 'Quem? Que mãe?' 'Não vou dizer, Zak', ela se vangloriou. 'Não vou dizer nada...' E teve tempo de dar mais um sorriso antes de morrer.*"

(*silêncio — três segundos*)

DIANA: É o fim do capítulo nove. (*pausa*) Suponho que vocês tenham muitas coisas a comentar.

(*comentários paralelos*)

DIANA: Esperem, esperem! (*pausa*) Existia uma suspeita em relação à morte do casal Vasconcellos. O delegado responsável, Jonas Astrid, acreditava ter sido uma sabotagem, um assassinato...

OLÍVIA: Com base em quê?

DIANA: Eram apenas suspeitas. (*pausa*) O veículo que fechou a Pajero tinha chapa fria...

OLÍVIA: E daí? Gente que foge depois de causar um acidente não é a coisa mais incomum do mundo!

DIANA: Não foi só isso, Olívia. (*pausa*) Testemunhas comentaram que Getúlio não freou. Ele tentou desviar e capotou ao bater na mureta... (*pausa*) Realmente, não havia marcas de freio no local. (*pausa*) O delegado achou o fato curioso e pediu uma investigação da perícia. Os resultados comprovaram que os freios foram sabotados.

DÉBORA: Isso é um absurdo! (*com a voz exaltada*) Então alguém sabotou os freios do carro e deu uma fechada no Getúlio?

DIANA: Sim. Existem indícios e um laudo técnico.

DÉBORA: Mas quem ia querer matar os dois?

DIANA: Me deixe terminar, Débora. (*pausa*) Yara Guerra, a doméstica que trabalhava no apartamento dos Vasconcellos fazia três anos, se lembrou de um diálogo ocorrido durante um jantar em 25 de agosto, segunda-feira, e comunicou à polícia. (*pausa*) Na terça, 26, o casal viajou para Cyrille's House. No sábado, quando voltavam, morreram...

DÉBORA: Eu estava nesse jantar! Eu e meu filho... (*pausa*) Eles... Eles chegaram a nos convidar para viajar junto...

DIANA: Você se lembra do que foi dito no jantar, Débora?

DÉBORA: Eu... Eu não... (*pausa*) Futilidades... Assuntos casuais. Eles estavam querendo me distrair, me animar... Na época, eu estava bastante deprimida por causa do câncer e... Queriam que eu fosse para Cyrille's House para ver se eu me animava, esquecia os problemas... o medo da doença...

DIANA: E o telefonema? (*pausa*) Durante o jantar, Getúlio recebeu uma ligação pelo celular. Era o advogado da família, Goulart Fernandes. Lembra?

(*silêncio — cinco segundos*)

DÉBORA: Não... Quer dizer, lembro vagamente que ele ligou. (*pausa*) Mas não sou capaz de dizer exatamente o que conversaram. Faz mais de um ano!

DIANA: Eu entendo.

AMÉLIA (*com a voz hesitante*): O que eles conversaram, afinal?

DIANA: Getúlio queria mudar o testamento. (*pausa*) Antes, todos os bens iriam para o Zak. Com a mudança, metade seria controlada por empresários parceiros do Getúlio.

AMÉLIA: Por quê?

DIANA: Ao que parece, ele ficou assustado com a visita da Waléria na sexta, 22 de agosto, dizendo que estava grávida. Ele pensou que ela queria dar o golpe da barriga no Zak e resolveu diminuir a parte dele na herança...

REBECCA (*com a voz exaltada*): Minha filha não era uma interesseira!

DIANA: Eu não disse isso, Rebecca. Mas parece que foi o que Getúlio pensou. (*pausa*) A assinatura do testamento ia ocorrer na segunda-feira, dia 1º de setembro.

OLÍVIA: Quando o pai voltasse, Zak perderia metade dos bens... (*pausa*) Mas ele não voltou, e o garoto levou a grana sozinho. (*riso seco*) Coincidência?

DÉBORA (*com a voz embargada*): Espere! Vocês estão achando que Zak...

DIANA: É exatamente isso que a Olívia disse. (*pausa*) Existe a suspeita de que o Zak tenha assassinado os pais.

DÉBORA: Esse é o maior absurdo que já ouvi em toda a minha vida!

DIANA: Ele tinha o motivo. Tinha a oportunidade também. (*pausa*) E os fatos se encaixam…

DÉBORA: Zak nunca mataria os pais! Sei o que estou dizendo! (*pausa*) Até acredito que possa não ter sido acidente… Mas Zak ser o responsável? É impossível! (*pausa*) Tenho certeza disso!

ROSA: Tão impossível quanto ele ter torturado e matado meu filho? (*pausa*) Porque foi isso o que ele fez! (*com a voz chorosa*) Torturou e matou Otto.

VÂNIA: Concordo com a Rosa! (*pausa*) Zak provou ser capaz de tudo. (*pausa*) Ter matado os próprios pais seria apenas mais uma na lista de atrocidades que ele cometeu…

DÉBORA: Zak nunca…

DIANA: Esperem… Ainda não terminei…

DÉBORA: Vocês estão acusando a pessoa errada! (*pausa*) Zak amava os pais. Presenciei esse amor a vida inteira. Não venham me dizer que ele os matou pelo dinheiro…

OLÍVIA: Riquinhos mimados são assim, Débora. (*pausa*) Capazes de tudo quando percebem que estão prestes a perder alguma coisa… Eles surtam!

DÉBORA: Isso é uma loucura! (*com a voz exaltada*) Zak nem mesmo sabia que tinha sido assassinato! Vocês não viram como ele ficou chocado quando…

DIANA: Ele sabia, Débora.

DÉBORA: O quê?

DIANA: Zak sabia que não tinha sido acidente. (*pausa*) Ele sabia que era o principal suspeito de ter matado Getúlio e Maria Clara.

DÉBORA: Como?

DIANA: Você se lembra da conversa que ele teve com o delegado Jonas no dia seguinte ao enterro?

DÉBORA: Deus do céu, então... (*atônita*) Então... Então foi isso! Zak... Ele... Ele chegou chorando e se trancou no quarto... Alê também se recusou a dizer o que eles tinham conversado...

DIANA: O delegado ainda não tinha provas concretas, mas chamou Zak para uma conversa informal. Disse que tinha certeza do homicídio. E que suspeitava dele.

DÉBORA (*com a voz hesitante*): Não foi à toa que Zak ficou naquele estado...

DIANA: O delegado tentou pressionar Zak, conseguir uma confissão dele. Mas o garoto se fechou. Disse que não sabia de nada. (*pausa*) Essa conversa está nas anotações do Alessandro sobre o dia 2 de setembro, terça-feira.

DÉBORA: Não foi à toa que ele enlouqueceu... Primeiro os pais morrem, depois essa acusação absurda! Imagino como deve ter ficado a cabeça dele, recebendo pauladas de todos os lados!

DIANA: Se nem Débora sabe o que aconteceu, podemos presumir que Zak e Alê mantiveram a conversa daquele dia em segredo...

DÉBORA: Eles não me disseram nada...

(*silêncio — quatro segundos*)

DIANA: Mas a coisa não para por aí. (*pausa*) Uma das suicidas, uma pessoa até então bastante discreta, declara saber não só que não se tratava de acidente, mas a identidade do culpado.

REBECCA: Ela podia estar delirando... Já tinha cheirado e fumado tanto... E os dois tiros na barriga... Podia perfeitamente estar imaginando coisas.

DIANA: Sim, Rebecca. Podia ser apenas um delírio. Ou ainda um blefe. Um blefe só para irritar, para chocar Zak... (*pausa*) Mas acontece que ninguém sabia da suspeita de assassinato. Seria coincidência demais ela delirar, ou blefar, sobre algo que realmente aconteceu, mas ninguém sabia... Não, não... Maria João parecia certa do que estava dizendo. Ela afirma com veemência que foi assassinato, como se tivesse acesso a uma prova cabal.

OLÍVIA: Um dos dois deixou vazar a informação, ainda que sem querer. (*pausa*) Ou a empregada que fez a denúncia…

DIANA: Sim… É possível… A empregada… Ela disse que não falou nada com mais ninguém. (*pausa*) Obviamente pode ter mentido… Mas não sei…

AMÉLIA: Eu… Eu não faço ideia de como minha filha ficou sabendo disso… Não posso ajudar… (*pausa*) Mas… isso explica por que ela ficou diferente desde a morte dos Vasconcellos… Interessada no acidente, lendo reportagens, caçando informações na imprensa…

DIANA: Acreditamos que a Maria João tenha visto ou ouvido alguma coisa. (*pausa*) Não necessariamente objetiva e direta. Mas talvez um trecho de conversa, uma presença estranha… Enfim, qualquer coisa fora do comum que, de alguma forma, indicasse que não se tratava de acidente e, ainda mais, revelasse a identidade do assassino. (*pausa*) Por isso, antes de ler o capítulo, eu perguntei quem a conhecia.

REBECCA (*com a voz exaltada*): Você está insinuando que algum dos nossos filhos matou os Vasconcellos?

DIANA: Tudo é possível, Rebecca. (*pausa*) Parece haver algo escondido nessa história. (*pausa*) Primeiro um acidente que, na verdade, foi homicídio. Uma semana depois, uma roleta-russa. E a Maria João diz saber quem é o assassino. (*pausa*) Há uma ligação entre os fatos. Como num processo em cadeia, os episódios se conectam. Os Vasconcellos morrem, o Zak decide cometer suicídio, e então a roleta-russa.

REBECCA: E, por isso, vocês acham que o assassino dos Vasconcellos é um dos que se suicidaram? Faça-me o favor!

DIANA: Estamos apenas buscando respostas, Rebecca… (*pausa*) Como explicar o fato de Maria João saber do crime?

Como explicar que ela tenha aceitado participar de uma roleta-russa, sendo que repudiava a ideia de suicídio? Naquele porão, quem, além do Zak, teria motivos para assassinar os Vasconcellos? (*pausa*) São apenas perguntas.

OLÍVIA: Tudo me parece muito óbvio. (*pausa*) A própria Maria João é a assassina… Ela matou os Vasconcellos.

AMÉLIA: Mas é um absur…

OLÍVIA: Isso explica como ela sabia do crime e como sabia quem era o assassino. E explica por que decidiu se matar… Arrependimento! Remorso! (*pausa*) Ela se sentiu pressionada, sufocada, a consciência pesando por ter acabado com duas vidas…

AMÉLIA (*com a voz exaltada*): Minha filha não era uma assassina!

OLÍVIA: Ao ver que ia morrer, ela decidiu se gabar do seu feito. Como o assassino que, em seu último suspiro, confessa todos os crimes… Ela debochou do Zak, debochou da morte dos pais dele…

AMÉLIA: Cala a boca! Não é verdade! Maria João não seria capaz de tramar e executar um crime desses!

DIANA: Fique calma, Amélia! Por favor, fique calma!

AMÉLIA: Eu…

OLÍVIA (*com desdém*): É uma teoria que se encaixa nos fatos. Responde às suas perguntas.

DIANA: A própria Maria João poderia ser a assassina. Ou ainda seu irmão. (*pausa*) Mas ainda temos um problema… Falta o motivo. (*pausa*) Não havia razão para qualquer um dos dois matar os pais do Zak… (*pausa*) Ainda consideramos a possibilidade de algum deles ter mantido relações sexuais com Zak. Talvez seja a explicação mais plausível… Mas não temos nada concreto.

AMÉLIA: Então meus filhos são mesmo suspeitos?

DIANA: Todos são suspeitos, Amélia. Não podemos eliminar ninguém até que…

REBECCA: E Alessandro?

DIANA: O que tem ele?

REBECCA: Ah, ele namorava Maria João. Ou saía com ela... Enfim, pouco importa... A questão é que ele era o mais próximo dela. (*pausa*) Poderia ter confessado algum desejo de matar os Vasconcellos ou algo do tipo. (*pausa*) Talvez ele seja o assassino.

DÉBORA: Alessandro nunca...

DIANA: Como eu disse, tudo é possível, Rebecca. Mas voltamos ao mesmo problema. O motivo. (*pausa*) Alessandro não tinha um. (*pausa*) O mesmo vale para quase todos os outros. Ritinha, Danilo, Noel...

(*silêncio — quatro segundos*)

ROSA: Se Maria João sabia quem era o assassino, por que não procurou a polícia?

DIANA: Não temos como saber... (*pausa*) Ela pode ter tentado proteger o culpado. Pode ter sido ameaçada.

OLÍVIA: Ou pode ter chantageado o assassino. A menina gostava de dinheiro...

AMÉLIA: Cala a boca!

OLÍVIA: Estou mentindo? Se não me engano, foi ela quem esqueceu a morte do irmão assim que viu os vinte e dois milhões de dólares!

AMÉLIA: Ela não era uma safa...

ROSA: E se foi mesmo Zak?

DIANA: O quê?

ROSA: Isso que a Olívia disse, de Maria João ter chantageado o assassino, é uma possibilidade... Mas, nesse caso, o assassino precisaria ter dinheiro. (*pausa*) Então eu pensei: e se foi mesmo Zak? (*pausa*) E se foi ele quem matou os pais e depois foi chantageado pela Maria João? (*pausa*) Isso explica por que atirou nela assim que pôde, sem levantar suspeitas...

DÉBORA: Impossível! Não faria o menor sentido. (*pausa*) Ele praticamente implorou para que ela revelasse quem era o culpado.

ROSA: Sim, é verdade. Zak ficou desesperado. (*pausa*) Mas poderia estar encenando aquilo tudo, não é? (*pausa*) Quer dizer, se ele for mesmo o assassino, ficou representando o papel de "menino indefeso" desde o acidente. No enterro, nas conversas... Em todos esses momentos, ele exibia uma expressão de total sofrimento e tristeza.

DIANA: E?

ROSA: Se tudo não passou de teatro, se ele fingiu lamentar a morte dos pais quando, na verdade, era o assassino... Bem, não duvido nada de que mantivesse o fingimento mesmo estando numa roleta-russa...

DIANA: Não entendi aonde você quer chegar.

ROSA: É como a pessoa que, de tanto contar uma mentira, acaba acreditando nela. (*pausa*) Alessandro e Waléria estavam ali, do lado dele. Se Zak fingiu por todo aquele tempo estar sofrendo com a morte dos pais, não acho que mudaria de lado tão rapidamente. Não... Ele embarcaria na mentira, fingiria estar chocado, desesperado pra saber quem era o assassino... Entendem?

DIANA: Faz sentido...

OLÍVIA: Mas é claro que faz sentido! Tudo sempre faz sentido! (*pausa*) É só criar hipóteses de acordo com meu capricho e até o papa pode ser o assassino dos Vasconcellos. (*pausa*) Queridas, ninguém aqui é detetive pra ficar caçando pistas, inventando teorias e fazendo deduções! (*pausa*) E a própria delegada parece a mais perdida de todas nós! Vamos ficar dando voltas e voltas feito tontas... Sem chegar a qualquer conclusão! (*pausa*) O que sabemos? Que foi um assassinato e que, de algum modo, a Maria João sabia disso, mas não contou a ninguém. E é só. Mais nada. (*pausa*) A partir daí, podemos criar milhares de teses...

(*silêncio — cinco segundos*)

DIANA: Na verdade, temos mais dados relevantes. (*pausa*) Vocês prestaram atenção no fim do capítulo, não é?

ROSA: Sim. (*pausa*) Maria João teve tempo de revelar a identidade do assassino, mas se recusou.

DIANA: É. Ela se recusou... (*pausa*) Mas, ainda assim, acabou dando uma pista. (*pausa*) Um mínimo indício que deixou escapar involuntariamente...

SÔNIA: Que indício?

DIANA: Vou ler mais uma vez. (*pausa*) "'*Foi muito esperto*', *murmurou ela, parecendo escolher as palavras.*" (*pausa*) É o que ela diz... (*pausa*) *Esperto*. No masculino. (*pausa*) Num primeiro momento, indica que o culpado é um homem. Ele foi muito esperto...

ROSA: Discordo. (*pausa*) Esse "ele" pode ser "o assassino" ou ainda "o plano". O assassino foi muito esperto ou o plano foi muito esperto. (*pausa*) Não quer dizer necessariamente que foi um homem.

DIANA: Sim, é verdade. Por isso eu disse que, num primeiro momento, nos faz pensar que é um homem. (*pausa*) Mas me deixem continuar a ler.

(*silêncio — três segundos*)

DIANA: "'*Foi muito esperto*', *murmurou ela, parecendo escolher as palavras.* '*Foi... Foi com a ajuda da mãe...*'" (*pausa*) Ao que parece, o assassino, quem quer que seja, recebeu ajuda da própria mãe.

ROSA: Isso é um absurdo! Que mãe ajudaria um filho a matar alguém?

VÂNIA: Impossível!

DIANA: Não. Não é impossível. (*pausa*) Foi a própria Maria João quem disse.

REBECCA: Então... (*com a voz embaraçada*) Se vocês estiverem certos e o assassino for mesmo algum dos suicidas...

DIANA: Se nós estivermos certos significa que uma de vocês está mentindo... (*pausa*) Que uma de vocês ajudou o filho, ou a filha, a assassinar o casal Vasconcellos.

OLÍVIA: Mas era só o que faltava! Agora somos suspeitas?

VÂNIA: Você não pode estar falando sério...

(*comentários paralelos*)

DIANA: Sim, eu estou falando sério. (*pausa*) Se nossa suposição estiver correta, e eu acredito que esteja, uma de vocês sabe o que aconteceu naquele acidente. Uma de vocês tem a explicação para tudo o que queremos descobrir aqui. Por isso, tenho tanta certeza de que a verdade está dentro desta sala... É apenas uma questão de saber com quem.

OLÍVIA: Então... É por isso que convocaram esta reunião! (*pausa*) Para nos trancafiar neste lugar, para nos observar... Acham que uma de nós é uma assassina! (*riso seco*) Chega a ser engraçado! Uma reunião marcada com a delegada um ano depois da roleta-russa, uma justificativa pífia para gravar o que estamos falando... Agora tudo faz sentido!

DIANA: Nós não...

SÔNIA: Isso não é permitido, delegada! (*pausa*) Nos colocar numa sala e revelar que há uma assassina entre nós! (*com a voz levemente chorosa*) É absurdo! Estou me sentindo um bonequinho dentro de um jogo sádico!

DIANA: Nenhuma de vocês foi obrigada a permanecer aqui. Ressaltei desde o princípio que esta é uma reunião informal. Vocês vieram voluntariamente...

AMÉLIA: Você mentiu! Escondeu o verdadeiro objetivo da reunião! Nos fez de idiotas! (*com a voz exaltada*) E agora diz que somos suspeitas de assassinato!

DIANA: Isso não é verdade...

AMÉLIA: Estou indo embora! Não somos obrigadas a ficar, não é? Pois bem! Pra mim, basta. Cheguei ao limite.

(*ranger de cadeiras*)

DIANA: Amélia, por favor!

(*passos*)

(*ranger de cadeiras*)

DÉBORA: Também vou embora…

DIANA: Gente, por favor! Sair agora é aceitar a derrota. (*pausa*) E pode parecer suspeito.

AMÉLIA: O que está dizendo?

DIANA: Abandonar esta reunião agora seria algo, no mínimo, conveniente, não acham? (*pausa*) Eu não disse que vocês são todas assassinas. Eu disse que uma de vocês pode ser cúmplice de um crime. Apenas uma!

AMÉLIA: Então agora estamos impedidas de sair?

DIANA: Eu não disse isso. (*pausa*) Vocês são sete mães. Sete mulheres que perderam seus filhos… (*pausa*) Mas uma de vocês pode ser também uma assassina. Alguém que, de alguma forma, colaborou com a morte do Getúlio e da Maria Clara. (*pausa*) Ela pode confessar o crime agora ou pode sair.

AMÉLIA: Mas… Você está louca!

DIANA: Só peço isto. (*pausa*) Se você sabe que é inocente, continue aqui até descobrirmos o culpado…

REBECCA: Não tenho por que ficar aqui! É… É óbvio que não fiz nada! (*pausa*) Waléria mal conhecia Maria João. Eu nunca a vi na vida! Ela não teria como saber que o assassino teve a ajuda da mãe sem conhecer essa mulher, não é? Pois a João não me conhecia…

DIANA: Maria João não necessariamente conhecia a mãe do assassino. Ela só sabia do seu envolvimento.

REBECCA: Como?

DIANA: Existem muitas possibilidades.

DÉBORA: Eu não fiz nada! (*com a voz exaltada*) Como seria capaz de matar minha melhor amiga e o marido dela? Eles… Eles nunca fizeram nada de mal pra mim ou pro Alê…

DIANA: Débora, fique calma...

DÉBORA: Eu…

OLÍVIA: O que você sugere, delegada? Que fiquemos aqui acusando umas às outras até que alguém se levante e confesse o crime?

DIANA: Ainda temos um longo caminho pela frente, Olívia. (*pausa*) Antes, acho importante que terminemos de ler tudo o que Alessandro escreveu. É também uma forma de estudarmos a reação do Zak diante da descoberta... (*silêncio — três segundos*) Posso continuar?

VÂNIA: Não aguento mais isso! (*pausa*) É melhor ler logo, delegada! Vamos acabar com isso!

(*silêncio — cinco segundos*)

(*farfalhar de papéis*)

(*pigarro*)

DIANA: "*Capítulo dez.*"

33.

DAS ANOTAÇÕES DE ALESSANDRO PARENTONI DE CARVALHO

CASO CYRILLE'S HOUSE

IDENTIFICAÇÃO: 15634-2808-08

ENCONTRADO EM 10/9/2008, NO QUARTO DA VÍTIMA SUPRACITADA

OFICIAL RESPONSÁVEL: JOSÉ PEREIRA AQUINO, 12ª DP, COPACABANA

28 de agosto de 2008, quinta-feira

No dia em que Deus estava inspirado para criar coisas boas, Ele criou as avós. Avós são aqueles seres perfeitos, simpáticos, dispostos a enfrentar nossos pais quando queremos continuar brincando ou comer biscoitos antes do almoço. Com o tempo, a avó se torna a melhor conselheira, um verdadeiro ombro amigo, a solução precisa para um neto desnorteado. Quem diria que velhinhas munidas de tricô e pantufas pudessem ser tão especiais?

É claro que existem exceções. Mas não no meu caso. Tive uma ótima avó.

Infelizmente, assim como o filme chega aos créditos e o livro à última página, as avós também têm seu fim. Um dia elas morrem, e nós continuamos aqui, na batalha.

A morte é apenas uma das formas desta triste partida. Existem outras. Piores.

Minha avó enlouqueceu no dia 10 de agosto de 2000, duas semanas após a morte do meu avô. Foi tudo muito rápido. Quando me dei conta, já tinha acontecido. E não havia mais volta. Ela não me reconhecia, não era capaz de ir sozinha ao banheiro e passava as noites em claro com medo de que o marido fosse bater nela.

Meu avô era um filho da puta. Doze anos de convivência foram mais do que suficientes para me provar isso. Logo que meus pais se separaram, eu e minha mãe fomos morar com eles (e Deus sabe que aqueles foram os piores anos da minha vida). O desgraçado tratava minha avó como uma escrava, humilhando-a na frente dos outros ou espancando-a. Também fazia questão de ressaltar que estávamos ali de favor. Dizia à minha mãe que ela ganharia mais dinheiro como puta do que sendo dentista.

Mas, na rua, as pessoas gostavam dele, era um homem de respeito, um pai de família exemplar que abrigava carinhosamente a filha desquitada...

Um filho da puta.

Poucos dias antes de morrer, ele me bateu. Não me deu um tapa no rosto em consequência de uma bronca exaltada, como de costume, mas uma verdadeira surra. Minha mãe e minha avó estavam no shopping quando ele chegou em casa, enfurecido, e descontou toda a raiva em mim. Depois, ainda me puxando pelos cabelos, explicou que eu deveria mentir, dizendo que tinha caído quando voltava da escola. Mas não dera certo. As marcas nos olhos, no pescoço e nos braços não enganavam. A verdade se impunha nos meus roxos.

Por isso fiquei tão feliz quando ele morreu. Com ele, foi enterrado todo o medo que nos cercava, e uma sensação de alívio pairou no ar. Por um segundo, pensei que finalmente poderíamos ser felizes.

Mas a vida não se cansa de oferecer obstáculos. Exatos quinze dias depois, minha avó saía de casa amarrada a uma maca enquanto se debatia de horror pensando que apanhava do marido recém-falecido.

A loucura. Tão rápida e sorrateira!

Foi naquele dia que perdi minha avó. Com a sanidade, foram embora o carinho, a doçura e os anos de convivência. Restou apenas a carne. O corpo físico, ainda forte apesar da idade, controlado por um cérebro disfuncional, por uma mente em um mundo paralelo, onde maridos filhos da puta voltam da morte para aplicar surras durante a noite.

Ainda que o rosto, o perfume e o porte fossem os mesmos, ali, naquele corpo, não estava mais minha avó. Não a avó que eu havia conhecido. Aquela era outra pessoa, mais séria, desconfiada e rabugenta.

"Quem é você?", ela me perguntava, com o mesmo ar sereno com que encarava meu avô depois de apanhar dele.

"Quem é você?" Essa simples pergunta era capaz de me fazer desmoronar, como se a vida se revelasse subitamente inconstante.

Minha própria avó não sabia quem eu era! Viramos dois estranhos. O passado foi apagado pela memória. Acabaram a afetividade, a familiaridade, o companheirismo.

E é por isso que eu não gostava mais de visitá-la. Ainda que fosse minha avó, sentia-me um intruso invadindo o espaço dela, abusando da boa vontade do seu cérebro cansado. A avó que eu amara, a avó que eu queria levar pelo resto da vida na memória, partira no dia 10 de agosto de 2000. Aquela mulher que minha mãe me obrigava a visitar mensalmente era apenas uma senhora desmemoriada, de pele flácida e rosto bondoso, com a mesma cara da minha verdadeira avó.

"Quem é você?", ela insistiu, como para me torturar.

Ficar ali me fazia mal. A desesperança no rosto de cada idoso, o abandono pelos corredores do asilo, o silêncio de velhinhos dorminhocos caídos pelos cantos, afundados no sofá ou entrevados em cadeiras de rodas, aguardando a morte. Tudo me incomodava. Tudo me fazia sentir desprotegido, inútil e pequeno demais para seguir em frente. Para me motivar a seguir em frente.

"Seu neto. Alessandro", eu disse.

Ela sorriu em resposta. Mas foi um sorriso vazio, como se eu tivesse dito que o dia estava quente ou que seu vestido florido era bonito. Ela pousou as mãos diligentemente sobre os joelhos ossudos e me ignorou, com o olhar perdido na fresta de céu claro surgindo atrás do muro alto.

Minha avó ajeitou uma mecha de cabelos brancos caindo sobre a testa e começou a roer as unhas. As unhas... Antes, era tão cuidadosa com elas! Estavam sempre compridas e pintadas de um vermelho vivo, como se todas as noites ela fosse sair para um jantar de gala. E agora, o total abandono da vaidade feminina... As unhas embranquecidas, pálidas e roídas. O cabelo escuro nas pontas, mas branco nas raízes. O vestido mal colocado, com a alça do sutiã bege aparecendo nos ombros.

"O que está achando da novela, vó?", perguntei, tentando encontrar algum assunto para prolongar a conversa.

"Não gosto de novela", murmurou ela, com ar displicente. Fechou o rosto numa expressão mal-humorada, a boca comprimida arqueada para baixo.

"Vó...", comecei de novo, colocando minha mão sobre a sua, numa aproximação cuidadosa.

Ela recuou sobressaltada.

"Não me toque!", gemeu, soltando espasmos. "Não me toque! Você quer me bater... Eu sei! Você quer me bater!"

Afastei os braços, numa tentativa de acalmá-la, de arrefecer a sensação de ameaça. Mas não adiantou. O medo estampado em seu rosto permaneceu, ganhando contorno nas bochechas trêmulas, no cenho franzido e na boca escancarada a repetir:

"Não me bata!"

Aos poucos, a voz foi se transformando num tímido sussurro:

"Não me bata! Não... me... bata..."

A frase me atingia em cheio, como um tiro. Inevitavelmente, o passado vinha me buscar, levava-me de volta àqueles anos malditos, à minha avó no quarto ao lado implorando para não apanhar daquele filho da puta, aos gemidos de dor a cada golpe de cinto, à minha mãe tentando tapar meus ouvidos para que não ouvisse nada enquanto ela presenciava, impotente, o próprio pai violentar a mãe...

Lembro como se fosse hoje o dia em que ele morreu. Lembro o cheiro, a temperatura, as palavras e os gestos. Cada instante está registrado em imagens precisas na memória. Todas as noites eu sonhava em matá-lo, pegar a faca de cozinha e enfiá-la em seu peito. Eu era o homem da casa. Era meu dever defender minha mãe e minha avó. E para isso eu teria que matá-lo. Matá-lo sem piedade.

Cheguei a fazer planos de como cometer o assassinato. Deus sabe que eu os teria executado se o velho não tivesse morrido antes. Ataque cardíaco. Fulminante. Na mesa do café da manhã.

Naquele dia, ele acordou com um incrível bom humor, o que, para nós, significava ter que suportar seus deboches e suas piadinhas de mau gosto. Sentou na cabeceira, exibindo um sorriso vitorioso, e esperou que minha avó e minha mãe terminassem de colocar a mesa. Tentou puxar conversa comigo, perguntando como estava o machucado no braço. Desde que tinha me espancado, parecia estar sofrendo de uma crise de consciência.

Mas era tarde para se arrepender. Eu tinha doze anos e o odiava. Meu avô maltratava todas as pessoas de quem eu gostava. Não havia perdão para ele.

Saí para beber um copo d'água. Quando voltei, a mesa já estava posta. Primeiro ele comeu as torradas, em silêncio. Mastigava com a boca aberta, como se quisesse atrapalhar nossa conversa. Fiquei imaginando como minha avó havia conseguido suportá-lo por todos aqueles anos... A necessidade de matá-lo tomava corpo diante de mim, insistente. Aquele filho da puta não faria nenhuma falta ao mundo.

Depois, ele pegou o pão. Molhava-o no café antes de morder. Já estava quase no fim quando começou a gritar com minha avó. Não, o desgraçado não podia sair de casa sem antes arranjar a briga do dia! Reclamou que o pão estava murcho e o café, frio e amargo. Socou a mesa enquanto falava, e minha avó baixou a cabeça, como se fosse mesmo culpa dela. Meu ódio aumentou. Eu o imaginei morto, o corpo enrijecido num caixão, o algodão vedando suas narinas. E foi naquele instante que ele morreu. Como se meus pensamentos tivessem poder, ele tombou, fulminado diante dos meus olhos repletos de raiva e angústia.

"Mamãe... Meu Deus, o que está acontecendo aqui?!", gritou minha mãe. Aquilo me despertou das lembranças. Ela se aproximou da minha avó, apressada, vendo-a se debater de medo. "O que você fez, Alê? O que fez com ela?"

Minha mãe sabia a resposta. Eu não tinha feito nada. Mas mesmo assim ela perguntava, como se para confirmar a insanidade da própria mãe.

"Ele... Ele veio me bater... Meu marido... Meu marido mandou ele me bater!", murmurou minha avó, vertendo lágrimas dos olhos cansados. "Não aguento mais apanhar! Eu não..."

Eu também não aguentava mais. Não podia suportar nem mais um segundo.

Levantei e tomei o corredor à esquerda, sem olhar para trás. A cada passo, jurava a mim mesmo que não voltaria. Minha avó estava enterrada. Espiritual e fisicamente. Eu nunca mais ia vê-la. E ponto-final.

"O que você pensa que está fazendo, Alê?", minha mãe perguntou com rispidez, dez minutos depois, quando entrávamos no carro.

"Não volto mais aqui", respondi. Bati a porta. "Você não tem como me obrigar a essa merda."

"Não fala assim!"

Minha mãe parecia confusa, sem palavras para me contrariar. Eu sabia que também era difícil para ela, até mais do que para mim. Mas ela tinha que respeitar meus limites, e eu não conseguia mais.

"Ela é sua avó, Alê!"

"Minha avó está morta!", gritei, para logo depois me arrepender de ter falado alto. Minha mãe não merecia aquilo. "Essa mulher não é minha avó."

"Ah, vai, Alê!", murmurou ela, e percebi que estava prestes a chorar. "O que você quer que eu faça? Quer que deixe a vovó apodrecer nesse asilo sem uma visita sequer?"

Sim! Era aquilo que eu queria! Pagar o asilo e deixá-la lá, esperando a morte terminar o serviço. Era o que tantas famílias faziam. Podia ser errado, mas era também um mecanismo de defesa.

"Não sei. Não sei o que fazer", respondi.

Ela anuiu com a cabeça, sem desviar os olhos do trânsito. Ela também não sabia o que fazer. Visitar a mãe mensalmente e levar iogurte escondido numa sacola era uma forma de se sentir bem consigo mesma, de ser uma boa filha.

"Minha cirurgia foi marcada, Alê", minha mãe disse, como quem comunica algo pouco importante.

"O quê?"

Ela apertou o volante com força.

"Eles vão ter que abrir pra ver se tem como tirar ou não."

"Quando vai ser?"

"Dia 7. Um domingo."

"Sete de setembro? No feriado?"

"O dr. Torres estava com a agenda lotada. Ele disse que, quanto antes operar, melhor..."

"Certo."

"Deve ser grave", explicou ela, melancólica.

"Não fala assim, mãe!"

"Alê, você não é mais criança! Temos que encarar a realidade!" Ela tentava manter a sobriedade e aparentar calma. "Eu posso morrer... Posso morrer naquela mesa de cirurgia como sua tia-avó... E você vai ter que enfrentar tudo sozinho."

"Você não vai morrer, mãe."

Ela balançou a cabeça.

"Se eu morrer", ela aumentou a voz. "Se eu morrer, você vai ter que cuidar dela. Não pode abandonar sua avó, entende?"

Fiquei em silêncio, sem resposta.

"Você vai ter que cuidar de tudo... Eu... Eu sei que você consegue..."

Sentada ao volante, ela começou a chorar, a boca trêmula tentando controlar a tristeza.

"Não fica assim, mãe... Tudo vai dar certo..."

"O dia 7 de setembro, filho... O dia 7 de setembro vai ser decisivo", murmurou, entre soluços. "Você vai se tornar um homem. Um homem com responsabilidades... Sei que você é capaz..."

Não. Eu não sou capaz.

Mas eu não podia dizer isso a ela naquele momento.

34.

Capítulo 10

Primeiro, Zak gritou. Um grito angustiante, de dor. Depois veio o desespero. Ele enlaçou a João pela cintura e sacudiu o corpo inerte, tentando resgatar a vida perdida.

A João sabia a verdade. Tivera tempo de contá-la. Mas não quisera. Havia debochado de todos no momento derradeiro.

E agora estava morta.

Não havia mais jeito.

O rosto esbranquiçado exibia o sorriso dos últimos segundos, desafiando Zak pela eternidade, fazendo com que se arrependesse de ter puxado o gatilho.

Vendo-o ali, desamparado, tive vontade de consolá-lo. Uma vontade que só sentira antes uma vez, no enterro dos Vasconcellos, quando os caixões desciam à cova e éramos obrigados a encarar os flashes da imprensa.

Mas, dessa vez, não consegui me mover. O sangue colava meus pés ao chão. Continuei escrevendo mecanicamente, registrando tudo. Mas só sentia o nada.

Olhei para a João. Eu gostava dela. Amava o cabelo curto, o sorriso infantil, o olhar ambicioso... A personalidade forte, quase máscula... Eu a amava.

Ainda era capaz de ouvir sua voz. De sentir sua pele, minha língua passeando por seu pescoço arfante na escuridão do cinema, iluminada vez ou outra por uma cena mais clara na tela. Nossos corpos se tocando com a dificuldade imposta pelas poltronas. E finalmente o sexo. O sexo louco e apaixonado no apartamento do Zak. Ela era a única mulher com quem eu tinha ido para a cama...

Agora ela estava morta. A barriga que eu havia acariciado cobria-se de sangue. Mesmo caída no chão, a João ainda parecia conversar comigo. Sua voz invadia meus ouvidos, insistente, cortante.

A morte dos seus pais... Não foi um acidente, Zak... Foi assa... assassinato.

Só então me dei conta. Zak era um assassino! Ainda que minha mente se recusasse a aceitar isso, eu o tinha visto matar três pessoas! Otto, Dan e a João... Todos tinham sido vítimas de um psicopata. Vítimas do meu melhor amigo...

Meu melhor amigo. Tive nojo das palavras.

Sim, era possível que a bebida e as drogas o tivessem tirado de si. Era possível que Zak nunca tivesse matado ninguém antes, que aquela tivesse sido sua primeira vez... Mas o contrário também era razoável. Ele podia ter matado outras vezes. Podia ter matado muita gente... Afinal, como eu saberia? A sede pela morte, a violência gratuita poderiam ser faces tão bem escondidas quanto sua relação com o Otto...

Até que ponto realmente conhecemos as pessoas?, *perguntara o delegado.*

Agora eu tinha a resposta: nós não conhecíamos ninguém. Absolutamente ninguém. Eu não conhecia nem minha mãe. Não conhecia seus limites, seus sonhos, seus medos e suas angústias mais íntimas.

Tampouco conhecia meu amigo. Aquilo me apavorava. Eu sabia de tantas coisas... Participara de tantos momentos da vida dele... E se, de alguma forma, Zak se sentisse pressionado? E se eu passasse a ser uma ameaça para ele, como tinha acontecido com os outros? Ele atiraria em mim?

Por mais que nosso passado indicasse que não, a realidade diante dos meus olhos era inegável... Sim! Eu conseguia imaginá-lo apontando o revólver para mim e puxando o gatilho.

Antes, por algum motivo tolo e infantil, eu me sentia protegido por aquele mesmo sujeito que tinha visto torturar e assassinar Otto, matar Danilo, ainda que indiretamente, e meter dois tiros na barriga da João... Mas, de algum modo, nada daquilo havia me afetado. Nada daquilo fora capaz de romper a proteção imaginária que eu havia criado ao meu redor. Afinal... Eles eram outros... Outros! Zak era capaz de matá-los, de acabar com a vida de qualquer um deles num piscar de olhos... Mas não comigo. Não eu! Ele... Ele nunca seria capaz de me matar! Ou seria?

Merda, o que os outros tinham feito a ele? Danilo o admirava, era um garoto carinhoso... A João era uma menina ríspida às vezes, é verdade, mas ainda assim doce... E Otto... Otto também não o obrigara a fazer sexo... Zak quisera aquilo! Nenhum... Nenhum deles merecia tanta violência.

Mas Zak era culpado pela morte deles. E podia acontecer comigo! Comigo! Eu era apenas uma peça no jogo dele, um objeto igual aos outros. Nulo. Desprezível. Ao menor sinal de perigo, podia ser descartado.

Tive vontade de vomitar outra vez.

Pensamentos e imagem se contradiziam. Diante de mim, um Zak indefeso, perdido diante da morte, implorando por mais algumas palavras que esclarecessem o assassinato dos pais. Em minha cabeça, um homem frio, de personalidade inconstante e dúbia, capaz de matar qualquer um. Capaz de matar o melhor amigo. Capaz de matar... os próprios pais.

"Odeio você!", gritou ele, socando o peito inerte da João, com raiva. "Por quê? Por que você não me contou?"

Liberava todo o seu rancor, o choro lamurioso embalado por ofensas inflamadas e ameaças vis.

Zak perdera a guerra. Recusava-se a aceitar, mas era a verdade. Ele perdera. A João, ali caída, morta, desumanizada com dois tiros na barriga, era a vencedora. Ela havia oferecido a dúvida como tortura.

"Por quê?"

Ajudei Waléria a vencer o fogo. Boa parte do dinheiro fora queimada, e a fumaça no porão se tornara insuportável. Cinzas surgiam do papel tostado, fagulhas pipocavam próximas ao sofá de espuma. Poucos pacotes tinham escapado ao fogo, mas o dinheiro não me importava mais. Agora, eu queria viver. Queria ver o sol nascer no dia seguinte. Queria escrever mil histórias e esquecer esta merda de livro. Queria cultivar a vida, a felicidade.

E para isso eu precisava da arma. Para me proteger. Para evitar que Zak me matasse. Precisava pegar o revólver que estava próximo dele. Perigosamente próximo.

"Zak...", comecei, sem sair do lugar, esperando por qualquer reação impensada.

Um silêncio apavorante preencheu a espera por uma resposta. Ele baixou a cabeça, escondendo o rosto choroso no peito da João, as mãos agarrando a blusa ensanguentada.

Aquela era uma boa oportunidade para me aproximar. Tentar tranquilizá-lo, fortalecer a confiança dele em mim... E então pegar o revólver. Controlar a situação. Continuar vivo.

A lei da selva.

Waléria se assustou quando me aproximei. Com uma troca de olhares, entendeu o que eu pretendia fazer... Ela também queria viver. Também queria escapar do porão fumacento e repleto de defuntos. Agora estávamos juntos. Juntos contra Zak. Contra uma fera perigosa. E armada.

Se eu conseguisse pegar o revólver, as chances dele diminuiriam. Mesmo que as balas continuassem com Zak, ele não poderia atirar em nós. Seria uma disputa física. Dois contra um. Ainda que ele fosse mais forte do que eu e a Waléria separados, juntos podíamos vencê-lo.

"Você, sua puta!", gritou ele, levantando repentinamente a cabeça e olhando para ela.

Eu estava a poucos centímetros da arma e recuei assustado, temendo levantar suspeitas. No estado em que Zak estava, qualquer movimento brusco seria suficiente para acuá-lo.

Senti as esperanças descerem pelo ralo quando ele pegou o revólver, decidido.

Pronto. Agora ele estava armado. Não havia saída.

Zak sacudiu a arma no ar, ameaçador, e levantou com certa dificuldade.

"Você, sua puta!", ele repetiu, com a voz inebriada pelo álcool. "Foi você, não foi?"

"Do que..." Ela engasgou, desesperada. "Do que você está falando?"

Ele arregalou os olhos assustados, as sobrancelhas grossas transformadas em meros filetes escurecidos entre a testa franzida e os cílios alvoroçados. Waléria levantou as mãos em sinal de rendição enquanto Zak se aproximava, com a arma apontada para ela.

"Meu Deus, Zak, o que você pretende fazer?"

Eu podia sentir o medo na voz dela. Bastava um tiro. O fim das sensações, das memórias, dos momentos, dos sonhos... Assim, de repente. Um furo, um pequeno e certeiro furo. O fim da vida. Viramos um monte de carne mole, fria, vazia de pensamento.

"Você, Waléria", murmurou ele, o rosto vermelho num misto de ódio, lágrimas e suor. "Você matou meus pais..."

Ela soltou um gritinho de espanto, enquanto balançava a cabeça em negativa.

"Eu nunca..."

Waléria encostou na parede, sem ter mais aonde ir para escapar do Zak.

"Eu não fiz..."

"Foi você!", berrou ele, a poucos centímetros dela. "Foi você! Sei que foi! Assuma!"

Ela fechou os olhos, trêmula de horror. As lágrimas começaram a brotar espontaneamente, numa súplica desesperada. Seu corpo obeso chacoalhava.

"Zak...", começou a garota, tentando controlar a respiração ofegante. "Zak, juro que..."

"Não!", ele disse, raivoso. "Não adianta jurar! Eu... Eu não acredito em nada do que você diz! Em nada!"

"Zak, por favor, não me mata!", implorou Waléria, entre soluços, soltando um gemido sufocado ao entreabrir os olhos e ver a arma apontada para ela.

O tiro ia acertá-la em cheio.

No calor do momento, os dois haviam se esquecido de que a arma não tinha sido carregada. As duas balas restantes estavam no bolso do Zak. Se eu ao menos pudesse me aproximar... Se, de alguma forma, conseguisse ter acesso à munição... Sairíamos vivos.

"Não fiz nada, Zak. Não me mata! Não me mata, por favor!"

Senti pena dela. Nunca simpatizei com a Waléria, mas mesmo assim... Parecia evidente que ela não havia feito nada. O desespero nos olhos e o tremor em cada palavra confirmavam a inocência dela...

"Não fiz nada, Zak... Eu... Eu juro!"

"Não adianta, Waléria. Não adianta. Sei que foi você", ele disse, pausadamente. "Só quero que assuma. Quero que me diga por que fez isso... Por quê?"

Silêncio.

Soluços.

"Por quê?"

Ele pressionou o cano da arma contra a testa dela com uma raiva brutal. Passou o revólver por seu rosto, molhado pelas lágrimas, enquanto ela gemia e implorava por piedade.

Waléria era um animal indefeso prestes a ser sacrificado. E eu, mero espectador, tinha que fazer alguma coisa. Impedir que mais uma loucura fosse cometida. Mais sangue fosse derramado, mais uma vida fosse perdida...

Mas o que fazer? Partir para cima do Zak e roubar a arma dele? Não, não! Eu tinha que agir racionalmente... Ele era mais forte. E a Waléria não estava mais em condições de me ajudar. Não... Eu tinha que pensar em outra coisa...

Passei os olhos pelo porão, procurando algo que pudesse ser útil. Pilastras, corpos, o sofá depenado, a fortuna queimada, o martelo, a mesa quebrada, sangue...

Senti um arrepio. O martelo... Sim, o martelo! Eu o vi nas minhas mãos. Zak de costas, ameaçando Waléria, sem perceber qualquer movimento meu... E então, o desfecho. O golpe certeiro na cabeça. A ferramenta pesada abrindo uma fresta em seu crânio e acabando com aquele pesadelo.

"Por que você fez isso, Waléria? Pelo dinheiro?", ele continuava.

Engatinhei pelo chão de tábua corrida pastoso de sangue, evitando escorregar.

"Naquele dia, Waléria... Naquele dia em que foi à minha casa dizer que estava grávida e eu enxotei você de lá... Foi então que decidiu se vingar e matar meus pais?"

"Eu não matei ninguém!"

O diálogo deles se tornava uma conversa de fundo. Lamúrias e acusações pontuavam meus passos. As vozes à distância se misturavam às batidas do meu coração.

Se Zak olhasse para trás, seria meu fim. Mas não havia tempo para pensar naquelas coisas.

Ultrapassei a primeira pilastra. O porão parecia incrivelmente maior agora. Poucos metros se transformavam em quilômetros diante dos meus olhos.

Fiquei tonto. Meu corpo pesava e as pernas travavam, empapadas de sangue. Eu não podia fraquejar... Tinha que pegar o martelo! Lutar pela minha vida!

Provavelmente Zak já percebera que eu estava me movendo. Provavelmente já entendera o que eu pretendia fazer. Devia estar vindo me matar. Rindo de mim, que rastejava pateticamente, tonto, ensanguentado.

Eu deveria fugir, mas para onde? Não havia saída... A chave... Lucas jogara a chave pela fresta da porta... Estávamos trancados.

De repente, vi o martelo. A poucos centímetros de minha mão esquerda, banhado numa poça de sangue.

Peguei-o. Senti seu peso, a textura do cabo de madeira. Aquilo me proporcionou uma lufada de esperança. Eu estava subitamente seguro. Protegido.

Levantei e olhei para a outra extremidade do porão. Eles continuavam a discutir. Ela estava de joelhos, a cabeleira vermelha cobrindo o rosto choroso. Zak ainda apontava a arma, como se fosse executá-la.

Escondi o martelo sob a camisa. Caminhei devagar na direção deles. As palavras, aos poucos, voltavam a fazer sentido.

"...pelo dinheiro! Sempre a merda do dinheiro!", Zak disse. "Você soube que meu pai ia mudar o testamento e tirar metade dos meus bens. Isso ia atrapalhar seu golpe do baú tão bem arquitetado!"

Uma gota de suor desceu pela minha testa.

Eu estava a poucos metros dele. Quase nada.

"Agora tudo faz sentido, Waléria!", Zak continuava. "Como não percebi antes? Naquela sexta você foi expulsa da minha casa... Uma semana depois, eu soube que seu pai tinha sido demi-

tido... Claro que você culpou meu pai... E decidiu se vingar... O delegado disse que parecia ser um plano criado às pressas. Você provocou o acidente em que meus pais morreram!"

Agora eu já podia ver os pelos eriçados da nuca do Zak. Preparei o martelo para o ataque.

"Não fiz nada, Zak... Eu... Eu nem sabia que seus pais estavam viajando!"

"É claro que sabia", bradou ele, mais irritado à medida que falava. "Na sexta, pouco depois de eu ter expulsado você de casa, sua mãe ligou para falar com a minha. Queria marcar uma conversa amigável entre as duas famílias para falar sobre o bebê, na semana seguinte... Eu estava na extensão escutando... Minha mãe disse que ia para a casa de campo e só ia voltar no sábado... Então sua mãe sabia que eles iam viajar! Sabia que pegariam a estrada no sábado... A João disse que o assassino recebeu ajuda da mãe... Sua mãe contou a você quando meus pais voltariam de viagem..."

Eu estava prestes a desferir o golpe quando algo me veio à cabeça. A imagem da João resfolegando, provocando-nos em seus últimos segundos de vida, o rosto doce desfigurado pelo medo da morte.

Foi com a ajuda da mãe, ela dissera.

Parei.

Foi com a ajuda da mãe...

Lembrei-me da Waléria gritando, enquanto dava um tapa na cara do Getúlio: "Eu te mato, seu desgraçado! Se você tirar o emprego do meu pai, eu te mato! Acha que pode controlar a vida dos outros assim? Fazer o que bem entende? Se mete comigo e eu te mato! Vou até o inferno para acabar com sua vida, seu filho da puta metido!".

Gelei. E se eu estivesse errado? E se Waléria fosse mesmo responsável pela morte dos Vasconcellos?

"Sua assassina!"

Qual deles estava mentindo?

"Eu não fiz nada, Zak!", repetiu ela. Mas, daquela vez, não me pareceu ser a verdade.

"A João também estava no pôquer naquele dia. Ela viu você ameaçando meu pai de morte... Quando teve o acidente, ela deduziu que você estava metida naquilo... Ela deve ter te chantageado e você, fraca como é, assumiu. Por isso ela sabia! Por isso sabia quem é o assassino!"

"Eu sou inocente. Sou inocente!"

"Assume, Waléria! Assume o que fez!"

O martelo pendeu nos meus braços, inerte. Eu não sabia o que fazer.

Então pensei em matar os dois. Acabar com o problema. Garantir minha segurança. Sim! Era o que eu deveria fazer! Ficar sozinho, livre do assassino, quem quer que fosse ele! Esperar até que alguém chegasse a Cyrille's House...

Ergui o martelo novamente. Ajeitei o cabo na palma da mão. Pronto. Era só descer a ferramenta. Na nuca do Zak. E depois na Waléria.

Simples.

Em menos de um minuto eu podia acabar com os dois. Encontrar a paz.

Respirei fundo, sentindo o odor característico do Zak invadir minhas narinas. Sua nuca se oferecia para mim, esperando o golpe. Fechei os olhos.

"Assume o que fez, Waléria! Assume! Você conseguiu! Acabou com a minha vida, acabou comigo! Não era isso o que você queria? Pois já conseguiu! Assume!", gritava Zak. Suas últimas palavras...

Agora.

Como que preso ao teto, meu braço não foi capaz de desferir o golpe. Mesmo depois de ter visto tudo o que Zak tinha feito, não consegui matá-lo. Algo mais intenso e vivo do que a autodefesa me impedia de fazê-lo...

"Você não vai mesmo dizer, não é?", gritou ele, batendo com o revólver no rosto dela.

Waléria gemeu, levando as mãos ao filete de sangue que brotava na bochecha esquerda.

Zak enfiou a mão no bolso e retirou uma bala.

"Você gosta de sorte, não é, Waléria? Tudo pra você depende dela", ele disse, enquanto introduzia a bala no tambor e o fechava sem girar. "Eu poderia atirar na sua cara de vagabunda agora mesmo. Mas vou dar uma chance a você... Uma chance, Waléria... De ficar viva."

Ela choramingou, incapaz de responder. Em frangalhos.

"Você pode assumir tudo o que fez... Ou pode confiar na sorte... O que prefere?"

Silêncio.

"Vamos!"

Silêncio.

"Está bem", Zak murmurou, parecendo embaraçado. "A escolha foi sua..."

Com certa dificuldade, ele pegou a moeda que estava no bolso da Waléria. Balançou-a entre os dedos indicador e polegar, revelando as duas faces idênticas.

"Então você escolheu a sorte, Waléria. A sua sorte", Zak explicou com um sorriso. "Se der coroa, você vive... Se der cara... Bem, você já sabe..."

"Não, Zak... Por favor, não me mata!", implorou, desesperada.

"Não é assassinato, Waléria", sentenciou ele, com uma tranquilidade desumana. "É uma questão de sorte, não é? Pura sorte..."

Zak apoiou a moeda sobre a mão fechada e, sem esperar resposta, lançou-a no ar.

35.

DIANA: "'Não é assassinato, Waléria' sentenciou ele, com uma tranquilidade desumana." (*pausa*) "'É uma questão de sorte, não é? Pura sorte...'" (*pausa*) "Zak apoiou a moeda sobre a mão fechada e, sem esperar resposta, lançou-a no ar."

AMÉLIA: Esse... esse menino é muito cruel!

ROSA: Pra quem torturou um ser humano, não é de surpreender...

DIANA: É o fim do capítulo dez.

(*choro*)

DIANA: Rebecca, por favor, tente se acalmar.

(*choro*)

REBECCA: É tudo tão horrível! (*soluços*) Ter que ficar aqui, ouvindo minha filha morrer, como se eu estivesse lá, sem poder fazer nada... (*pausa*) Ter que escutar as acusações absurdas daquele louco... O que eu fiz pra merecer isso?

DIANA: Rebecca, é preciso que você fique calma pra podermos pensar com mais clareza.

REBECCA: Aonde quer chegar, delegada? Vamos, me diga! A que merda de lugar pretende chegar? Você não viu o que aconteceu? Esse louco ameaçou minha filha de morte para que confessasse um crime que ela nunca seria capaz de cometer!

DIANA: Rebecca...

REBECCA: Waléria era inocente! (*com a voz alterada e chorosa*) Ela só ameaçou matar o Getúlio porque estava com raiva... Ela não seria capaz! (*pausa*) Waléria implorou para viver... Mas aquele desgraçado não cedeu... Não! Ele queria matar minha filha! (*soluços*) De qualquer jeito! Como fez com os outros!

DIANA: Se ele quisesse apenas matar Waléria, poderia ter puxado o gatilho e pronto... Mas não... Ele fez a proposta da moeda, deu tempo para que ela confessasse o crime. (*pausa*) Zak realmente acreditava que sua filha era a culpada.

REBECCA: Ela não fez nada! Não faria mal a ninguém!

DIANA: Não estou dizendo que Waléria fez alguma coisa, Rebecca... (*pausa*) A questão é que Zak acreditava na culpa dela. E deu tempo para que confessasse.

OLÍVIA: Vocês me desculpem, mas... (*pausa*) Fui a única que achou os argumentos do Zak válidos? O raciocínio dele fez sentido pra mim... (*pausa*) Realmente parece que a Waléria é a assassina.

REBECCA (*com a voz exaltada*): Isso é um absurdo! Minha filha...

DIANA: Sim, Olívia, a dedução do Zak faz sentido. (*pausa*) Se considerarmos os episódios anteriores à roleta-russa...

REBECCA: Mas vocês não veem? Waléria pode ter dito que ia matar Getúlio, mas foi da boca pra fora! (*atônita*) Ela... Ela estava frágil! Tinha ido lá avisar que estava esperando um bebê do Zak e foi tratada daquele jeito, ameaçada, como se fosse uma golpista qualquer... Minha filha ficou fora de si! Disse tudo aquilo só por dizer! Ela nunca...

DIANA: (*farfalhar de papéis*) Ela disse para o Getúlio: "'Eu te mato, seu desgraçado!', ela gritou, retribuindo o tapa. 'Se você tirar o emprego do meu pai, eu te mato! Acha que pode controlar a vida dos outros assim? Fazer o que bem entende? Se mete comigo e eu te mato! Vou até o inferno para acabar com sua vida, seu filho da puta metido!'".

REBECCA: Você não pode estar falando sério...

DIANA: No quarto do Alessandro, em Copacabana, encontramos anotações referentes a esse dia, 22 de agosto. Ele estava lá. Presenciou toda a cena. É bastante provável que a Waléria tenha dito exatamente essas palavras.

REBECCA: Mas...

DIANA: Naquela mesma sexta-feira, você ligou para os Vasconcellos e conversou com a Maria Clara pelo telefone, não é, Rebecca?

REBECCA: Sim. (*pausa*) Minha... minha filha chegou em casa aos prantos, dizendo que tinha sido expulsa antes mesmo de explicar toda a situação... (*pausa*) Eu fiquei tão irritada... Muito irritada mesmo! Esses ricaços acham que podem tudo só porque têm dinheiro! Mas não é assim. (*pausa*) Eu liguei pra conversar. Reclamar do jeito como tinham tratado minha filha...

OLÍVIA: Você conversou com a Maria Clara?

REBECCA: Sim... (*com a voz hesitante*) Sim. Por quê?

OLÍVIA: Não sei... É que você tinha dito que não conhecia os Vasconcellos... (*pausa*) Afirmou sua inocência com base nisso... E agora está dizendo que conversou com a Maria Clara.

REBECCA: Sim, eu conversei! (*com a voz embaraçada*) Conversei pelo telefone! Isso não quer dizer que eu os conhecia! Nunca os vi...

DIANA: Você tentou marcar um encontro com a Maria Clara, não é?

REBECCA: Sim, mas...

(*silêncio — três segundos*)

DIANA: Mas o quê?

REBECCA: Mas... (*com a voz hesitante*) Ela disse que ia para a casa de campo na semana seguinte... Era tão esnobe! Nos poucos minutos que conversamos, falou das viagens, das propriedades, das riquezas... Uma metida!

DIANA: Então a Maria Clara disse que não poderia encontrar você porque viajaria na terça, 26, e só voltaria no sábado, 30?

REBECCA: Não me lembro de ela ter dito as datas exatamente... (*pausa*) Ela... Ela disse que não poderia conversar porque estaria viajando... Mas não mencionou quando voltaria.

DIANA: Entendo.

(*silêncio — três segundos*)

OLÍVIA: Zak não disse que escutou a conversa na extensão? (*pausa*) Pelo que entendi, segundo ele, a Maria Clara disse que voltaria no sábado...

REBECCA: Não sou uma mentirosa, Olívia! (*pausa*) Estou dizendo o que lembro! (*pausa*) E não me lembro de ela ter dito que voltaria no sábado, no domingo ou em qualquer outro dia! Maria Clara não tinha que ficar me dando satisfações!

(*farfalhar de papéis*)

DIANA: Zak disse para a Waléria: "*Eu estava na extensão escutando... Minha mãe disse que ia para a casa de campo e só ia voltar no sábado...*".

REBECCA: Eu não sabia! Eu não... Juro que não sabia de nada disso!

OLÍVIA: Isso explica o que aquela menina disse, sobre o assassino ter recebido ajuda da mãe.

REBECCA (*com a voz exaltada*): Minha filha não matou os Vasconcellos! Vocês precisam acreditar em mim!

DIANA: Fique calma, Rebecca. (*pausa*) A Maria João disse que o assassino, de alguma forma, recebeu ajuda da mãe. Mas ela não disse que tipo de ajuda. (*pausa*) É possível que essa mulher tenha ajudado sem querer.

REBECCA: O que você está dizendo?

DIANA: Estou dizendo que você, sem perceber, talvez tenha dito a Waléria que a Maria Clara voltaria de viagem no sábado.

REBECCA: Eu não...

DIANA: Tente lembrar, Rebecca... O que você fez depois da ligação?

REBECCA: Eu... fui tentar consolar minha filha...

DIANA: Enquanto você consolava a Waléria, não disse em momento algum que tinha ligado para a Maria Clara? Tente lembrar.

REBECCA: Sim, eu disse. Mas...

DIANA: Você disse que tinha tentado marcar uma conversa com ela? Disse que ela viajaria para Cyrille's House e, por isso, não poderiam conversar na semana seguinte? Disse que ela voltaria no sábado e então veriam uma data?

REBECCA: Não! Não! Já repeti mil vezes! (*pausa*) Eu não disse nada disso a Waléria... Vocês precisam acreditar em mim...

DIANA: Uma semana depois, na sexta, 29, seu marido foi demitido, Rebecca. (*pausa*) Alegaram corte de pessoal. (*pausa*) Ele trabalhou por dezoito anos na empresa, era considerado um funcionário exemplar e, mesmo assim, foi demitido no primeiro corte de pessoal...

REBECCA (*com a voz levemente chorosa e fraca*): Sim...

DIANA: Agora me diga, Rebecca: como Waléria reagiu a tudo isso? Como ela ficou ao saber da demissão?

REBECCA: Ela... (*pausa*) Ficou claro que o Getúlio era o responsável por tudo. (*pausa*) Ele tinha ameaçado fazer aquilo... E cumpriu... (*soluços*) Eu não trabalho, delegada. E não nasci em berço de ouro. As contas lá de casa eram pagas pelo meu marido. Com o emprego que aquele filho da puta do Getúlio tirou...

DIANA: Rebecca...

REBECCA: Eu estou dizendo, delegada. Não matei ninguém. Nem minha filha. (*pausa*) Mas Deus abençoe quem quer que tenha feito isso por mim. Aquele desgraçado merecia algo muito pior que a morte... Ele e a maldita família dele...

DIANA: Na sexta, seu marido foi demitido. No sábado à tarde, ocorreu o homicídio. Um homicídio preparado às pressas, aparentando ser um acidente de trânsito.

OLÍVIA: Waléria teve uma noite pra planejar tudo…

REBECCA: Minha filha não…

DIANA: Sim, Olívia. Uma noite. (*pausa*) Tempo suficiente pra contratar alguém. (*pausa*) Só era preciso sabotar os freios e arranjar um veículo sem placa para fechar a Pajero dos Vasconcellos. E estava feito.

REBECCA: Minha filha não matou ninguém! (*com a voz exaltada*) E quem são esses assassinos de aluguel? Onde estão eles?

DIANA: Rebecca… Eu sei que é difícil pensar nisso, ver os fatos por outro ângulo. Mas tente pensar friamente. É possível que você não saiba de nada, que tenha ajudado sem perceber…

REBECCA: Minha filha não matou ninguém, delegada. Se não quer acreditar, não é problema meu. (*pausa*) Minha teoria é outra. Ela também responde às suas perguntas… (*pausa*) Alessandro matou os Vasconcellos.

DIANA: Eu já disse, Rebecca. Não há motivo.

REBECCA: Existem milhares de motivos possíveis que não conhecemos! Ele poderia ser apaixonado pelo Zak ou qualquer coisa assim… Poderia invejar o garoto…

DÉBORA: Meu filho era amigo do Zak…

REBECCA: Exatamente! Você não queria que as peças se encaixassem? Pois elas se encaixam! (*pausa*) Como explicar que Débora tenha recusado viajar para Cyrille's House? Ela sabia o que ia acontecer… Sabia do acidente…

DÉBORA: Eu estava com câncer! (*com a voz exaltada*) Você é burra ou o quê? (*pausa*) Está insinuando que matei meus amigos, meus amigos!, só porque não viajei com eles e, graças a Deus, escapei do acidente? (*pausa*) Pois eis sua resposta: câncer! Eu tinha acabado de descobrir um tumor no estômago. Tive que marcar uma cirurgia às pressas... Certamente não estava no clima para viajar para uma casa de campo!

REBECCA (*com a voz ríspida*): Uma desculpa muito conveniente...

DÉBORA: Engula suas palavras, Rebecca! Então agora você acha que escolhi ficar doente? (*pausa*) O que você quer, sua desgraçada? Que eu tire essa merda de peruca? Quer ver minha cabeça raspada pra ter certeza de que estou dizendo a verdade?

REBECCA: Eu não...

DÉBORA: Eu poderia ter morrido... (*choro*) Estava desesperada... E... (*soluços*) Foi tudo tão horrível! Morri de medo! A operação aconteceu no dia 7... O mesmo dia da roleta-russa... (*pausa*) Quando acordei no pós-operatório, fiquei tão feliz... Parecia um milagre estar viva! (*pausa*) Mas o Alessandro não foi me visitar no quarto. Achei aquilo estranho... Tentei ligar no celular dele e não consegui. Comecei a ficar preocupada. Mas eu estava presa na cama, recém-operada, sem poder sair. E então... (*choro*) No dia seguinte... eu recebi a visita da polícia... Eles me disseram que meu filho estava morto... Que tinha se suicidado numa roleta-russa com os amigos, enquanto eu era operada... (*pausa*) Não pude fazer nada! Eu estava imobilizada naquela maca... Eu... (*choro*)

DIANA: Fique calma, Débora. Beba um copo d'água.

REBECCA: Não estava duvidando do seu câncer. Só quero defender minha filha! Ela seria incapaz de matar alguém! (*pausa*) Mas o próprio Alessandro disse que pensou em matar Zak... Ele chegou a pegar o martelo!

DIANA: Sim, Rebecca. Ele pegou o martelo. (*pausa*) Mas não teve coragem de desferir o golpe, não é? Na hora decisiva ele desistiu...

REBECCA: Não importa... A questão é que ele pensou em matar... Passou por sua cabeça a possibilidade de cometer um ou dois assassinatos para se ver livre do problema... (*pausa*) Minha filha nunca pensaria em matar alguém! Sei o que estou dizendo. Já Alessandro chegou muito perto de matar o Zak...

DÉBORA: Meu filho estava com medo! Com medo, entendeu? (*com a voz exaltada*) Ele tinha acabado de se dar conta de que seu melhor amigo era um assassino! Um assassino que tinha torturado e matado gente na frente dele! Ele... Ele se sentiu indefeso... Percebeu que poderia ser o próximo... (*pausa*) Pegou aquele martelo pra lutar pela própria vida! E pela vida da sua filha também! Sua mal-agradecida!

REBECCA: Minha filha está morta! Foi executada por um filho da puta sádico!

DÉBORA: Meu filho também está morto, merda! (*choro*) Você fala como se fosse a única sofrendo aqui...

AMÉLIA: Os filhos de todas nós estão mortos. Mortos e enterrados. (*pausa*) Pouco importa descobrir o assassino dos Vasconcellos... Quem quer que seja, já recebeu sua punição...

DIANA: Não é essa a questão, Amélia. É preciso esclarecer o caso! É preciso chegar à verdade...

AMÉLIA: Não ligo para a verdade! Quero viver em paz... Esquecer tudo isso, deixar pra trás... Será que consigo? (*pausa*) Alessandro ou Waléria... Não importa quem matou os Vasconcellos... Não importa quem causou toda essa desgraça... Só quero esquecer!

DIANA: Você disse que não há como punir o culpado... Mas está esquecendo que alguém aqui, dentro desta sala, pode ter ajudado o próprio filho a cometer os assassinatos. Alguém aqui dentro pode e deve ser punido.

(*silêncio — três segundos*)

REBECCA: Por que estão olhando pra mim? (*pausa*) Acham que eu descobri quando os Vasconcellos voltariam de viagem e avisei minha filha, não é? Eu já disse que não sabia de nada... Eu não...

DIANA: Ninguém disse isso, Rebecca.

OLÍVIA: Se a carapuça serviu...

REBECCA: Não sei o que...

DIANA: Vocês estão se esquecendo das outras pessoas. Quer dizer, não necessariamente foi Waléria, Zak ou Alessandro quem matou os Vasconcellos. Os outros, que já estavam mortos quando a Maria João fez aquela revelação, também poderiam ser culpados... Otto, Noel, Ritinha...

(*silêncio — quatro segundos*)

OLÍVIA: Por que você não acaba logo de ler para liberar a gente?

DIANA: Vocês não...

REBECCA: Eu vou embora. Não aguento mais isso aqui... (*pausa*) Sou suspeita de um crime que jamais seria capaz de cometer! E agora vou ter que escutar a narração daquele desgraçado atirando na minha filha? (*passos apressados*) Nem pensar!

DIANA: Não aconteceu como você está pensando, Rebecca...

REBECCA: Como assim?

DIANA: Zak não atirou na Waléria. (*pausa*) Ela... Ela não morreu naquela hora. (*pausa*) Vocês vão entender quando eu ler o capítulo.

REBECCA: Então ele não atirou? Ela confessou alguma coisa? (*com a voz embaraçada*) Eu não... Ela... Ela confessou todo esse absurdo?

DIANA: O próximo capítulo é, digamos, especial... Diferente... (*pausa*) Não segue a numeração... Fomos nós quem decidimos que seria o onze, simplesmente porque vem logo após o dez.

AMÉLIA: E por que Alessandro não numerou esse capítulo?

DIANA: Porque esse capítulo não foi escrito por ele. (*pausa*) Foi escrito pela Waléria.

REBECCA: Como vocês sabem? Tem a assinatura da minha filha?

DIANA: Não, mas foi feito um exame grafotécnico. Sem dúvida, é a caligrafia dela.

REBECCA: Mas por que ela faria isso, na situação em que estava?

DIANA: Vocês vão entender... (*pausa*) É um texto de menos de uma página. Escrito às pressas, no calor do momento. (*pausa*) É nossa última referência ao que aconteceu naquele porão. O capítulo final. Depois, não há mais nada no caderno.

DÉBORA: Se foi a Waléria quem escreveu, então meu filho...

DIANA: Posso ler? (*silêncio — quatro segundos*) Vamos lá, então. Quando eu acabar, continuamos a discussão. (*pausa*) "*Capítulo onze.*"

36.

[Capítulo 11]

o ale me salvou

ele impediu zak de atirar em mim... ocretino ia atirar, eu sei que ia... mas ale pegou a moeda e disse pro zak que ele nao devia fazer isso... eles estao conversando agora... conversando nao sei o que.

o ale pediu preu escrever... preu escrever sem parar... mas nao sei o que...

ta quente aqui... to commedo... o zak ele ia me matar se nao fosse o ale...

eles continuam conversando... atras do sofa... falando baixo... a arma continua na mao do zak... o zak nao larga a arma...

to com muito medo... o que zak fez com otto foi horrivel... de ele arrancou os cilios do cara... e eu não fiz nada... devia ter feito alguma coisa pra evitar... mas eu tava bebada... nao devia ter bebido... to mal, to tonta, ta quente aqui...

eles continuam conversando... o ale ta acalmando o zak... ele vai conseguir... e vamos pra longe daqui.

eu quero esquecer tudo... os cilios arrancados... o noel trepando com a ritinha...

eu quero VIDA NOVA... e tudo vai dar certo...

VIDA NOVA, VIDA NOVA, VIDA NOVA.

a conversa não terminou... o que eles tanto falam? cadê a chave da porta? algum deles deve saber, espero...

e se o ale nao conseguir convencer o zak? nao quero morrer... eu posso criar meu filho sozinha, nao quero morrer! quero continuar viva... to tao arrependida... tao arrependida...

nao sei mais o que escrever... eles continuam conversando... o zak parece mais calmo agora... acho que tudo vai dar certo... o ale é bom com as palavras... acho que vai conseguir convencer o zak de que eu nao fiz nada...

eu sou inocente... eu nao matei os pais dele... eu juro que nao matei...

o zak ta louco... inventou uma historia sem sentido... acha que sou a assassina... mas nao sou... nao sou, nao.

o zak ta gritando! merda, o zak ta gritando com o ale... a conversa... o zak ta irritado... o ale deve ter falado alguma coisa que ele nao gostou... continua a gritar... o ale recuou... ta com medo... merda, o zak apontou a arma pra ele...
a conversa fugiu de controle... o ale ergueu um martelo... ele tem um martelo...

o zak atirou! o zak atirou no ale... ele ele matou o ale... o ale ta morto... morto... e agora o zak ta vindo...

ele ta vindo na minha direcao.

ta vindo.

mas eu nao fiz nada.

37.

DIANA: "Ele está vindo na minha direção. Ele está vindo. Mas eu não fiz nada..."

(*choro intenso*)

(*comentários paralelos*)

DIANA: O texto acaba aqui. Como eu disse, são apenas algumas linhas. Escritas pela Waléria. Assustada.

DÉBORA: É... É tão horrível... (*pausa*) Eu... Eu não queria ter escutado isso... Zak... Zak matando meu filho... (*choro*) Um amigo matando o outro... (*pausa*) Nunca pensei que ele seria capaz disso... Nunca pensei que pudesse terminar assim...

DIANA: Débora, tente se acalmar. Por favor, eu... (*pausa*) Vânia, pegue um copo d'água aí do lado pra ela.

(*soluços e passos*)

DÉBORA: Isso tudo é muito errado, delegada! Esta reunião aqui hoje, a roleta-russa, o acidente dos Vasconcellos... Nada disso deveria ter acontecido. (*pausa*) Acordei da cirurgia para viver um inferno... (*pausa*) Um inferno! (*soluços*)

DIANA: Não fique assim... (*passos*) Beba a água, Débora. Vai acalmar você.

DÉBORA: Obrigada. (*choro*) Eu...

DIANA: Seu filho... Ele praticou um ato heroico antes de morrer. Poucas pessoas teriam a coragem de fazer o que ele fez... (*pausa*) Ele tentou salvar a Waléria. Impedir que o Zak atirasse nela. Enfrentou de frente o perigo.

DÉBORA: Eu sei... (*soluços*)

DIANA: Não sabemos ao certo como aconteceu, mas, ao que parece, Alessandro deixou o caderno de lado para falar com Zak... Por isso não escreveu mais. (*pausa*) Provavelmente queria convencer o amigo a desistir de tudo. A ir embora... (*pausa*) Como viram, ele pediu a Waléria para escrever por ele. Em tempo real.

REBECCA: Minha filha estava tão nervosa!

DIANA: Sem dúvida. Ela só escreveu porque Alessandro pediu. Afinal, para ele, o livro não podia parar...

AMÉLIA: O que fez Zak se irritar tanto?

DIANA: Não temos como saber... (*pausa*) Por causa da distância, ou porque estava muito nervosa, Waléria não conseguia ouvir a conversa. (*pausa*) É provável que Alessandro tenha dado um passo em falso. Ele parecia estar conduzindo a conversa muito bem. Waléria chega até a dizer que o Zak parecia mais calmo. Porém, em algum momento, algo o irritou.

OLÍVIA: O bastante para matar o melhor amigo...

DIANA: Sim, Olívia. No estado em que Zak estava, qualquer deslize seria fatal. (*pausa*) Talvez Alessandro tenha falado de "Otto", ou do assassinato dos Vasconcellos...

OLÍVIA: Alessandro ainda tentou se defender...

DIANA: Sim. (*pausa*) Segundo Waléria, ele ergueu o martelo. Mas não teve tempo. A arma estava carregada, e a bala, na primeira câmara. Foi só puxar o gatilho.

(*choro intenso*)

DÉBORA: Ele... Ele atirou no meu filho sem hesitar! (*com a voz embaraçada*) Esse não é o Zak que eu conheci! Não pode ser!

AMÉLIA: E a Waléria não fez nada pra impedir. Não ajudou o Alessandro a enfrentar o Zak...

REBECCA: Minha filha estava com medo! E os dois estavam conversando à distância! Ela não podia fazer nada, podia?

OLÍVIA: Podia largar o maldito caderno e tentar ajudar o Alessandro!

REBECCA: Ele pediu pra ela ficar escrevendo! Você não ouviu? (*pausa*) Eu disse... Eu disse que minha filha era inocente! Vocês não quiseram acreditar... Eu disse que ela não matou os Vasconcellos...

OLÍVIA: E daí?

REBECCA: Ah, ela escreveu que era inocente! No momento de desespero, confirmou o que venho dizendo desde que começaram essas suposições absurdas... (*pausa*) Minha filha seria incapaz de matar uma barata! Ela não teve nenhuma culpa na morte deles!

AMÉLIA: Ela podia estar blefando...

REBECCA (*atônita*): O quê?

AMÉLIA: Ela escreveu que não fez nada, mas pode ser mentira, não é? Quem garante que ela estava dizendo a verdade?

REBECCA: Minha filha estava desesperada! Sem saber o que escrever! Com medo de morrer... Por que ela mentiria?

AMÉLIA: Se ela conseguisse sair dali, poderia tentar mostrar aquele caderno como prova de sua inocência...

REBECCA: Isso é um absurdo! Vocês não param de dizer bobagens! Ela... Ela seria incapaz de...

DÉBORA: Sua filha não era uma santa! (*com a voz exaltada*) Pare de falar como se fosse! (*pausa*) O Alessandro salvou aquela desgraçada e ela não fez nada, nada!, para ajudar meu filho depois!

REBECCA: Eu...

DIANA: Vocês precisam entender que tudo aconteceu muito rápido. Waléria não teve tempo de raciocinar. (*pausa*) Tudo estava indo bem, então a briga começou, o Zak atirou e o Alessandro caiu morto. (*pausa*) Restaram duas pessoas. Waléria e Zak. (*pausa*) Ele avançou em direção a Waléria, armado, e o capítulo acabou. Não sabemos o que veio depois...

AMÉLIA: É provável que a Waléria tenha deixado o caderno de lado para tentar se defender, não é?

VÂNIA: Zak estava armado... Qualquer movimento dela e ele atiraria.

DIANA: Não, não... Talvez ela tenha resistido, sim... (*pausa*) O Zak estava armado, mas o revólver não estava carregado.

VÂNIA: É mesmo! Eu tinha me esquecido disso...

DIANA: Ele ainda teve que pegar a munição no bolso, abrir o tambor e carregar a arma antes de atirar. Por isso, é possível que eles tenham lutado, ou ao menos discutido... Enfim, não temos como saber. (*pausa*) Se estivermos certos, pouco mais de duas horas depois eles foram encontrados... Um tempo de aproximadamente cento e cinquenta minutos entre o último capítulo, escrito pela Waléria, e a chegada dos policiais ao porão.

OLÍVIA: Certo.

DIANA: Nós não sabemos exatamente o que aconteceu nesse período para deixar o porão no estado em que os policiais o encontraram... (*pausa*) Consumido pelas chamas... Os corpos de Lucas, Maria João, Alessandro e Waléria carbonizados... Os corpos de Ritinha, Noel, Otto e Danilo brutalmente violados...

ROSA: E aquele desgraçado vivo...

DIANA: Sim. (*pausa*) E o Zak vivo.

38.

DAS ANOTAÇÕES DE ALESSANDRO PARENTONI DE CARVALHO
CASO CYRILLE'S HOUSE
IDENTIFICAÇÃO: 15634-0609-08
ENCONTRADO EM 10/9/2008, NO QUARTO DA VÍTIMA SUPRACITADA
OFICIAL RESPONSÁVEL: JOSÉ PEREIRA AQUINO, 12ª DP, COPACABANA

6 de setembro de 2008, sábado

Hoje faz uma semana que os pais do Zak morreram. É impressionante como nossa vida pode mudar bruscamente em sete dias. Cento e sessenta e oito horas. É tempo mais que necessário para se chegar ao fundo do poço. Para desejar cometer suicídio e deixar essa merda de vida para trás.

Livro... Acidente... Assassinato... Acusações... Homossexualidade... Câncer... Loucura... Tudo isso me sufoca de tal modo que prefiro a morte. Prefiro a paz que nos espera quando o coração para de bater.

Se é possível, hoje acordei pior do que nos últimos dias. Minha cabeça latejava, e nem mil aspirinas acabariam com a dor.

Minha mãe me agitou na cama, dizendo com sua voz medrosa que estávamos atrasados.

"Não quero ir", murmurei, sonolento.

Era a missa de sétimo dia do casal Vasconcellos. Marcada para as dez da manhã. Na Igreja da Candelária.

A ideia de sair da cama, tomar banho, vestir uma roupa e pegar o carro já me causava náuseas. Deitado com os olhos fechados, eu podia antever as horas seguintes. Igreja lotada, imprensa, fotógrafos e lágrimas de crocodilo...

Levantei com dificuldade. Meu corpo estava em movimento, mas minha mente permanecia adormecida. Abri a torneira e joguei água fria no rosto, tentando despertar. Quando me olhei no espelho, com gotículas de água escorrendo pelas bochechas, me vi mais velho. Com barba branca, óculos de lente grossa e rugas nos olhos...

E então me dei conta de que nunca seria daquele jeito.

Era o último dia de normalidade.

O derradeiro...

Estava acabado. O ponto-final viria no dia seguinte, 7 de setembro. O dia da cirurgia da minha mãe. O dia em que o suicídio, a única escapatória daquela bosta de mundo, resolveria tudo.

"Vamos, Alê."

Meus olhos encontraram os do Zak. Por um segundo, pareceu que ele estava pensando o mesmo que eu. *Amanhã morreremos.*

Compartilhamos o segredo fúnebre em silêncio, com um sorriso tímido para mascarar o rosto retesado. Ele me deu um abraço firme, pressionando meu corpo fino contra seu tórax rígido. Retribuí o carinho.

Quando nos afastamos, Zak segurou minha mão e embalou-a com agilidade, palma contra palma, os dedos compridos mantendo a conexão. Ficou parado, esperando que eu o guiasse. Demos alguns passos pelo corredor de mãos dadas, como um casal enamorado passeando pelo parque.

Otto.

A figura daquele desgraçado surgiu inesperadamente na minha cabeça, num flash. Imaginei-o com Zak, na cama, pele roçando pele, pelo roçando pelo. Senti asco, um súbito nojo dos dedos ossudos do Zak me segurando. Aqueles mesmos dedos tinham passeado pelo corpo do Otto e feito coisas que eu nem imaginava.

"Vamos, meninos! Não podemos nos atrasar mais!", gritou minha mãe da cozinha.

Aproveitei o chamado para acelerar o passo. Quando chegamos à porta, larguei discretamente a mão do Zak e voltei para buscar um copo d'água.

Nunca entendi o sentido da missa de sétimo dia. Reunir familiares numa igreja para relembrar o recente falecimento de dois entes queridos não me parece uma atitude razoável. Principalmente quando ambos eram ateus.

Ainda assim, lá estava eu, a caminho. No Aterro do Flamengo, com o táxi rumando para o centro da cidade a noventa por hora, olhei pela janela o céu escuro, o Cristo Redentor encoberto por um aglomerado de nuvens pomposas.

Entramos na Primeiro de Março. Os prédios comerciais fantasmagóricos passavam rapidamente pelos meus olhos, como pilhas de concreto. O centro parecia morrer aos fins de semana, a calmaria angustiante reinando por dois dias antes da segunda-feira movimentada.

Chegamos ao cruzamento com a Presidente Vargas. Um agrupamento de minivans com o logotipo de emissoras na lateral rodeava a entrada da Igreja da Candelária. Assim que saímos do táxi, Zak segurou minha mão novamente. Mas, daquela vez, eu não recuei. Os repórteres nos cercaram. Perguntas, filmagens, fotos... Fiz que não estavam falando comigo e forcei o passo na direção da entrada da igreja, com Zak ao meu lado, sem aliviar o aperto da mão.

Por um instante, pensei nos limites da imaginação de um jornalista de fofocas. E se estranhassem o fato de Zak estar de mãos dadas com um homem? E se, depois de tudo, Otto, enciumado, resolvesse levar a público a relação deles? Eu já podia imaginar a manchete: "Jovem milionário órfão vai com o namorado à missa de sétimo dia dos pais".

Não, não, não! O maluco do Otto ia me matar se visse a foto no jornal do dia seguinte... Poderia achar que Zak estava comigo... Comigo!

Mas então lembrei.

Otto não veria o jornal do dia seguinte.

Na verdade, nenhum de nós veria.

A missa durou exatos noventa e seis minutos, dolorosamente contados no relógio. O padre se estendeu na homilia, mas não prestei atenção. Ninguém prestou. Eu podia sentir na nuca os olhares furtivos que nos lançavam. A plateia estava mais interessada nos movimentos e nas expressões do Zak que no sermão do padre. Ele permaneceu quieto, com os olhos fechados e a cabeça baixa. Ficou sentado durante toda a cerimônia, sem se importar com os momentos em que deveria ficar de pé. Manteve o semblante inabalável, como uma estátua pálida numa roupa preta.

"Ide em paz e que o Senhor vos acompanhe!"

Um ronco grave e profundo ecoou pela igreja quando todos levantaram.

"Graças a Deus."

Era hora de ir embora, enfrentar o exército de pessoas na saída e os olhares de pena. Zak precisava do meu apoio para aguentar aquela gente.

Entre as cabeças alvoroçadas na multidão, encontrei a de Maria de Lourdes, irmã de Maria Clara. Ela sorriu ao ver que eu a observava e acenou com a mão gorducha. Mascarei o desprezo com um sorriso simpático e desviei o olhar rapidamente, antes que ela se sentisse convidada a se aproximar.

Continuei andando pelo vão central, tentando ignorar o burburinho. Passamos pela portada, com minha mãe ao lado, com os olhos assustados esperando a hora em que seríamos devorados por jornalistas famintos.

"Vamos, vamos", murmurou ela, dando tapinhas no ar para ver se andávamos mais depressa.

Num grupo de pessoas próximo à saída, encontrei mais rostos conhecidos. Sônia, de tailleur bronze impecável, com o cabelo ruivo preso num coque esmerado, tinha o olhar triste, mas rígido. Ao seu lado, de mãos dadas com ela tal qual Zak comigo, estava Dan. Envergonhado. Espremido pela multidão.

"Zak, querido", murmurou ela, avançando em nossa direção para abraçá-lo. "Seja forte, sim? Estou aqui para o que precisar..."

Zak retribuiu o abraço, forçando um sorriso.

Sônia deu um tapinha no ombro do Danilo, e ele pareceu entender o comando. Timidamente, enlaçou Zak com seus bracinhos curtos, sob o olhar orgulhoso da mãe.

"Bom dia, Sônia", eu disse.

"Ah, claro... É que tem tanta gente aqui que não vi você, Alessandro... Nos últimos tempos ando tão...", Sônia não encontrou a palavra, e logo mudou de assunto. "O que exatamente vocês vão fazer amanhã?"

Senti um arrepio. A princípio, pensei não ter entendido a pergunta, mas ela a repetiu, para comprovar que eu a ouvira.

"O que exatamente vocês vão fazer amanhã?"

Como Sônia poderia saber que pretendíamos fazer algo no dia seguinte? Do que estava falando? Era possível que soubesse da roleta-russa?

"Como assim?", foi o que consegui dizer.

"Vocês não vão se encontrar amanhã?", ela perguntou, parecendo meio perdida. "Danilo disse que Zak o convidou..."

"Sim", Zak interrompeu. "Marcamos um ensaio da banda. O pessoal acha que pode me distrair de... Bom, de tudo isso... Vai ser no apartamento da saxofonista."

"Certo..."

"E decidimos convidar o Dan. Não é, Alê?"

Eu estava sem palavras, recusando-me a acreditar no que acontecia ali. Zak só podia estar de brincadeira! Ou seria um sonho? Não! Não podia ser verdade! Ele... Ele tinha convidado Danilo para a roleta-russa! Meu Deus! O Danilo...

"Não é, Alê?", ele insistiu.

O que eu poderia fazer? Negar tudo o que Zak havia acabado de afirmar? Sônia ficaria desconfiada, e teríamos que dar explicações. Explicações... Não havia nada a ser explicado. Só tínhamos decidido nos matar. E ponto.

"É... É... É, sim...", gaguejei.

"Pode ficar tranquila que eu cuido dele", Zak disse, com uma piscadela camarada para a mãe. "Não é, cara?"

Dan sorriu, satisfeito com a ideia de entrar em nosso círculo, sem saber o que aquilo significava. Eu sabia. Mas não fiz nada. Era como se estivesse de mãos atadas, vendo toda a cena se desenrolar diante de mim.

"A que horas, então?"

"Depois do almoço", Zak disse. "Vamos de carro para lá."

"Sim... Ótimo, ótimo!", ela respondeu, tão animada que nem parecia ter acabado de sair de uma missa de sétimo dia.

Zak exibiu um sorriso amarelo, então se afastou sem se despedir.

Acenei em despedida com a cabeça e o segui.

Zak estava entrando no táxi quando o puxei pelo braço.

"Que merda é essa que você fez? Convidar o Danilo para a..."

"Shhh!", fez ele, colocando o indicador diante da boca. Zak olhou ao redor para ver se alguém nos observava. "Depois falamos sobre isso... Agora entra no táxi!"

Obedeci como um cachorrinho.

Por algum motivo, não fiquei surpreso quando Zak pediu para o taxista parar no meio do caminho, diante do Posto 5, em Copacabana. Ele já tinha conseguido se livrar da minha mãe, dizendo que queria pegar algumas coisas no apartamento em Ipanema e pedindo que eu o acompanhasse. Sabia que ele queria ficar a sós comigo, para dizer alguma coisa.

Zak pagou a corrida e saiu.

Ele retirou os sapatos escuros e pisou na areia. Fiz o mesmo.

Enquanto andávamos, o mar revolto surgia diante de nós, esverdeado, misturando-se com o céu cinzento ao fundo.

"Vamos dar um mergulho?", Zak perguntou, enquanto tirava a camisa preta.

Ele desabotoou a calça e desceu-a, ficando de cueca. Olhei para ele, confuso.

"Ah, vai! Fica de cueca! A praia está vazia mesmo!"

Zak dobrou as roupas com cuidado e deu uns saltinhos sobre a areia fria para se aquecer.

"Só um mergulho!"

"Vai lá você", respondi. "Eu fico aqui cuidando das suas coisas..."

Ele não insistiu. Como uma criança ansiosa que conseguiu a autorização da mãe para entrar na piscina, ele correu para a água, erguendo os braços e pulando na espuma das ondas que quebravam. Zak avançou, fugindo da linha de rebentação. Observei-o brincar na água, incrivelmente alegre, mergulhando vez ou outra.

Os minutos passavam e ele não parecia se lembrar de mim, à sua espera. Zak desaparecia por segundos sob a água para emergir alguns metros adiante, como um golfinho exibicionista. Em determinado momento, a cueca caiu e pude ver as nádegas esbranquiçadas enquanto ele a punha de volta no lugar, entre risadas. Ele deu outro mergulho. E mais outro.

Então saiu. A cueca escorregou novamente pelas coxas, revelando sua nudez frontal. Por um instante, cogitei a possibilidade de ele estar fazendo aquilo de propósito, para chamar minha atenção. Para ver se de algum modo eu revelava sentir algum tipo de atração...

Otto. Sim, Otto... Eu sempre acabava pensando nele. O jeito afetado, repleto de cinismo, a me desafiar: A *"mulher perfeita" era eu. Ele estava comigo, seu merda. Comigo.*

Filho da puta!

"Um banho de mar! Um último banho de mar! Eu precisava disso!", Zak disse, enquanto sacudia os cabelos.

Concordei, com um sorriso, feliz por ele estar feliz, mas ainda com o pensamento no Otto... Será que o que Zak sentia por mim era mesmo amizade? Ou algum tipo de atração que vinha desde a infância? Uma paixão platônica, um amor frustrado...

Não. Não podia ser! Eu era um cara feio, enquanto Zak era bonito. Eu era capaz de reconhecer aquilo. Se ele quisesse, poderia conquistar outros homens mais charmosos, melhores. Eu sempre tinha sido apenas um amigo. Ou assim esperava.

Ali, diante de mim, molhado e só de cueca, Zak sorriu. Seus olhos passearam pelo meu corpo a ponto de me incomodar. Ajeitei-me na areia numa tentativa de me libertar da estranha sensação.

Ele se sentou ao meu lado, os braços enlaçando as pernas peludas. Ficou alguns minutos estudando o mar. As ondas quebravam na areia e espalhavam um véu de água cristalina, espuma e cascalho. O vento forte musicava nosso silêncio, esperando que iniciássemos a conversa inevitável.

Uma loira bonita passou diante de nós, correndo à beira-mar, cantarolando uma música em inglês que escapava dos fones de ouvido. Zak não a olhou. Talvez porque não gostasse de mulheres. Ou porque estava distraído.

"Qual é o sentido disso tudo, Zak?"

"O quê?" Ele pareceu despertar de um sono profundo.

"Qual é o sentido disso que vamos fazer amanhã? Suicídio... A roleta-russa..."

Ele sorriu.

"Não tem sentido, Alê. Não precisa ter..."

Ele passou os dedos agitadamente nos pelos da perna.

"Sei o que quero fazer, entende?", Zak continuou. "Fiz minha escolha. E estou tranquilo com ela..."

Concordei com a cabeça. Eu tinha tantas coisas a dizer! Mas me restava apenas o silêncio.

"Você está arrependido, Alê?"

"Hein?"

"Não está pensando em desistir, está?"

Não. Eu não estava pensando em desistir. Tampouco saltitava de alegria porque ia meter uma bala na cabeça.

"Estou com medo, Zak", respondi, com sinceridade.

"Medo?", ele zombou. "De quê?"

De milhares de coisas. Medo de não conseguir lançar meu livro. Medo de morrer inutilmente por um sonho. Medo da cirurgia da minha mãe no dia seguinte, que eu nunca saberia como tinha terminado. Medo do futuro da minha avó se eu e minha mãe morrêssemos. Medo das pessoas mesquinhas e interesseiras que nos cercavam de sorrisos todos os dias. Medo do Otto. Medo do delegado insinuando que Zak era um assassino. Medo do medo estampado nos olhos da empregada do Zak ao me dizer que ele era o diabo. Medo de mim mesmo.

"De nada, Zak. Besteira minha", respondi.

De repente, uma ideia me ocorreu.

A possibilidade de ser mesmo verdade era quase nula, mas, de qualquer modo, não custava tentar.

"O Y, Zak", murmurei, mantendo o olhar no horizonte.

"Do que você está falando?"

"A letra Y... Naquela nossa aposta em que você tinha que transar com todo o abecedário... Quem foi a mulher com Y?"

Meu amigo soltou uma gargalhada, mas percebi que a pergunta o deixara nervoso.

"Quem foi, Zak?"

"Não vou dizer, Alê", ele respondeu, meio constrangido. "Já disse que comi uma mulher com Y e você acreditou em mim. Por que voltar a essa história agora?"

"Foi a Yara, não foi? A empregada..."

Ele engoliu em seco e balançou a cabeça.

"Você transou com a sua empregada, não é, Zak?"

Ele continuou a negar, mas então socou a areia.

"Puta merda, aquela vaca tinha que contar? Filha da puta!"

"Ela não me contou nada", expliquei, tentando ver aonde aquilo tudo ia levar. "Mas Yara odeia você, Zak. De verdade. Sabia disso?"

Ele riu mais ainda. Uma risada sonora e expressiva.

"É uma piranha com uniforme de doméstica... Ela acariciava minhas cuecas usadas, me via trocar de roupa e tomar banho... No dia em que cheguei mais perto dela, recuou... Acredita? Só tentei dar um beijo nela, e ela recuou...", Zak ficou sério. "Metade das mulheres no Rio de Janeiro quer me beijar, e aquela vaca molambenta teve a audácia de me recusar... Filha da puta!"

"O que você fez, Zak?"

Eu não podia acreditar naquela história.

"Só dei o que ela queria." Ele estava orgulhoso. "Ela é uma vagabunda que ganha um salário mínimo por mês e nem tem todos os dentes na boca... Como ousa me recusar? Aquela vaca devia agradecer... Agradecer cada apertada que eu dei nela, cada..."

"Você estuprou a mulher?"

Eu estava escandalizado. Nunca tinha pensado que ele pudesse chegar àquele ponto.

"Não... Eu não estuprei ninguém... Só disse que se ela não descesse a calcinha não ia ter leite para os pivetes dela no final do mês... A vagabunda fez sua escolha... Se quer saber, estava na cara que ela bem que queria."

A pobre mulher tinha todas as razões do mundo para odiá-lo! Ele fora sádico, nojento, podre.

"Zak, você tem noção da merda que fez? A mulher tem bons motivos para odiar você..."

"Não, não!", brigou ele. "Não vou ficar aqui ouvindo suas lições de moral. Nem pensar! Eu faço o que quero, Alê. *Eu* cuido da minha vida. O resto resolvo amanhã com o homem lá de cima... Ele, e só Ele, pode me julgar, entendeu?"

Fiquei quieto, com uma vontade imensa de socar seu rosto para tirar aquele ridículo ar de superioridade que exibia.

O silêncio voltou. Passeei os dedos pela areia, esperando o tempo passar, enquanto o vento agitava os cabelos.

Não conseguia conceber Zak e a empregada juntos. Transando. Ela chorando, alimentando seu ódio, enquanto ele a fodia sem piedade. Não, ele não podia ter feito aquilo! Ou podia?

"Até que ponto realmente conhecemos as pessoas?"

A pergunta do delegado era como um luminoso em meu cérebro, levando a outras. Seria Zak um assassino? Não fazia sentido, mas... Talvez sim. Se ele mesmo tinha revelado que era um estuprador...

"Estão todos confirmados para amanhã", ele disse, mudando de assunto.

"Quem?"

"Lucas, Maria João, Otto, Ritinha, Noel, Danilo..."

"Levar Dan para a roleta-russa é um erro, Zak! Um grande erro!", interrompi.

"Não se mete, Alê. Sou eu que estou organizando o negócio... Sei o que estou fazendo."

"Não, não... Você não sabe! O menino é deficiente mental! Ele nem entende o que vamos fazer! Você inventou um ensaio de banda pra enganar a mãe dele e me tornou cúmplice da sua mentira idiota!"

Zak sorriu mais uma vez. Aqueles seus risinhos periódicos começavam a me irritar.

"Vai dar tudo certo, Alê. Relaxa... Depois de mortos ninguém vai poder fazer nada com a gente."

"A questão não é essa, Zak! Não podemos levar o Dan para a roleta-russa! Ele é incapaz de tomar uma decisão sozinho, não podemos fazer isso por ele!"

Zak balançou a cabeça.

"O convite já foi feito."

"Então desfaz. Dá um jeito. Inventa outra mentira, não sei! Não podemos escolher por ele. Se queremos nos matar, o problema é nosso... Mas não vamos arrastar o moleque junto! Ele tem uma vida inteira pela frente!"

"Uma vida inteira pela frente?", Zak explodiu. "Você só pode estar brincando... Você chama aquilo de vida? Um menino sem liberdade alguma, que vive sob as asas da mãe... Que possui mil problemas, que nunca vai ter uma mulher, nunca vai ser alguém... Quando Sônia morrer, o que vai ser dele? Nada! Dan é um monte de carne e osso sem utilidade... Você chama essa merda de vida?"

"Ele pode ser feliz assim."

"Feliz? Fala sério! Se um dia eu ficasse preso a uma cadeira de rodas, sem poder falar, sem poder fazer nada, vivendo como um maldito parasita, Deus sabe que eu preferiria morrer! Sim! Mil vezes morrer do que viver todo fodido!" Ele levantou com vitalidade e continuou: "Mas Dan não é capaz de fazer essa escolha sozinho. Então estou fazendo por ele. A escolha certa! Desistir desta bosta de vida e partir para outra...".

Eu estava cansado. Não havia saída. Zak tinha certeza do que estava fazendo e eu não podia impedi-lo.

Ele vestiu a roupa e ficou me olhando, de braços cruzados, esperando que eu levantasse.

"Você não vem?", perguntou afinal.

"Acho que vou pra casa", respondi, deixando clara minha insatisfação.

"Nos vemos depois, então..."

"Seremos oito, amanhã?", gritei, enquanto ele se afastava.

Zak pensou um pouco, como se contasse os nomes...

Eu, ele, Lucas, Maria João, Ritinha, Noel, Otto e Danilo... Oito.

"Nove!", Zak respondeu.

Recontei os nomes. Definitivamente, oito.

"Quem mais?"

"Alguém que me ocorreu e vou agora mesmo convidar... Tenho certeza de que vai aceitar. Ela não poderia faltar..."

"Quem?"

Ele abriu um sorriso misterioso.

"Você vai ver..."

E foi embora.

Aproveitei a solidão para refletir sobre o livro que vou escrever. Um livro que vai começar e acabar no mesmo dia. Narrando em detalhes tudo o que acontecer...

Como começá-lo? Apresentando o perfil dos jovens que decidiram se matar? Talvez. Uma descrição breve e precisa da tragédia que acometeu a vida do Zak. A morte dos Vasconcellos, a acusação de assassinato. Meu asco por Otto. Uma explicação de como eu conheci os irmãos Lucas e Maria João, e o que eles significam para mim. Minha opinião contrária ao convite a Danilo...

Ou não. Talvez tudo isso devesse ficar no meio do livro. Por que não começar falando de mim? Quando notasse que era uma história em primeira pessoa, o leitor automaticamente ia se perguntar: "Quem é esse cara que está contando o que aconteceu?". Sim. Seria um bom começo. Explicar meu objetivo na roleta-russa, a desesperança de um escritor que encontra na morte a porta para conquistar seu sonho... Ficaria bom daquele jeito.

Ainda assim, talvez o melhor mesmo fosse apresentar logo o local. Começar dizendo que estávamos indo para Cyrille's House, a casa de campo dos Vasconcellos. Explicar o que ela significava para mim. E, em seguida, contar sobre minha amizade com o Zak. Pronto. Parecia um ótimo começo: apresentação do ambiente, uma visão geral dos personagens, a indicação de uma amizade forte que nunca morreria. As pessoas gostavam daquilo.

Comecei a imaginar uma frase inicial, que abriria o livro, daria as boas-vindas ao leitor. Deveria ser impactante. Ou, ao menos, repleta de significados. Cyrille. Por que não começar explicando o nome em francês da casa? Não apenas abarcava a ambientação da roleta-russa como também pintava a imagem caricata da Maria Clara. Apenas uma mulher fútil e suficientemente rica daria um nome daqueles a uma casa de campo no interior de Minas de Gerais. Sim. Cyrille era um bom começo. Devia significar alguma coisa. Estava decidido. Começaria falando da casa, passaria pela minha infância e então focaria minha longa amizade com Zak. A partir daí… A partir daí, a narração seria em tempo real, com as mortes se sucedendo, a dúvida sobre o capítulo seguinte sempre pairando…

Permaneci ali por mais uma hora, olhando o mar e as pessoas passando, sem vontade de ir para casa.

Nunca gostei do mar. Mas, de algum modo, senti-me acomodado. A água infinita diante de mim, uma brisa refrescante batendo no rosto e a praia quase vazia se estendendo de ponta a ponta. Sim, eu me sentia bem ali. E satisfeito.

39.

OLÍVIA: Vivo... (*riso seco*) Dá para chamar aquilo de vivo?

DIANA: Ele ingeriu grande quantidade de monóxido de carbono enquanto o porão pegava fogo. (*pausa*) Foi um milagre ter sido encontrado com vida...

REBECCA: Milagre? (*pausa*) A única coisa que sei é que minha filha está morta, e esse filho da puta continua por aí! Respirando!

DIANA: Além disso, de acordo com o laudo, Zak sofreu uma "lesão contusa na área cervical" que o privou do movimento de braços, pernas e tronco.

ROSA: Viver numa cama é o mínimo que esse garoto merece por tudo o que fez! (*pausa*) Ele torturou meu filho... (*com a voz exaltada*) Nenhum sofrimento no mundo vai compensar isso!

OLÍVIA: Ele mereceu...

ROSA: Ele merecia morrer, isso, sim! (*pausa*) Morrer!

DIANA: Preciso que fiquem calmas... Ainda temos vários pontos a esclarecer.

ROSA: Eu...

(*silêncio — quatro segundos*)

DIANA: Encontramos no pescoço dele marcas características de uma tentativa de enforcamento. (*pausa*) A falta de oxigenação do cérebro causou danos que lhe tiraram as faculdades mentais. Assim, só nos resta tentar reconstituir os fatos. (*pausa*) A primeira hipótese é de que algum desses ferimentos, o da nuca ou o do pescoço, tenha sido desferido pela Waléria enquanto tentava se defender depois da morte do Alessandro. No entanto, parece claro que, em algum momento, Zak a matou com um tiro. Isso torna a hipótese anterior impossível: se Waléria tivesse desferido qualquer um daqueles golpes, Zak teria caído imediatamente, indefeso. (*silêncio — três segundos*) Então, vamos à segunda hipótese, a que acreditamos estar mais próxima do que realmente ocorreu. (*pausa*) Zak e Waléria brigam. Ele atira e ela morre. (*pausa*) Zak está sozinho no porão, com oito corpos. O que fazer? (*silêncio — três segundos*) Ao que parece, num primeiro momento, ele desistiu da roleta-russa. Decidiu que não ia mais se matar.

ROSA: Eu sabia! Ele fez tudo aquilo, obrigou tanta gente a se suicidar, para no final desistir... Era óbvio que ia fazer isso! Era óbvio!

DIANA: Mas ele não tinha a chave. (*pausa*) Estava trancado naquele porão sem saber onde Lucas a tinha escondido... (*pausa*) Deve ter entrado em desespero. Já estava evidentemente alterado devido às drogas e às bebidas... (*pausa*) Pouco antes de morrer, Lucas, numa discussão com Waléria, brinca com a possibilidade de ter engolido a chave... Enfim... Zak deve ter se lembrado disso. (*pausa*) Ele pegou o martelo, o mesmo martelo que Alessandro utilizou para tentar se defender antes de morrer, e a chave de fenda. Posicionou a chave de fenda na altura do abdômen do Lucas e martelou. Rompeu o tecido epitelial, a camada de gordura e tentou encontrar a chave nas vísceras...

(*ranger de cadeiras*)

AMÉLIA: Isso é horrível! Ele não...

DIANA: Zak estava desesperado! Encontrar a chave no estômago de Lucas era sua última esperança. Mas ela não estava lá. Então, ele concluiu que Lucas poderia ter dado a chave para qualquer um engolir...

DÉBORA: Ele... (*com a voz embaraçada*) Ele furou a barriga de todos?

OLÍVIA: Isso explica o estado dos corpos...

DIANA: Não temos como afirmar isso. (*pausa*) Os corpos de Lucas, Maria João, Alessandro e Waléria foram encontrados em estado avançado de carbonização, impossibilitando qualquer avaliação mais precisa. (*pausa*) Como vocês sabem, a identificação dos quatro só foi possível por meio da comparação das arcadas dentárias com os registros fornecidos pelos respectivos dentistas. (*pausa*) Otto, Danilo, Noel e Ritinha foram indubitavelmente violados. (*pausa*) Por isso é de supor que ele abriu todos os abdomens em busca da chave...

OLÍVIA: Mas não encontrou...

DIANA: Isso. Ele não encontrou... (*pausa*) Como Alessandro escreveu, Lucas jogou a chave pelo vão da porta, de modo que não poderia ser recuperada...

OLÍVIA: Por que ele não tentou arrombar?

DIANA: Talvez tenha tentado. Mas a porta era de madeira maciça e ferro. (*pausa*) Getúlio a instalou, já que era onde escondia parte de sua fortuna...

DÉBORA: Sem a chave... O que Zak fez?

DIANA: Não sabemos ao certo. Mas acreditamos que ele tenha ficado chocado quando abriu a barriga da Ritinha e...

VÂNIA (*com a voz exaltada*): Não! Isso não!

(*choro*)

DIANA: Quando abriu a barriga da Ritinha e encontrou um feto. Um bebê em formação...

AMÉLIA: Ela... Ela...

DIANA: Ritinha estava grávida.

(*comentários paralelos*)

(*choro*)

AMÉLIA: Mas... Mas... Grávida do Zak?

DIANA: Sim. Grávida do Zak.

VÂNIA: Você é uma mentirosa! (*com a voz exaltada*) Você... Você tinha dito que não contaria a ninguém! Tinha prometido! (*soluços*)

DIANA: Sinto muito, Vânia. (*pausa*) O objetivo aqui não é expor sua filha... Mas essa informação é necessária para que continuemos nossa conversa, entende?

VÂNIA: Você mentiu! (*choro*) Ela não... Meu Deus, ela não tinha me contado que estava grávida...

DÉBORA: Talvez nem ela mesma soubesse...

DIANA: Ela devia saber. Estava grávida de três meses. Mas, pelo visto, não contou a ninguém sobre isso. Nem ao próprio Zak. (*pausa*) Imaginem a surpresa dele ao perfurar a barriga dela e encontrar ali dentro um bebê. Um bebê que poderia ser seu próprio filho... Morto.

(*choro* e *soluços*)

VÂNIA: Eu... Eu não...

DIANA: Ele deve ter ficado enlouquecido... Sem saída. Sufocado. (*pausa*) Sua única opção era cometer suicídio.

ROSA: Se ele decidiu se matar, por que não pegou uma bala e meteu na própria cabeça? (*com a voz chorosa*) Por que não fez consigo mesmo o que fez com os outros? Esse filho da puta está vivo, delegada! Vivo!

DIANA: É muito simples. (*pausa*) Ele não atirou na própria cabeça porque não tinha mais balas... (*pausa*) Conforme Alessandro escreveu, eles levaram exatamente nove para Cyrille's House. Uma para cada um.

AMÉLIA: E minha filha levou dois tiros...

DIANA: Exatamente. Zak usou duas balas na Maria João. (*pausa*) De modo que, no final, ficou faltando uma para ele…

OLÍVIA: Que ironia!

DIANA: Imaginem a situação… (*pausa*) Zak ensandecido, com as mãos sujas de sangue depois de ter violado os corpos com uma chave de fenda, querendo acabar com a própria vida, mas sem poder… (*pausa*) Ele tinha que arranjar outro modo… (*pausa*) Zak tentou se enforcar. (*pausa*) Desamarrou a corda que prendia Otto ao cano, fez um laço e a prendeu no teto. Subiu numa cadeira, enfiou o pescoço no laço e se jogou… (*pausa*) Zak deve ter ficado sem ar por alguns segundos antes de a corda ceder… (*pausa*) A perícia a encontrou ainda presa ao teto, mas rompida. (*pausa*) Não temos certeza, mas supomos que, durante a queda, Zak bateu em algum lugar e sofreu a lesão na coluna. (*pausa*) Quando os dois policiais chegaram, ele estava caído, inerte, bem embaixo da corda, a poucos metros da cadeira derrubada, com a cabeça sangrando.

DÉBORA (*com a voz hesitante*): Nossa! Eu…

DIANA: O fogo começou na área leste do porão, próxima à porta. Então se alastrou pelo sofá de espuma e transformou aquela parte num verdadeiro forno. (*pausa*) Os corpos de Alessandro, Waléria e Maria João, por estarem mais próximos, foram totalmente carbonizados. O de Lucas ficou parcialmente queimado. Os dos outros, na extremidade oposta, não foram afetados. (*pausa*) A fumaça foi tanta que, em mais alguns minutos, Zak morreria asfixiado.

AMÉLIA: Vocês… finalmente descobriram como o fogo começou?

DIANA: Essa é uma boa pergunta, Amélia, que também nos intriga. (*pausa*) Chegamos a uma teoria, mas é uma possibilidade remota… (*pausa*) Zak ateou fogo no dinheiro encontrado sob o piso, certo? O fogo pode ter atingido a espuma do sofá e, daí, se espalhado…

AMÉLIA: É possível...

DIANA: Sim, mas, no livro que escrevia, Alessandro sugere que o fogo foi apagado.

OLÍVIA: E o que você quer da gente? Que adivinhemos como aquele porão se transformou numa churrasqueira?

DIANA: Não, Olívia. (*pausa*) Essa é apenas uma das perguntas que vamos deixar em aberto por enquanto.

OLÍVIA: Existem outras então?

DIANA: Sim, existem. (*pausa*) A menos que alguma de vocês tenha as respostas, claro...

OLÍVIA: Pois pergunte!

DIANA: Conforme eu disse, os policiais chegaram ao porão e encontraram os corpos... (*pausa*) Vocês nunca se perguntaram o que eles foram fazer lá?

AMÉLIA: Provavelmente viram a fumaça e concluíram que algo estava acontecendo ali...

DIANA: O porão é subterrâneo. Os sinais de fogo só seriam percebidos depois, quando a chama já tivesse tomado boa parte da casa.

REBECCA: Espera... Os policiais que encontraram os corpos... (*pausa*) Não são os mesmos que aceitaram o suborno do Zak quando os meninos estavam indo para Cyrille's House?

DIANA: Sim, são os mesmos. (*pausa*) Plínio Motta e Jurandir Coelho Sá. (*pausa*) Ambos já estão presos por ter aceitado o suborno...

REBECCA: Zak passou um cheque sem fundos, não é?

DIANA: Sim...

REBECCA: Então eles devem ter ido lá atrás do dinheiro! (*pausa*) Devem ter invadido a casa vazia e acabaram descobrindo o porão... Provavelmente Zak estava gritando... (*pausa*) Ele ainda pode fazer isso, não é?

DIANA: Zak não chega além de um sussurro tímido. (*pausa*) Suas cordas vocais foram danificadas pela tentativa de enforcamento. (*pausa*) De qualquer forma, eles foram parados pelos policiais por volta das seis da tarde do dia 7 de setembro, e foram encontrados no porão às cinco e vinte da manhã do dia 8 de setembro. (*pausa*) Isso quer dizer que os policiais não tiveram tempo de tentar depositar o cheque.

REBECCA: Eu... Eu não tinha pensado nisso...

(*silêncio — três segundos*)

VÂNIA: Os policiais... eles estavam à paisana quando encontraram o porão... Não estavam a serviço, estavam?

DIANA: Não, não estavam.

REBECCA: É possível que eles tenham ido a Cyrille's House para pedir mais dinheiro... Ou para assustar os garotos. (*pausa*) E acabaram encontrando aquele porão em chamas...

DIANA: Sim, é possível.

OLÍVIA: Mas os policiais estão vivos, não estão? (*pausa*) Então por que não perguntam a eles o que foram fazer na casa?

DIANA: Já perguntamos, Olívia.

OLÍVIA: E o que eles responderam?

DIANA: Responderam algo absurdo. (*pausa*) Não divulgamos o que disseram justamente por ser tão fora de propósito.

OLÍVIA: O que... (*pausa*) O que eles disseram?

DIANA: O ex-policial Plínio Motta disse que recebeu uma ligação no celular durante a madrugada. Às quatro e cinquenta. (*pausa*) Verificamos o telefone. É de um orelhão a alguns quilômetros de Cyrille's House...

OLÍVIA: E o que disseram?

DIANA: A pessoa... (*pausa*) A pessoa se identificou como Getúlio Vasconcellos. Disse que queria encontrar dois policiais no porão de Cyrille's House e que deixaria a porta da mansão aberta ...

DÉBORA (*com a voz exaltada*): O que está dizendo? Getúlio?

REBECCA: Isso... Isso é um absurdo total!

(*comentários paralelos*)

DIANA: Sim, é o que parece. Um absurdo. (*pausa*) Mas em alguns pontos temos certeza de que eles estão dizendo a verdade... (*pausa*) Verificamos o celular do ex-policial Motta e realmente houve uma ligação do orelhão às quatro e cinquenta da manhã... (*pausa*) Além disso, eles não precisaram arrombar a porta de entrada da casa para chegar ao porão... Ela realmente estava aberta...

OLÍVIA: Confesso que não sei o que pensar!

DIANA: Também estamos perdidos. (*pausa*) Tentamos pressionar os ex-policiais a nos revelar o verdadeiro motivo para terem ido até lá, mas eles insistem nessa história da ligação.

(*ranger de cadeiras*)

VÂNIA: E se for verdade?

DIANA: O quê?

VÂNIA: E se tudo isso que eles disseram for verdade... (*pausa*) E se eles realmente tiverem recebido a ligação de alguém dizendo ser Getúlio Vasconcellos?

DIANA: Bem, se todo esse absurdo for mesmo verdade, temos que descobrir quem fez o telefonema... (*pausa*) Eis outra pergunta sem resposta.

SÔNIA: Quem quer que seja a pessoa, fez isso de brincadeira... Uma brincadeira de mau gosto, claro... (*com a voz hesitante*) Quer dizer, Getúlio está mesmo morto, não está?

DIANA: Sim, sim... Definitivamente. (*pausa*) Sem dúvida, era alguém se passando por ele...

SÔNIA: Um homem...

DIANA: Não necessariamente. (*pausa*) O ex-policial Motta disse que a pessoa tinha uma voz rouca, um pouco baixa... Estava nitidamente tentando disfarçar a voz verdadeira. (*pausa*) Podia ser uma mulher.

AMÉLIA: Uma de nós, você quer dizer

DIANA: Sim... É possível.

REBECCA: Eu já disse que não fiz nada... (*com a voz exaltada*) É um absur...

AMÉLIA: Ah, nem eu!

DÉBORA: Eu estava numa mesa de cirurgia! (*pausa*) É impossível que eu tenha feito qualquer ligação de um orelhão perto daquela casa!

SÔNIA: Eu também não...

(*comentários paralelos*)

DIANA: Senhoras, por favor! Preciso que se controlem!

OLÍVIA: Viu? A delegada pode ficar tranquila! (*pausa*) Pelo visto, somos todas inocentes...

DIANA: Eu...

OLÍVIA: Tudo vai terminar exatamente como eu previ... Inútil! Desnecessário! (*pausa*) Viemos aqui e vamos sair de mãos abanando... Sem resolver nada... (*pausa*) Passamos uma tarde inteira aqui à toa.

DIANA: Eu... (*pausa*) Por que não recapitulamos os fatos? Das últimas semanas antes da roleta-russa... Talvez tenhamos alguma ideia.

OLÍVIA: Mas que merda! (*pausa*) Tenho uma proposta melhor! Por que não vamos para casa e esquecemos tudo o que aconteceu aqui? Passamos uma borracha nisso e cada uma vive sua vida em paz!

(*farfalhar de papéis*)

DIANA: Comecemos pelo dia 22. (*pausa*) Vinte e dois de agosto, sexta-feira. Jogo de pôquer no apartamento do Zak em Ipanema. Estão presentes Zak, Alessandro, Maria João, Lucas e Ritinha... Waléria aparece e anuncia que está grávida. Acontece uma briga. Getúlio chega e a expulsa de casa. Ele ameaça arruinar a vida dela. Waléria ameaça matá-lo.

REBECCA (*com a voz exaltada*): Você está sendo tendenciosa!

DIANA: Só estou listando os fatos, Rebecca!

SÔNIA: A Ritinha... Ela... Ela já estava grávida do Zak nessa época, não é?

DIANA: Sim, por quê?

SÔNIA: Imagina como ela deve ter se sentido! Vendo a Waléria dizer que também estava grávida do Zak. Vendo o Getúlio enxotar a garota do apartamento sendo que ela estava na mesma situação... Com o mesmo problema...

VÂNIA: Minha filha... (*choro*) Ela ficou tão estranha depois daquele dia... Eu sabia que ela estava me escondendo algo... Mas ela não quis me dizer! (*soluços*) E eu nunca imaginaria que ela estava grávida! Nunca, meu Deus!

DIANA: Fique calma, Vânia... Sei que é difícil...

VÂNIA: Eu... (*soluços*) Estou bem. Pode continuar.

DIANA: Certo. (*farfalhar de papéis*) Naquele mesmo dia, mais tarde, Rebecca, aqui presente, telefonou para a mãe do Zak, Maria Clara, para esclarecer o ocorrido, conforme já debatemos...

REBECCA: Mas ela não me disse que viajaria na terça e voltaria no sábado! (*pausa*) Juro que não disse!

DIANA: Tudo bem, Rebecca. Não estamos duvidando disso. Estamos apenas repassando os fatos... (*silêncio — quatro segundos*) Na segunda-feira, 25, véspera da viagem para Cyrille's House, ocorre um jantar no apartamento dos Vasconcellos. Eles convidam Débora e Alessandro para ir com eles para a casa de campo. Débora recusa.

DÉBORA: Exatamente. Eu tinha exames marcados para aquela semana. Não dava para ir...

DIANA: Certo. (*pausa*) Também durante esse jantar Getúlio conversa por telefone com seu advogado, Goulart Fernandes, e agenda a alteração testamentária para a segunda seguinte, dia 1º de setembro. (*pausa*) Depois disso, Zak perderia metade dos seus bens...

OLÍVIA: Isso, sim, é um motivo e tanto para assassinato! (*ranger de cadeiras*)

DIANA: Na terça, 26, Getúlio e Maria Clara viajam para Cyrille's House. (*pausa*) Na sexta, 29, conforme Getúlio tinha ameaçado, o pai da Waléria é demitido.

REBECCA: Ah, me desculpe, mas você está sendo tendenciosa, sim! (*com a voz exaltada*) O que isso tem a ver com o crime? Ou com os suicídios? (*pausa*) A demissão do meu marido não tem qualquer relação com nenhuma dessas coisas!

DIANA: Seu marido foi demitido a pedido do Getúlio. No dia seguinte, Getúlio estava morto porque alguém sabotou os freios do seu carro... (*pausa*) Tudo tem que ser considerado.

REBECCA: Eu... Eu não aguento mais! (*choro*) Não suporto mais isso!

(*farfalhar de papéis*)

DIANA: Dia 30, sábado. (*pausa*) Ensaio da banda no apartamento em Ipanema. Zak, Alessandro, Danilo, Maria João e Lucas estão presentes. (*pausa*) Eles recebem a ligação sobre o acidente dos Vasconcellos. (*pausa*) Zak passa mal. Alessandro pede ajuda para a mãe. (*pausa*) Zak passa o dia seguinte, domingo, 31, sedado. Alessandro toma conta dele, enquanto Débora e Sônia tratam do enterro... (*farfalhar de papéis*) Nesse mesmo dia Otto vai até lá e revela a Alessandro que mantinha relações sexuais com Zak. Segundo consta, disse que de certa forma a morte dos pais ia fazer bem a ele. (*pausa*) Otto acha que aquela é a oportunidade para Zak assumir sua sexualidade e fazer o que bem entender...

ROSA (*com a voz exaltada*): Mas meu filho não matou ninguém... Ele... Ele amava Zak... Não seria capaz disso!

DIANA: Não afirmei nada, Rosa. (*pausa*) Vamos continuar... (*farfalhar de papéis*) Segunda, dia 1º de setembro...

OLÍVIA: O dia em que Getúlio mudaria o testamento se não estivesse morto...

DIANA: Exato. (*pausa*) Acontece o enterro dos Vasconcellos. (*pausa*) Na saída, o delegado Jonas Astrid aborda Zak e marca uma conversa para o dia seguinte. (*ranger de cadeiras*) E finalmente chegamos ao 2 de setembro, terça-feira... (*pausa*) Durante a conversa num restaurante em Copacabana, o delegado diz que, na verdade, foi um assassinato. Um crime programado às pressas.(*pausa*) E acrescenta que Zak é o principal suspeito por causa da questão de alteração do testamento, de que já falamos aqui várias vezes...

DÉBORA: Ele ficou chocado com tudo isso! Eu... Eu o vi quando chegou em casa... Estava pálido... Nervoso...

OLÍVIA: Mas é claro! Tinha acabado de ser desmascarado! Seria preso em breve!

DÉBORA: Zak não...

DIANA: Vamos deixar as teorias pra depois. (*pausa*) Agora, vamos terminar a recapitulação. (*farfalhar de papéis*) Bem... Basicamente todas as informações que citei até agora foram encontradas nas anotações feitas por Alessandro, que encontramos no apartamento em que morava com Débora, em Copacabana.

OLÍVIA: Sim... E daí?

DIANA: Conforme eu disse, não há nenhum registro sobre os dias 3, 4 e 5 de setembro. (*pausa*) Nem uma linha sequer... (*pausa*) É justamente o período em que a roleta-russa foi preparada.

VÂNIA: Provavelmente ele tinha medo de que alguém lesse e descobrisse que pretendiam se matar...

DIANA: Sim, é o que achamos. (*pausa*) O que aconteceu nesses dias continua meio nebuloso para nós... (*pausa*) Sabemos que na quarta, dia 3, Zak visitou Maria João e Lucas por volta da hora do almoço. Acreditamos que tenham sido convidados para a roleta-russa nesse momento. (*pausa*) Segundo Amélia nos informou, eles ficaram estranhos logo depois da conversa... Maria João saiu sem dar satisfação e Lucas passou a madrugada no computador... Certo?

AMÉLIA: Isso mesmo.

DIANA: Não temos nada sobre a quinta-feira, dia 4... (*pausa*) O dia que nos parece mais claro é a sexta, 5 de setembro. (*pausa*) Quase todos os participantes da roleta-russa encontraram Zak nesse dia, em horários distintos. A exceção é Waléria, que ainda não tinha sido convidada... (*farfalhar de papéis*) Alessandro o viu por volta das onze da manhã. Zak cancelou a conta no banco e sacou todo o dinheiro às quinze horas. (*pausa*) Por isso o cheque para subornar os policiais não tinha fundos. (*farfalhar de papéis*) Sabemos também que Danilo esteve com o Zak por umas duas horas entre as dezessete e as vinte e duas... (*pausa*) Provavelmente foi quando Zak o chamou para um ensaio da banda no domingo, 7 de setembro. (*farfalhar de papéis*) A véspera da roleta-russa foi narrada por Alessandro em suas anotações... (*pausa*) Nesse dia, ocorre a missa de sétimo dia dos Vasconcellos, depois, Zak vai até a praia pra tomar um banho de mar e confirma que todos estarão presentes no dia seguinte... (*pausa*) Depois ele sai e...

REBECCA: E vai convidar minha filha para a roleta-russa!

DIANA: Exato. (*pausa*) Ele decide convidar a Waléria...

REBECCA: Ela não merecia! (*soluços*) Ela... Ela estava tão frágil!

ROSA: Vocês não percebem o que esse menino fez? (*pausa*) Ele se aproveitou de pessoas emocionalmente abaladas, que gostavam dele... Ele as enganou! Convenceu cada um de que a solução era cometer suicídio! (*pausa*) Foi o que ele fez com meu Otto, com Waléria, com Danilo e com todos os outros... (*com a voz exaltada*) E esse desgraçado, esse filho da puta, que continua vivo! (*pausa*) Ele matou nossos filhos, arquitetou a roleta-russa e ainda o deixam viver...

DIANA: Tenho acompanhado o tratamento dele de perto... (*pausa*) Zak leva uma vida vegetativa, Rosa...

ROSA (*com a voz exaltada*): Foda-se a vida vegetativa dele!

DIANA: Ele não consegue falar, não move nenhuma parte do corpo abaixo do pescoço e não tem plena consciência de nada. (*pausa*) Quer punição maior que essa?

ROSA: Zak merece morrer! Isso, sim! Morrer! (*pausa*) A quem você quer enganar, delegada? (*pausa*) Com a grana que aquela família tinha, consigo imaginar a porra da clínica de luxo em que o Zak está internado! Ele deve ter uma vida de rei... De rei! (*choro*) Sem dúvida, uma vida melhor que a minha depois que ele torturou e matou o meu Otto!

(*ranger de cadeiras*)

ROSA: E vocês ainda se recusam a dizer em que clínica ele está! É um absurdo!

DIANA: Por questões de segurança, Rosa. Seria o inferno se a imprensa soubesse...

ROSA: Onde ele está, delegada?

DIANA: Eu não...

ROSA (*gritando*): Onde aquele filho da puta está?

DIANA: Fique calma, Rosa. Ainda não acabamos a reunião... Temos que avaliar as possibilidades e...

ROSA: Onde ele está? Diga agora! Agora!

(*ranger de cadeiras*)

DIANA: Nós não... (*pigarro*) Meu Deus, o que é isso?

(*gritos*)

(*ranger de cadeiras*)

(*passos*)

ROSA: Me entrega sua arma ou eu atiro! Anda!

DIANA: Eu... Eu não estou armada! (passos) Não adianta me revistar. Não estou armada, Rosa... O que você está fazendo?

ROSA: Diga o lugar, delegada! (*gritando*) Agora!

DIANA: Não vá fazer uma besteira, Rosa! Abaixa essa arma... Por favor...

ROSA: Eu sei o que estou fazendo! Sei muito bem! (*pausa*)

Você não queria uma explicação? Não queria uma justificativa pra tudo isso? (*pausa*) Pois Zak é a resposta! Aquele desgraçado matou nossos filhos... Tenho certeza de que matou os próprios pais também, pra que não mudassem o testamento! (*pausa*) E, quando descobriu que suspeitavam dele, criou essa roleta-russa pra escapar! (*gritos*) Tenho certeza de que ele é o culpado! Zak arquitetou essa merda! Torturou meu filho! Matou todos, um por um! (*pausa*) Só ele podia colocar a bala no tambor, porque escolhia a ordem em que ia matar nossos filhos! (*pausa*) Ele planejou tudo! Tudo! E agora finge que tem uma doença mental para escapar da Justiça...

DIANA: Eu não...

ROSA: Pois ele pode escapar da Justiça, mas não de mim! (*com a voz arfante*) Não de mim... Vou matar esse filho da puta... Arrancar cílio por cílio! Cortar dedo a dedo!

DIANA: Zak não está fingindo nada, Rosa... Ele está realmente...

ROSA: Isso não importa! (*pausa*) Você escutou? Isso não importa! (*pausa*) Quero saber onde ele está... E nem pense em mentir...

DIANA: Eu não posso!

ROSA: Vou contar até dez! Até dez, delegada...

DIANA: Para com isso, Rosa! Guarda essa arma e vamos continuar...

(*gritos*)

(*passos agitados*)

ROSA: Um! Dois! Três!

DIANA: Rosa, não...

ROSA: Quatro, cinco... (*pausa*) Vamos, é só de um endereço que eu preciso...

DIANA: Pare com essa loucura, Rosa! Você está no prédio da Chefia da Polícia Civil do Rio de Janeiro! É impossível sair sem ser presa! Pare com isso!

ROSA: Seis! (*pausa*) Estou contando! É só me dizer o endereço!

DIANA (*com a voz desesperada*): Eu não...

ROSA: (*gritando*) Sete! Oito!

OLÍVIA: Puta merda, fala logo pra ela!

(*gritos*)

ROSA: Nove!

DIANA: Rosa, por favor, não... (*choro*)

ROSA: Dez!

DIANA: Não me mata! (*soluços*) Por favor, não...

ROSA: Você decidiu morrer para salvar um filho da puta como Zak...

DIANA: Eu não...

ROSA: É uma escolha, delegada. (*pausa*) Foi um prazer me reunir com vocês...

DIANA: Clínica Madre Teresa! (*com a voz exaltada*) Clínica Madre Teresa, está bem?

ROSA: Como é?

DIANA: Clínica Psiquiátrica Madre Teresa... Rua Aristides Camargo, número 22... (*com a voz arfante*) Isso é uma loucura, Rosa... (*passos*) Rosa, não vá fazer uma bestei...

ROSA: Você vem comigo!

DIANA: O quê... (*ranger de cadeiras* e *gritos*) Merda! Solta meu cabelo!

ROSA: Se você gritar, eu atiro! (*gritos e passos agitados*) Se alguém tentar me impedir...

(*passos*)

(*ranger de cadeiras*)

AMÉLIA: Meu Deus! Meu Deus!

DÉBORA: Eu...

(*ranger de porta*)

ROSA: Quanto a vocês, quero que venham atrás de mim...

VÂNIA: Nós não...

ROSA: (*gritando*) Não discutam, merda! Obedeçam!

(*passos*)

ROSA: Fiquem a certa distância... Mas venham atrás de mim... (*ranger de cadeiras e passos*) Não pensem em fazer nenhuma besteira! (*choro*) Vamos!

(*choro*)

(*passos*)

(*silêncio — sete minutos*)

(*tiros à distância*)

(*gritos à distância*)

(*silêncio — onze minutos*)

(*passos*)

(*ranger de porta*)

(*passos de aproximação*)

(*respiração arfante*)

(*som do gravador sendo erguido*)

(*chiado*)

(*"stop"*)

(*fim da gravação*)

40.

CARTA ENVIADA EM 10/10/2009

REMETENTE: DÉBORA PARENTONI DE CARVALHO

DESTINATÁRIO: MARCELO ULHÔA SÁ

Meu filho,

Como você está? Tenho andado tão preocupada! Nunca mais mandou notícias! Espero que seu endereço continue o mesmo.

Eu e a sua avó estamos com saudade. Quando vai vir nos visitar?

Outro dia, alguém no asilo contou a ela que você tinha morrido. No último 7 de setembro, saíram tantas reportagens sobre a roleta-russa! Ela ficou desesperada, claro. Chorando compulsivamente. Fui obrigada a dizer a verdade para ela. Foi mais forte que eu. Precisava contar tudo a alguém, entende? Não conseguia mais segurar aquilo dentro de mim.

Contei que você está vivo.

Contei que está bem e feliz. Em um lugar seguro. E ela ficou mais tranquila.

Tenho sofrido muito, meu filho. Longe de você, sem te ver há mais de um ano! Isso é muito doloroso para uma mãe... Continuo tendo os mesmos pesadelos de que falei na última carta.

Ontem, como você deve ter visto nos jornais, teve uma reunião com todas as mães na Chefia da Polícia Civil. Eu estava com tanto medo! Parecia que eles sabiam a verdade! É realmente um milagre que tudo tenha dado certo!

A delegada responsável chamava Diana Guimarães e parecia muito competente. Fiquei com medo dela. Vez ou outra, ela me lançava olhares desconfiados, profundos, como se percebesse que eu estava mentindo! Mas não. Ela não sabia de nada, tenho certeza.

As coisas aconteceram exatamente como você imaginou. Ela leu o caderno que encontraram no porão de Cyrille's House junto dos corpos. Eu, obviamente, fingi estar surpresa e todas acreditaram. De início, ela não contou a ninguém qual era o verdadeiro objetivo da reunião. Percebi que estava nos avaliando, tentando observar quem ficava na defensiva. Mas segui o que as outras faziam. Chorei bastante, reclamei da reunião. Em um momento, quase falei demais sobre aquele mendigo. Por um segundo, me passou pela cabeça a troca dos registros de arcada dentária que entreguei à polícia. Mas, no fim das contas, cumpri meu papel.

Só fiquei realmente desesperada quando ela leu o capítulo da morte da Maria João. Você não tinha me contado nada sobre isso! Eu estava despreparada. Eles pareciam a um passo de nos descobrir! Como ela sabia de tudo aquilo? Você não contou, contou? O que você fez para que ela não nos denunciasse? E, finalmente, por que você tinha que escrever aquilo no livro? Você sabia que iam nos interrogar, sabia que, ao escrever aquilo, seríamos todas suspeitas, inclusive eu! Você me pôs em risco, filho! Quase colocou tudo a perder! Eu era a melhor amiga da Maria Clara! Em determinado momento, todo o foco se voltou para mim, e elas me acusaram! Cheguei a ter certeza de que seria descoberta. Acabei conseguindo contornar a situação... Acusei outras mães, propus novas possibilidades e escapei do problema. Mas ainda assim foi um grande risco!

Quando a delegada leu o capítulo em que Zak atira em você, fiquei tão assustada! Mesmo sabendo de tudo, realmente me pareceu que você tinha morrido! Foi horrível ter que ouvir aquilo sendo narrado! Como você fez para enganar todo mundo? Nas suas cartas curtas desde que fugiu nunca me contou nada. Como fez com que a Waléria escrevesse aquele capítulo dizendo que você estava morto? São tantas perguntas! Tantas coisas que preciso entender!

Provavelmente os jornais vão publicar como a reunião terminou: a Rosa puxou uma arma. Sem dúvida, esse assunto ainda vai render por algumas semanas. Ela estava com tanta raiva! Queria matar o Zak! Foi uma gritaria enorme! Fiquei nervosa, claro, mas também aliviada... aquilo significava que eu estava fora de suspeita.

A delegada acabou dizendo onde Zak está internado. Rosa tentou sair do prédio usando a mulher como refém. Mas não deu certo, é claro.

Tentaram fazer com que se rendesse, mas ela não cedeu. Vi tudo. Vi quando os policiais abriram fogo. Vi quando ela caiu morta no chão. Ela e a delegada. Mortas pela polícia.

Você é capaz de imaginar o estardalhaço que foi. O lugar virou uma confusão. Aproveitei para voltar à sala de reuniões e pegar o material. Peguei seu livro, as anotações do diário e o gravador. Você tinha dito que eu poderia obter tudo isso judicialmente mais tarde, mas, já que a reunião tinha virado aquele caos, achei melhor aproveitar. Fique tranquilo: tenho certeza de que ninguém notou.

Fiz isso por você. Nunca se esqueça disso!

Mas a verdade é que estou muito arrependida do que fizemos. Sei que você está feliz, prestes a realizar seu sonho de publicar um livro... Mas, ainda assim, é um preço muito alto. Viver e assistir de camarote a toda a desgraça que causamos... Será que valeu a pena, meu filho?

Matar uma pessoa não é fácil. Não é, não. Quando envenenei o café do seu avô, não me arrependi nem um pouco, mesmo quando percebi que você tinha visto. É horrível dizer isso, mas ele não era humano! Era um monstro! Maltratava sua avó, batia na gente... No dia em que ele encostou em você, percebi que não dava para continuar daquele jeito. Não, não dava! Você é o que tenho de mais precioso, filho. Ele tinha que morrer. Merecia morrer. E você sabe disso.

Quando você me pediu ajuda para matar Maria Clara e Getúlio, fiquei totalmente perdida! Eles eram nossos amigos! Zak era seu melhor amigo! Eles não mereciam! Não mesmo! Mas você estava tão certo do que estava fazendo, que eu tive que ajudar! Porque eu te amo, filho! Sei que você não ia contar para a polícia o que sabe sobre a morte do seu avô caso eu não ajudasse. Você não teria coragem de fazer isso com sua mãe, teria?

Não pode imaginar como tem sido difícil resistir. Às vezes, tenho a impressão de que vou enlouquecer como sua avó. Outro dia, vi o vulto da Maria Clara acenando para mim, do outro lado da rua, sorrindo daquele jeito bobo e engraçado dela...

Sonho com eles todos os dias. Todos os dias! Eles vêm me visitar e às vezes falam comigo, como se quisessem me provocar.

Eu deveria ter morrido naquela cirurgia! Não deveria estar viva para ver toda essa desgraça pela qual também sou responsável. Sobrevivi para pagar por todos os meus pecados.

Um dia, quando for bem velha e morrer, talvez eu já tenha sido purificada. Talvez eu mereça ser perdoada. Talvez eu consiga me perdoar.

Acho que me estendi demais.

Seu nome continua sendo Marcelo, não é? Não vai voltar a ser Alessandro?

Quando publicar seu livro, você não tem medo de ser investigado e acabar preso?

Por favor, me escreva assim que possível. E marque um local para que eu possa encontrar você, sim?

Da sua mãe que te ama,

Débora.

P.S.: O livro, as anotações e o gravador estão na embalagem anexa à carta. Espero que tudo dê certo.

41.

CARTA ENVIADA EM 22/10/2009

REMETENTE: MARCELO ULHÔA SÁ

DESTINATÁRIO: DÉBORA PARENTONI DE CARVALHO

Mãe,

Eu estou bem. Sei que sumi nos últimos meses, sem enviar cartas, mas a verdade é que tenho estado muito ocupado tentando consertar minha vida. Não é fácil.

Como está minha avó? Na próxima vez que a encontrar, diga que estou com saudade. Estou com saudade de você também, claro. Tenha a certeza de que, assim que possível, marcarei um encontro. Por enquanto, não é seguro. O caso ainda é muito recente. Mesmo um ano depois, temos que ter cuidado, principalmente agora que a reunião terminou naquele banho de sangue. Não posso me arriscar.

Não se penitencie pelo que fizemos. A ideia foi minha, não sua. E não estou arrependido. Você foi uma boa mãe ao me ajudar. E basta. Os pecados são meus. Não os tome para si.

Li que apenas os grandes homens são capazes de grandes sacrifícios. Sempre sonhei ser um grande homem, mãe. Sempre. E, naquele dia, quando recebi a carta da editora recusando meu livro como se fosse uma porcaria qualquer, percebi que, se continuasse daquele jeito, eu nunca ia conseguir. Precisava inovar. Fazer algo inesperado, ousado.

E, para isso, eu tinha que fazer um grande sacrifício.

Sempre me impressionou como as tragédias atraem a atenção dos leitores. Foi assim com aqueles jovens suicidas dos Estados Unidos, que ficaram várias semanas nas manchetes. É assim com quedas de aviões, assassinatos de crianças, tsunamis e maremotos. O ser humano é fascinado pela desgraça alheia, mãe. Os alemães chegam a ter uma palavra para isso: *Schadenfreude*.

Eu precisava fazer algo impactante, mas real. Algo que atraísse a curiosidade das pessoas por todo o mundo.

A ideia me veio inteira, completa, como num flash. Tive exatamente uma noite para executar a primeira parte do projeto: sabotar os freios do carro do Getúlio. Apostei todas as fichas naquele acidente, mãe. E deu certo!

Mas então ocorreu a primeira falha, que eu escondi de você, para que não ficasse nervosa. A vaca da Maria João me desmascarou! Quando o acidente ocorreu, eu estava no apartamento do Zak, ensaiando com a banda. Você me mandou aquela mensagem de celular: "Está feito. Eles morreram", mas eu nem tive tempo de ler direito porque, naquela mesma hora, Zak começou a gritar e a se debater enquanto falava com o delegado no telefone. Tive que desempenhar meu papel. Deixei o celular sobre o banco e fui acudir meu amigo. Mas a filha da puta da João viu que eu havia recebido uma mensagem e foi xeretar o que era... E acabou descobrindo tudo.

Por isso, ela sabia que eu tinha matado os Vasconcellos! Por isso, ela sabia que você tinha me ajudado! Ela viu sua mensagem!

Sim... Aquela vaca quase pôs tudo a perder!

Mas inverti a situação. Eu a transformei em minha aliada. Ofereci alguns milhões para ela, e seus olhinhos brilharam. Poderia conseguir bem mais dinheiro com Zak.

Mas meu sonho é bem maior que milhões na conta bancária. Quero um lugar na literatura! É minha maneira de ser eterno.

O destino agiu a nosso favor. A ideia da roleta-russa saiu melhor do que eu esperava. Lancei a proposta no ar, e Zak a agarrou com afinco. Parecia até que ele mesmo havia pensado naquilo! Nunca imaginei que seria tão eficiente!

Foi fácil fazer a João ficar quieta, sacrificar a vida do próprio irmão em prol da grana. Eu disse a ela que só os grandes homens eram capazes de grandes sacrifícios. E ela aceitou. Convenceu o Lucas a também entrar na roleta-russa conosco. Obviamente, garanti a ela que os dois sairiam vivos dali. Vivos e ricos.

Ela se descontrolou quando Lucas morreu. Por um segundo, pareceu se arrepender, e eu pensei que fosse contar tudo. Mas não. Ela resistiu. Pelo dinheiro. Sempre pelo dinheiro. Quando Zak queimou os vinte e dois milhões de dólares, aí, sim, a garota enlouqueceu. Surtou. Ainda bem que Zak a matou. Foi a melhor coisa que poderia ter acontecido. Ele silenciou a única pessoa que poderia me entregar. Eu estava em paz. Tinha total domínio da situação.

Zak confiava em mim. E acho que sentia tesão por mim também. Mas isso pouco importa. A questão é que ele estava do meu lado, colocando a bala no cilindro giratório e escolhendo quem ia morrer, garantindo que eu continuasse vivo a cada rodada. Ele fez aquilo por mim. Eu tinha dito que era para escrever o livro até o final, então nós dois nos mataríamos juntos. E ele acreditou.

Quando a João morreu, tudo ficou muito mais fácil. Zak tinha certeza da culpa da Waléria. Joguei com os dois lados. Salvei a vida da gorda naquela hora e pedi a ela que escrevesse o último capítulo, de modo a deixar minha morte verossímil, testemunhada e escrita por uma pessoa imparcial.

Depois, conversando com Zak, eu o convenci de que a Waléria nunca confessaria o crime enquanto eu ainda estivesse ali, só quando acreditasse que restavam apenas os dois. Então convenci Zak a atirar no meu braço.

O mais irônico é que ele não queria fazer aquilo de jeito nenhum! Você não pode imaginar como foi difícil! De qualquer modo, quando ele puxou o gatilho, caí para trás do sofá e foi o suficiente para que Waléria, nervosa, julgasse que eu estava morto.

Ali, deitado, sentindo uma puta dor no braço, ouvi o interrogatório de Zak, acusando a gorda do crime que eu mesmo havia cometido!

E então ele atirou. Um balaço certeiro na testa dela.

Logo depois de matar Waléria, ele veio me acudir, preocupado com o tiro que tomei. Eu disse que estava bem. Que tinha sido de raspão e estava sangrando pouco. Que ele podia ficar tranquilo. Então, na primeira oportunidade, dei com o martelo na nuca dele.

Pronto! Eu estava sozinho no porão. Era só preparar toda a cena.

Amarrei um pano no braço para estancar o sangue. Com o martelo e a chave de fenda, abri todos os abdomens no porão, fingindo estar em busca da chave. Depois, prendi a corda no teto e derrubei a cadeira para simular a tentativa de suicídio.

Usei a cópia da chave que fiz para sair do porão (Zak a tinha deixado comigo desde sexta) e recarreguei o revólver com as balas que eu trouxe escondidas. Já tinha passado das duas da manhã, horário em que eu tinha marcado com o mendigo. O pobre coitado realmente acreditava que ia ganhar uma grana fornecendo as drogas para a festa que eu tinha dito que ia rolar em Cyrille's House. Ele estava nervoso. Quando me viu, começou a gritar revoltado, dizendo que ele é que tinha vindo de ônibus e era eu que estava atrasado. Pedi desculpas e disse para ele vir comigo. Disse que a festa estava rolando às escondidas, no porão da casa. A expressão de surpresa dele ao ver os corpos destroçados foi impagável. Mas ele não teve tempo de entender o que acontecia. Quando virou, em choque, levou um tiro na cabeça. Caiu bem atrás do sofá onde eu deveria estar. Nem precisei arrastá-lo. Tinha a mesma altura, quase o mesmo peso. Com a troca que você fez do meu registro dentário pelo dele, era o substituto ideal.

Recolhi a cápsula da bala para que a polícia só encontrasse nove projéteis no porão e, assim, criei o cenário perfeito para a minha história.

Mas ainda tive que improvisar, você nem ficou sabendo. Eu tinha que carbonizar os corpos para que só conseguissem fazer a identificação do meu suposto corpo pela arcada dentária. Por outro lado, os policiais teriam que encontrar meu livro ainda intacto. Como você vê, mãe, era um dilema e tanto!

A solução foi incendiar apenas uma área do porão, queimando o sofá e carbonizando os corpos de Waléria, Maria João, Lucas e do mendigo que me substituiu. Do outro lado, o mais distante possível do fogo, deixei o livro.

Eu precisava que encontrassem logo o porão, antes que o fogo se alastrasse e devorasse o livro. Por isso liguei para os policiais! Fui até o orelhão mais próximo. O telefone do policial Motta estava registrado no celular do Zak. Disquei o número, contei uma história absurda e deixei a coisa toda acontecer.

Eu estava escondido na mata quando eles chegaram. Vi os dois desesperados, saindo correndo da casa depois de ver o fogo e os corpos, chamando os bombeiros...

Você disse que ficou assustada quando a delegada leu o capítulo em que a João revela que o assassino cometeu o crime com a ajuda da mãe. Peço desculpas por não ter contado. Mas era melhor você ficar surpresa com isso, assim como as outras mães. Tudo vai servir de material para meu romance de estreia, entende?

Eu sabia que nunca descobririam você. Eles estão tão longe da verdade quanto o Brasil do Japão. Nunca vão saber de nada, mãe. Você fez bem em roubar o material.

Apliquei na vida os princípios do pôquer que meu bisavô me ensinou. Ele dizia que você só pode dar all-in em dois momentos: na "grande cartada" e no "grande blefe". Na "grande cartada", você aposta tudo simplesmente porque tem a certeza de que possui a melhor mão da mesa. No "grande blefe", você tem que conhecer bem os outros jogadores para ter a certeza de que eles vão correr quando você fizer sua aposta mentirosa. Conforme ele mesmo dizia, a "grande cartada" é para os homens de sorte e o "grande blefe" é para os homens de coragem. Lembra, mãe?

Nunca fui um homem de sorte, você sabe.

Mas agora sou um homem de coragem.

Eu conhecia bem todos os outros jogadores e era capaz de prever suas atitudes. Sabia que tudo ocorreria como eu planejara. Dei o grande blefe, mãe. Dei o grande blefe e ganhei a partida!

Hoje é um dia muito especial para mim. Com todo aquele material que você me enviou, terminei o livro e entreguei ao editor da Companhia das Letras — lembra que eu sempre te disse que um dia publicaria por eles? Minha editora dos sonhos! Você não precisa se preocupar com o lançamento do livro. Vai ser publicado como "ficção brasileira", e tenho certeza de que ninguém vai se dar ao trabalho de investigar nada — os editores mesmo compraram a ideia sem averiguar.

Esse é o livro que vai me levar ao sucesso. O livro que todos vão querer ler para descobrir por que nove adolescentes idiotas acabaram com a própria vida. E a resposta sou eu, mãe. Eu os levei a isso.

Cada pessoa que ler o livro terá compactuado com o projeto. Terá provado que essas mortes não foram em vão. Valeram a pena! Sim, valeram muito a pena!

Infelizmente, não acredito que você um dia vai poder voltar a me chamar de Alessandro. Nos últimos meses, minha vida tem se resumido a mudar de identidade.

Agora parece que finalmente encontrei uma definitiva! Um novo nome. Aquele que vou levar até a morte. O nome com que vou assinar meus livros futuros e criar toda uma carreira.

É melhor que o use desde já, para você se acostumar.

Fique bem, mãe. E saiba que também te amo muito.

Espero que goste do livro.

Mil beijos do seu filho,

Raphael Montes

1ª EDIÇÃO [2021] 1 reimpressão

ESTA OBRA FOI COMPOSTA POR OSMANE GARCIA FILHO EM ELECTRA E IMPRESSA PELA GRÁFICA SANTA MARTA EM OFSETE SOBRE PAPEL PÓLEN DA SUZANO S.A. PARA A EDITORA SCHWARCZ EM SETEMBRO DE 2025

FSC
www.fsc.org
MISTO
Papel | Apoiando o manejo florestal responsável
FSC® C005648

A marca FSC® é a garantia de que a madeira utilizada na fabricação do papel deste livro provém de florestas que foram gerenciadas de maneira ambientalmente correta, socialmente justa e economicamente viável, além de outras fontes de origem controlada.